U0103096

線上資訊檢索—理論與應用

蔡明月／著

臺灣學生書局印行

自　　序

資訊檢索是今日資訊爆發時代所面臨最重大的課題之一。隨著科技的突飛猛進，運用現代科技發展的各項成就，配合資訊儲存與檢索的經營理念，造就了線上資訊檢索的輝煌地位，進而成為圖書館與資訊科學領域中之重要工具。

線上檢索之最終目的在滿足讀者的資訊需求，進而解決問題。欲成功的完成此項任務，其中涉及許多與線上檢索理論與實務有關之因素。有關線上資訊檢索之英文文獻不計其數，其中不乏此方面學者專家之傑作，唯或偏技術性的介紹或重理論性的研究，獨少見兩者並重之論著。

理論與應用二者實相行並存，不可偏廢；以彼之長濟此之短，相輔相成，始竟其功。本書有鑑於此，乃針對線上檢索之基本理論配合實際應用加以闡述。首章勾捺出全書概貌。所謂「鑑往」可以「知來」，欲對線上檢索有一通盤的認識，必須回首「過去」，才能把握「現在」，進而展望「未來」。第二章即線上檢索系統發展過程。線上資訊檢索牽涉的範圍廣、層面深，自然優缺點互見，其強處與弱點自會引起圖書館的衝擊，此乃第三章之內容。線上檢索之首要組成要素是資料庫，舉凡書目、名錄、全文、數字等各類型資料庫的特性、評估及檢索策略均必須透澈掌握方能完成有效的檢索。第五、六、七章即以此為著眼點。資料庫類型雖各有差異，然一旦納入線上檢索系統，經過整合設計後，而有獨自的結構及其索引法；資料庫索引語言主要有控制詞彙與自然語言二種。檢索者若「知其所以然」，更能將檢索語言與各種檢索指令「知其然」的靈活運用。第八、九章即針對此加以論述。第十章探討索引典。索引典為線上系統採用控制詞彙、索引或檢索的主要工具。DIALOG、ORBIT及BRS乃目前最廣為利用的三大線上系統。第十一章主要介紹三大系統之檢索指令。欲了解讀者眞正的資訊需求，必須講求檢索前的晤談工作，透過澈底的溝通與認識，制訂一合宜確切的檢索策略，再根據讀者對檢索結果的滿意程度，配合其他客觀因素，以科學化的模式加以評估其有效性，以作為改進的依據，以上所述乃第十二、十三、十五章主要內容。人是一切活動的原動力，檢索者自是操縱線上檢索之大權，第十四章即討論檢索人員。線上檢索已跳脫早期遠程連線檢索的模式，而躍昇至十六章的微電腦及十七章CD-ROM的途徑，進而建立內部資料庫。為了使線上檢索越來越好，好還要更好，有關業界莫不全力投入，為達理想境界而努力，十八章即透過現在，遠眺未來的線上檢索世界。

生也有涯，知也無涯，尤其處今瞬息萬變之資訊時代，即使「勤」力奮勉，仍恐到不了「岸」。是以，本書雖力求完整，仍難免疏漏，尚祈學界與業界先進，不吝賜教為禱。

本書承方碧玲，葉文心襄助謄稿，謹此致謝。

謹以此書獻給我所摯愛及所有關愛我的人。

蔡明月　中華民國八十年六月

線上資訊檢索——理論與應用

目　次

第一章　導　論

一、資訊界說

對於資訊一詞的界定，衆說紛紜，就其應用的學科範圍而有不同的解釋，尤其在這個科際整合越普及，學科分際越嚴密的時代，眞可謂百家爭鳴，各執其是。例如：就資訊科學、電腦科學、人工智慧、認知科學、記號學、語言學、模控學、系統論及信息理論諸領域均有不同的界說❶。就圖書館與資訊科學的領域來探討，資訊指圖書館與讀者之間雙向溝通、傳遞的訊息，其中主要涉及圖書館對讀者的各種服務，尤其是資料的提供，換言之即指各種原始資料、事實消息與分析的數據等各種知識與智慧的提供。不論資訊指稱為何，最重要的條件必須是有記錄的，而該記錄或以印刷方式存於紙張、或以影像存於底片、或以打洞的方式存於孔卡或紙帶上、亦或以數位信號存於各種電腦記憶媒體❷。

隨著社會的進步，人類對於資訊的需求愈來愈迫切，由於科技的突飛猛進，各種資訊的產生大量爆發，急遽泛濫成長的結果已到了資訊污染的地步。科學知識的特性是累積成的，換言之，一切新知莫不建築在前人的研究成果上，研究人員對知識爆發的壓力感受最大，故對於一個研究人員而言，如何從龐雜的資訊記錄中，獲取適當的資料是最迫切的課題，這也就牽涉到資訊檢索問題。

二、資訊檢索系統

一個資訊檢索系統乃一介於資訊的使用者與資訊總體（information collection）之間的一項設施。對於一個資訊問題，資訊檢索系統的功能，即在擷取想要的而濾去不想要的資料。舉例來說，卡片目錄及線上目錄即為一個供公衆使用的，檢索圖書館館藏資料的一個資訊檢索系統。Library Literature對於檢索有關圖書館學與資訊科學方面全部的已出版文獻而言，它亦是一個資訊檢索系統。廣義而言，人腦本身亦可視為一個強有力的資訊檢索系統，各種心智的產物均是以心智的資訊檢索功能而設計，例如：一個個人記錄檔或一個食譜的卡片檔❸。有關圖書館或資訊中心的資訊檢索系統可以圖一示之，並分別討論說明如下：

圖一在說明一個資訊檢索系統的結構。一個資訊系統所包含主要的作業要項可分為二大部份，一為系統輸入（input）部份，一為系統輸出（output）部份❹。

就系統輸入部份而言，其作業步驟為：

⑴**資料搜集**。應根據使用對象的需求，加以分析研究而制定選擇、徵集資料的標準與策略。

⑵**資料的概念分析**。進一步將資料加以組織並控制，以方便使用者確認並查尋資料。處理的方式包括分類、編目、主題分析、製作索引與摘要。

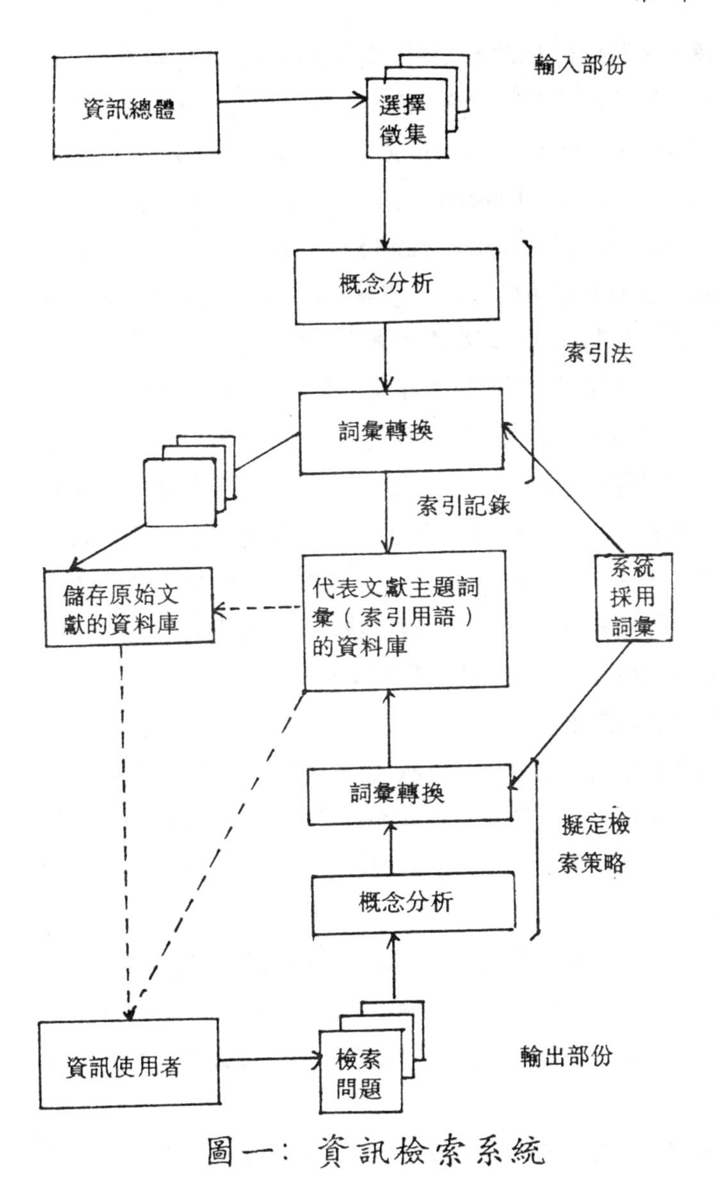
輸入部份
資訊總體
選擇
徵集
概念分析
索引法
詞彙轉換
索引記錄
儲存原始文
獻的資料庫
代表文獻主題詞
彙（索引用語）
的資料庫
系統
採用
詞彙
詞彙轉換
擬定檢
索策略
概念分析
資訊使用者
檢索
問題
輸出部份

圖一：資訊檢索系統

⑶**轉譯**。將分析過的概念轉換成系統採用的特定詞彙，也就是一般所謂的控制詞彙。控制詞彙採用的工具有標題表（如 Medical Subject Heading － MeSH）、分類表（如：Dewey Decimal Classification － DDC）或索引典（如：Thesaurus of Engineering and Scientific Terms——TEST）或其它經過認可的關鍵字或詞（key words or phrases）。至於非控制詞彙，即由索引者毫無其它限制的自己制定索引用語。概念分析與轉譯實則為索引工作的主要內容。

⑷**製作資料庫**。索引工作完成之後，首次資料及二次資料均須加以儲存。儲存媒體或為紙本形式、微縮形式、電腦可讀的資料庫、或唯讀光碟記憶體（CD-ROM——Compact Disc Read Only Memory）。大多數的索引與摘要服務均已製作資料庫，提供各種檢索點的查尋服務。

就系統輸出部份而言，其作業步驟為：

⑴**讀者提出需求**。

⑵**讀者需求的概念分析**。資訊人員針對讀者的需求準備檢索策略，檢索策略的制定如同系統輸入部份，必須從事概念分析，唯此項概念分析乃針對讀者的問題，分析其主題意識。

⑶**轉譯**。分析過的主題概念，亦須轉換成系統所採用的控制詞彙，而成為正式採用的檢索用語，如此方可有效的進行檢索。此概念分析與轉譯則為準備檢索策略的主要工作內容。

⑷**資料庫檢索**。檢索策略決定之後，透過系統運作至資料庫

中查尋。系統所制定的索引用語，若能與使用者所制定的檢索策略相吻合則能檢索出適當、適量的資料。

近年來，以傳統圖書館對於資訊儲存與檢索的經營理念為基礎，加上現代電腦科技在處理速度與儲存密度的配合，使得資訊管理者對於資訊的檢索功能，較在人工檢索時代向前邁進一大步，線上檢索就是最成功的應用。

三、線上資訊檢索系統

線上資訊檢索系統乃利用電腦及其週邊之硬體設備，如：終端機或個人電腦、數據轉換機（modems）、電信通訊網路、磁碟以及複雜的軟體程式等互相配合，以執行資料庫中儲存體被檢索的功能，而以直接且連續性的來往進行線上交互形式的資訊溝通。

最早期的線上資訊檢索系統，是由一些商業性的航空公司所設計，用來儲存並檢索「保留」的資料，由於處理量大且需有較多的終端機，致使大型電腦逐漸取代之。至於小型的儲存與檢索應用，如：商業上的存貨與倉儲控制、或圖書館的期刊系統，則都利用小型電腦或微電腦去處理❺。本書探討的資訊檢索系統只限於可供公共查尋的線上資訊檢索或稱為線上查尋。

所謂線上檢索乃指檢索者利用電腦終端設備，透過電話線及電信通訊網路，如：Tymnet、Telenet或Uninet與線上系統的電腦主機連線，以檢索資料庫內的資料。檢索者與資料庫在線上連絡彷彿二個人利用電話線（online）交談。電腦終端設備可置於任何地點，遠處檢索利用電話或人造衛星連線，該資訊傳輸形態已發展到洲際的線上檢索。1980年代以後，大多數的線上檢索均藉由微電腦工作站（microcomputer workstation）取代早期的終端機。微電腦同時配備硬式磁碟機與軟式磁碟片。線上檢索可在該工作站內部直接進行，例如：檢索CD-ROM的資料；亦可當作終端機使用與遠處線上系統的電腦主機連線檢索資料庫內的資料，同時可在此工作站制定檢索策略，然後再整批傳送至線上系統處進行檢索，亦可將檢索結果整批轉錄至微電腦上再加以處理。

圖二說明檢索者與線上資訊檢索服務處及資料庫製作者三者之間的關係。檢索者採取指令語言或選項式（menu driven）的方法利用終端機的鍵盤傳出數位信號（digital signals），經由數據轉換機轉換成類比信號（analog signals），再利用電信通訊網路傳至線上檢索服務處的電腦主機，主機接到傳來的類比信號亦須先利用數據轉換機轉換成數位信號，再靠系統軟體程式語言，將這些數位信號轉換成各種指令，並進一步加以執行，再將執行結果回輸（feedback）給使用者❻。此一過程中包括了資料庫索引的檢查、印出或顯示初步檢索結果，展示為檢索所需的各種技術和方法。如此一來，整個檢索系統是檢索者與線上檢索系統之間一來一往的交談。

四、檢索設備

任何一套線上資訊系統必須具備資料庫、軟硬體設備及電信通訊網路。

1.資料庫

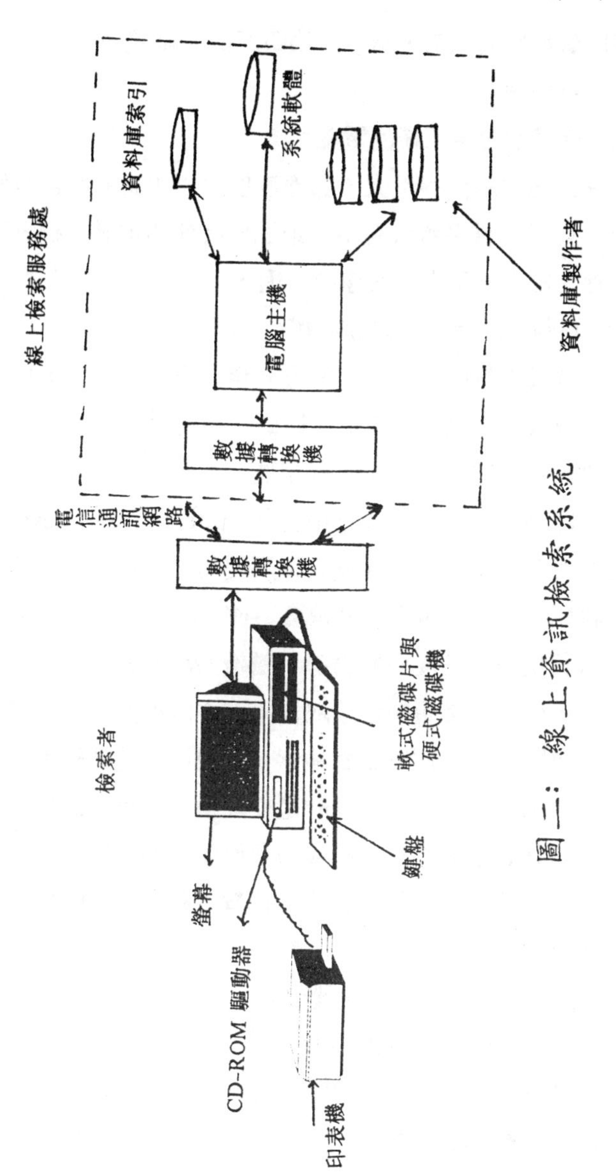
線上檢索服務處
資料庫索引
系統軟體
電腦主機
數據轉換機
資料庫製作者
電信通訊網路
數據轉換機
檢索者
軟式磁碟片與
硬式磁碟機
鍵盤
螢幕
CD-ROM 驅動器
印表機

圖二：線上資訊檢索系統

有關資料庫的探討，請參考第四章的介紹。

2. 軟硬體設備

⑴ **完備的分時系統的電腦**

現代化電腦儲存量大、處理速度快、功能強大且價錢越來越便宜、更可提供多數人在不同地點同時使用電腦主機，這些特色都是促使線上檢索進步快速的原因。

⑵ **可供快速存取的磁碟設備**

機讀式資料庫可以不同的方式儲存資料，例如：打孔卡片、磁帶、磁鼓及磁碟等，其中尤以磁碟及磁帶最常用。資料庫製作者提供磁帶，經由線上檢索服務處，重新寫作程式交由電腦處理後，再儲存在磁碟上以供交互檢索（interactive retrieval）之用，這些大都為大型磁碟而非個人電腦使用的小型軟式磁碟。近年來，資料庫製作者大量生產光碟資料庫（CO-ROM），供檢索單位內部自行使用，已成一股趨勢。磁帶乃線性結構，不適合交互線上檢索，因為它必須順序讀取資料，亦即每當查尋一筆資料時，必須從頭開始依序逐筆比對檢索。磁碟則無此種缺點，它是最理想的隨意讀取設計，這種設計是交互檢索最重要的原理。最簡單的比喻是錄音帶與唱片的比較，當你要聽錄音帶中某一段音樂時，必須多次選擇才會找到正確的位置；相對的，唱片就容易選對所要的曲子。

⑶ **多功能且價廉的終端設備**

一個理想的終端設備必須是具有輕巧、可靠、可攜帶、便宜且多功能等特性，通常是包括各種配備的個人電腦機組，包括螢幕、鍵盤、硬式磁碟機及印表機等。

(4) **控制硬體及資料運作的軟體**

一套線上資訊檢索系統除備有對資料檔的建立、更新、修改等功能外，還要提供一套便於使用者與系統相互交談的指令，以便檢索資料庫內的資料。

這種交互作用的軟體，使讀者能主動和系統進行一來一往的溝通，直到獲得一適當的檢索結果。故系統往往自動指示檢索者錯誤所在並指點正確的作法。現在的檢索軟體已發展成透明化、簡便化但又保持原來強有力的檢索功能的地步。檢索者可以很清楚的看到自己檢索的每一個動作。

3. **電信通訊網路**

線上系統的主機與檢索單位的終端設備必須透過通訊網路方可傳遞程式中的指令、信號及數據。所須設備的繁簡隨主機與終端設備之距離而異，通常可利用電話、地線、微波及人造衛星等方式傳遞代表資料的類比信號。例如：同一棟建築物只須電纜線（cable）相連即可，又如我國的國際百科業務則接用電信通訊網路，經由我國國際電信局以人造衛星傳播至美國電信局再透過美國境內的電信通訊網路與線上檢索服務處連接。美國境內最大的三家電信通訊網為Telenet、Tymnet及Uninet。

線上檢索欲發揮功能務必資料庫、軟體、硬體及電信通訊網路等設備密切配合方能奏效。

五、資料庫

資料庫乃線上檢索的資訊來源，就線上檢索系統而言，資料庫乃針對某一主題或為了適應某一單位的任務需要，搜集有關的資料加以整理分析，並將結果存入電腦可讀的媒體中，以供各方檢索使用。資料庫的製作者依其製作的目標與宗旨製作各類型的資料庫，其中較常見的有書目資料庫、數字資料庫、名錄資料庫及全文資料庫。書目資料庫所收錄的內容以書目資料為主，目的在供文獻查尋之用。數字資料庫收錄的內容多為統計數字，目的在提供有系統的數據參考資料。名錄資料庫收錄內容以傳記資料、機關名稱、商品名稱等為主，目的在提供一些簡單的事實資料，以解決即時回答或簡易（ready reference）形的參考問題。全文資料庫所收錄的內容為文獻的整體內容，目的在提供一直接可利用的原始資料。資料庫製作者將所建立的資料庫以發售或租的方式，提供各方使用，一般而言，資料庫製作者不提供檢索服務，線上檢索服務主要由檢索服務處執行。

六、線上檢索服務處

截至1988年，全世界的資料庫已多達四千五百多個[7]，若每個資訊使用者均直接與資料庫製作者連線使用，勢必造成通訊及使用上的許多困擾，再且資料庫製作者因涉及各種線上檢索設備問題，而未能提供線上檢索服務，故有線上檢索服務處（或稱資料庫經銷商）產生。這些服務處本身並不製作資料庫，而以買斷或簽約的方式，取得各類資料庫。原始資料庫的製作完全採線形檔（linear file）的結構，依資料錄（record）順序編號檢索，耗時且不便，故須建立各種索引檔以茲配合，透過各種不同線索才能做快速正確的查尋，除此之外還須設計各種檢索軟體、檢索參考文件以及設置各種電腦硬體設備，始可作業。

部份資料庫製作者甚至與多家檢索服務處簽約，故而造成線上檢索系統之間資料庫的重複現象。也有某家檢索服務處以買斷的方式對某些資料庫取得專用權。故使用單位所需的資料庫若分屬於兩家服務處時，就得分別與之簽約。

七、檢索人員

人是一切活動的原動力，沒有人則一切作業均不能推動，一個線上檢索系統必須要有資料分析者、資料庫製作者、系統設計、維護、控制者及檢索操作者等專業人員充分配合，始能發揮完整的線上檢索功能。就檢索操作者而言，主要可分為三種，一為檢索中間人（intermediary），一為資訊需求者（end-user），一為資訊顧問（information broker）。資訊需求者本人檢索最為簡易可行，然效果堪慮，故大多數的線上檢索服務仍由專業檢索人員執行。要稱職的扮演好檢索人員角色，必須經過各種方式，如圖書館學系所課程、線上檢索服務處或資料庫製作者提供的訓練課程、館內訓練、自我教育等加以培訓，進而具備良好的素養與技術，始能勝任該項業務。

八、檢索步驟

線上檢索其作業流程如圖三所示，其步驟計有：

1. 檢索晤談

利用線上檢索查尋資訊必須於檢索之前有一週詳的準備，否則會造成未能找到眞正需要的資料，或找到不需要的資料等種種遺憾，為了使檢索結果能達到最令人滿意的程

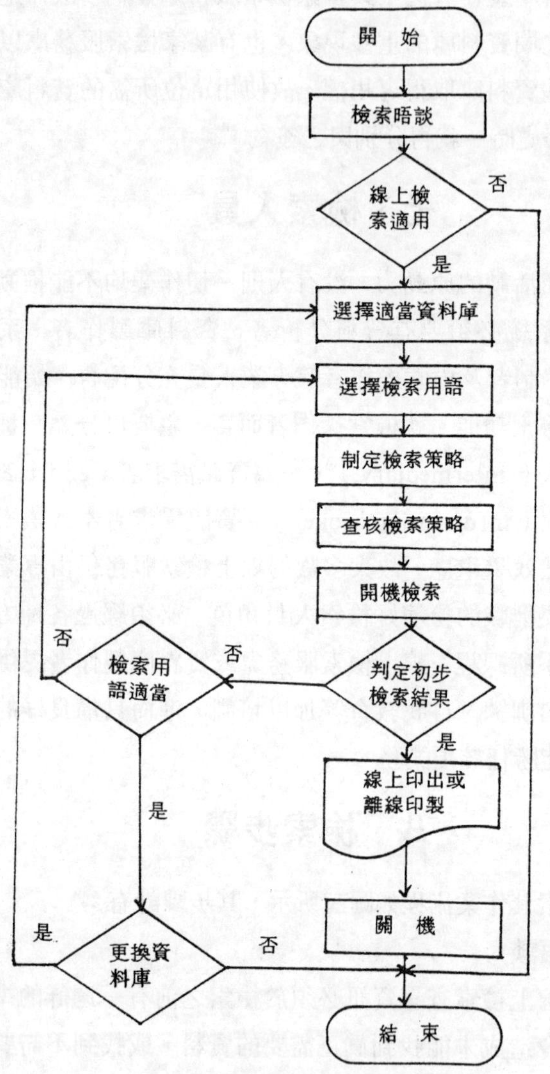
開 始
檢索晤談
線上檢索適用
否
是
選擇適當資料庫
選擇檢索用語
制定檢索策略
查核檢索策略
開機檢索
判定初步檢索結果
否
檢索用語適當
否
是
是
線上印出或離線印製
關 機
更換資料庫
是
否
結 束

圖三：檢索流程

度，檢索之前，檢索者與讀者必須進行檢索晤談，以了解讀者的資訊需求，包括檢索問題、資料庫檢索用語、檢索策略及各種設限資料等。為了使晤談能順暢進行，最好設計檢索申請表供讀者填寫，以幫助檢索前的準備工作。

2. **線上檢索適用否**

檢索者在進行過檢索晤談之後，首要工作是判斷是否需要進行線上檢索方可解決問題。某些事實性的問題，手邊的參考工具書馬上可獲得答案，某些問題已有相當合適的專題書目，又有某些問題才做過相同的檢索等，均可視情況加以判斷，選擇最適當的途徑給予解答。

3. **選擇適當資料庫**

由於資料庫的收錄範圍，不論就資料的主題、形態、年代、或內容均各有特色，檢索者必須利用各種資料庫名錄工具書及線上檢索服務處或資料庫製作者所提供的資料庫使用說明書（database documentation），對各種資料庫的特性加以研究了解，並進行評估，如此方能掌握最正確的資訊而為讀者決定一適當的資料庫以進行檢索。

4. **選擇檢索用語**

決定使用那種資料庫後，檢索人員必須針對檢索問題所涉及的主題概念，以及讀者所列出的詞彙，配合檢索者研判的可能相關之詞彙，再依據資料庫或線上系統提供的控制詞彙工具，如索引典中所制定的敘述語，來選擇最適當的檢索用語。然索引典的應用須視資料庫建立時是否應用索引典而定。

5. **制定檢索策略**

根據所選定的檢索用語，就其相互間的關係，以布林邏輯運算（AND，OR，NOT）加以組合成一檢索敘述，除布林邏輯運算之外，還有其他的檢索功能，如：截字法（truncation）與相近運算元（proximity operator）等，無外乎令檢索能可大可小、搭配得宜、運作自如。檢索策略要保持適度的彈性，以便於線上查尋及與電腦之間雙向交通時，在檢索進行中隨時可自系統的回輸反應來適度調整檢索策略。制定檢索策略可參考各資料庫或系統之使用手冊或指引等輔助工具，以了解各系統或資料庫的特性。

6. **查核檢索策略**

查核檢索策略中各檢索用語邏輯關係是否正確，各種設限資料，如年代、語言、資料形態、或欄位等代號是否正確無誤等。

7. **開　機**

上述步驟皆準備妥當後，即可開機檢索。

8. **輸入檢索敘述**

將已制定妥的檢索策略，依序輸入終端設備，並隨時逐步檢視檢索結果給予適當的修正。

9. **判定初步檢索結果**

利用線上印出數篇檢索結果，最好含有摘要，由讀者或檢索者給予判斷是否眞正符合讀者之需求，若內容符合所需，表示檢索成功，若檢索結果不符所需，則應審視前述各項步驟是否有誤，例如：應更改檢索用語或重組其邏輯關係，以便擴大或縮小檢索結果，或甚而必須改用其他資料庫，重新輸入指令，以期達到目的。

10.**印出結果、關機**

若檢索成功，則可依印出數量的多少與需求之時效，選用線上印出或線外印製，前者可立即獲得結果，後者則待主機印出後郵寄。最後輸入關機指令，結束檢索。

九、檢索評估

評估的主要目的在透過需求者對檢索結果的滿意程度如何來評估。各人因需求的本質與程度上的差異，對檢索結果滿意程度亦隨之不同，故檢索評估並不代表著「絕對」肯定，但可以作為調整或改進以後的檢索參考。檢索評估可自檢索回現率、精確率、檢索的成本效率等方面加以探討之。

十、微電腦、CD-ROM與線上檢索

1980年代初期，由於微電腦大行其道且廣為應用於線上檢索系統，對資訊處理引起強烈的震撼，造就了經濟、快速、方便的資訊檢索。微電腦除了具有傳統終端機電信傳輸及交互往來傳遞資訊的功能外，尚具有下列特性，諸如整批傳送檢索敘述、編輯資料、轉錄檢索結果至內部系統等。為了達成上述各項功能，各種檢索軟體亦紛紛配合而開發成功。

1985年左右，光碟（optical disk）被用來存放大量的文獻資料，並配合微電腦提供檢索，此乃資訊處理的一大突破，此項應用被命名為CD-ROM，中文名為唯讀光碟記憶體。CD-ROM自

上市以來對資料界造成極大的衝擊，先進國家的書目、索引、字辭典、百科全書、名錄、原文資料等，紛紛以CD-ROM形式出版，它瞬間即成為現代化儲存與檢索資料的重要媒體，大有凌駕線上檢索的態勢，惟其本身尚有困難待努力改革，以期提供最有效的服務。

十一、未來趨勢

人工智慧乃現在許多先進國家競相研究的對象，而專家系統是最主要的研究項目之一。線上檢索未來將朝向「專家」檢索模式，由專家系統建立一個具有智慧的知識轉接站（knowledge gateway）來代替檢索者設定檢索策略、選擇適當的檢索用語、正確的評估檢索結果等工作❽。

知識讀寫網路（hypertext）及超媒體（hypermedia）二種連向未來的新媒體，亦將涉入線上檢索的世界。所謂知識讀寫網路是指非線性的閱讀與寫作，知識讀寫網路系統能讓使用者將資訊連結起來，在所聯想到的資料間建立許多線索相連。連接鍵可將某電子文件中的字詞或語句與其他文件中有關聯的資訊連結起來❾。

知識讀寫網路原只連接文字資訊而已，然而基於今日電腦科技之發展，其內容不再侷限於文字資料，超媒體和知識讀寫網路十分相似，但其連接的資訊內容不限於文字，使用者可連接其他的媒體做為內容物。諸如圖表、圖畫、影像、動畫及聲音。簡言之，超媒體系統的使用者，可連接現行科技所能提供的任何媒體形式之資訊。

未來線上資料庫將透過知識讀寫網路及超媒體為中間媒介與個人資料庫相連而成為一整合性的資訊儲存與檢索模式⑩。

附　註

❶ 徐文杰「資訊的語意——學際與科際間的探討」中國圖書館學會會報，期45，民國78年12月，頁1-18。

❷ Harter, Stephen P. Online Information Retrieval: Concepts, Principles, and Techniques, New York: Academic Press, 1986, p.1.

❸ Swanson, Don R., "The Formulation of the Retrieval Problem" in Natural Language and the Computer, by Garvin, Paul L., New York: McGraw-Hill, 1963, pp.255-267.

❹ Lancaster, F.W., Information Retrieval System: Characteristics, Testing and Evaluation, 2nd ed., New York: John Wiley & Sons, 1978, p.8.

❺ Raitt, D.I., Introduction to Online Information Systems, Oxford: Learned Information, 1984, pp.3-4.

❻ Thoma, George R., "Transmission of Information: An Overview", Journal of the American Society for Information Science 32:131-140, March 1981.

❼ Williams, Martha E., "The State of Databases Today" in Computer Readable Databases: A Directory and Data Sourcebook, edited by K. Y. Marcaccio, J.A. DeMaggio, and M.E. Williams, Detroit, MI: Gale Research, 1989, p.xi.

❽ Hawkins, Donald T., "Applications of Artificial Intelligence (AI) and Expert Systems for Online Searching" ,Online 12(1):34, January 1988.

❾ Conklin, Jeff, "Hypertext: An Introduction and Survey", Computer

20:17-41, September 1987.

⓾ Smith, Karen E., "Hypertext-Linking to the Future", Online, March 1988, p.32.

第二章　線上檢索系統發展過程

一、導　言

線上檢索萌芽於1960年代，成長於1970年代，茁壯於1980年代，自最早的批次作業至線上查尋至CD-ROM檢索，短短三十年間，不論就資料的儲存媒體、電腦的硬體設備或檢索軟體均變化多端，進步神速，令人不禁感慨科技文明之偉大。本章擬就時代順序，加以闡述線上檢索系統發展的過程。

二、1960年代

今日線上資料庫的濫觴起於1960年代初期，大型出版社，如索引摘要工具的出版者，利用電腦輔助排版時，無意中發現的副產品，亦即將書本式的資料轉為電腦可閱讀處理的形式，此為資料庫的源起。換言之這些出版者創造了資料庫❶。

此後，圖書館及資訊中心乃紛紛引進這些資料庫，並將之納入在自己的電腦系統中運作，以線外批次作業方式（offline batch processing），根據讀者的主題興趣檔，以數天或數週時間，定期檢索更新後的資料庫，並且提供新知通告服務（current awareness service），亦即專題選粹服務（Selective Dissemination of Information──SDI）。其中較著名的例子是美國國家醫學圖書館（National Library of Medicine──NLM）的MEDLARS（Medical Literature Analysis and Retrieval System）系統，該機構於1964年開始提供此項服務❷。這是第一個對外開放的大規模回溯性電腦檢索。由於受限於當時電腦的功能，此項批次檢索等候時間過久，約需時六週左右，再加上無法當場即時查核並獲得檢索成果，使得該系統未獲得普遍採行❸。

最早於1950年便有線上檢索的研議，且由系統開發公司（System Development Corporation──SDC）於1960年對外公開展示線上書目檢索系統。此套系統因欠缺布林邏輯運算功能及無法追溯已執行過的檢索過程等缺點，而沒有被推廣採用。依此架構予以改進，SDC約於1965年發展出ORBIT（Online Retrieval of BibliographicTimeshared）系統。該系統的軟體程式於1969-1971年時，為NLM的MEDLINE（MEDLARS On-Line）線上檢索系統採用❹。

1964年Kessler在麻省理工學院（Massachusetts Institute of Technology──MIT）開發的TIP（Technical Information Project）系統可說是第一個重要的線上書目系統，該系統超越傳統的檢索方式，不僅可檢索書目資料，且可檢索每篇文章的關鍵字❺。第一個大型的線上檢索系統是由洛克希德飛彈及太空公司（Lockheed Missiles & Space Company），為美國航空暨太空總署（National Aeronautics and Space Administration──NASA）設計書目資料庫而發展出來，該系統於1965年完成，名為 NASA/ RECON（REmote CONsole Information Retrieval Service）❻。1968年紐約州立大學（The State University of New York——SUNY）的生物醫學網路（Biomedical Communication Network——BCN）開始運作，請IBM公司設計檢索軟體，以檢索NLM的MEDLARS資料庫及圖書館館藏目錄❼。

1969年由洛克希德公司設計軟體提供給歐洲太空總署（European Space Agency）使用，其系統名稱為 European Information Retrieval System——IRS），該系統乃歐洲第一套線上檢索系統❽。同年SDC的ORBIT系統亦對美國空軍（U. S. Air Force）提供檢索服務。商業組織及政府機構所提供的線上資訊檢索服務，則首推1964年成立的I.P. Sharp Associate及1969年成立的Data Resources Incorporated－DRI兩家公司。該二公司以提供數字資料庫檢索為主。DRI於1979轉售於McGraw-Hill公司。

早期線上檢索存在著許多弊端，諸如：⑴終端機無法以撥接（dial-up）方式與系統連接，故終端機必須整天開著；⑵終端機每秒只印10個字母，速度慢且過於吵嘈；⑶無法逐次下達檢索指令，必須全部一次輸入；⑷不能逐次印出檢索結果，故無法得知那一個檢索策略發生錯誤；⑸若欲於檢索中途修正指令，必須重頭再來一次。針對以上各項缺失，紛紛訴求各種解決之道，其中最大的突破是分封交換技術（packet switching）與電信通訊網路（telecommunication network），統稱為分封交換網路（PACNET）的開發完成，促使全世界任何一個角落均可同時線上檢索同一資訊系統。較著名的網路有 Tymnet、Telenet 及

Uninet。Tymshare公司首先於1969年推出Tymnet而造就了今日既經濟且富彈性的長程通訊的模式⑨，更促使線上檢索克服許多先前的障礙而大大風行全世界。

三、1970年代

1970年代線上資料庫檢索的衝勢仍持續上揚，首先是系統發展公司（SDC）於1971年為NLM提供線上檢索系統，亦即著名的MEDLINE系統。而洛克希德公司所發展的系統則為採用美國國家航空暨太空總署所設計的RECON軟體。RECON檢索軟體商業化後，以DIALOG命名並於1972年開始商業化作業。次年，1973年，系統發展公司以企業經營形態推出ORBIT系統，並以三種資料庫對外提供檢索服務，成為繼洛克希德公司推出DIALOG系統後第二個資料庫經銷商。1977年紐約州立大學生物醫學網路（BCN）於五月停止作業，改由書目檢索服務（Bibliographic Retrieval Services——BRS）取代，推出之初僅收錄四個資料庫，以收費低廉為號召，針對大學圖書館推銷。BRS採用IBM公司開發的STAIRS軟體，促使其檢索更為簡便且具彈性。

1970年代中期的DIALOG，ORBIT及BRS均以參考性質的資料庫如書目及名錄為主。檢索的方式都由專業的檢索館員，在瞭解讀者的資訊需求之後，代讀者檢索出資料庫的資料，至於專門提供市場行情及預測等各種統計資料的數字資料庫的線上檢索服務處，如DRI及I.P. Sharp等則於1974年成立。

1975-1980年期間，資料庫在種類及內容上逐漸趨向多元化，這是一項重要的發展趨勢。資料庫內容上，已不再只侷限在科技方面，而更擴展到人文學科，社會學科及一般大衆感興趣的主題。許多商業性資料庫製作者更製造出全套以商業為主的資料庫，內容涵蓋商業市場，財政，經濟及工業指南等資訊，並且加上某些特殊的主題，如電腦，不動產，保險業，出版業等。資料庫的形態除了書目性外，其他類型也受到重視，如數字式資料庫，全文資料庫等在數量上亦不斷增加❿。依Williams 1979年的資料庫統計數字顯示資料庫在1975年共有177個，46萬筆記錄，到1979年則增加到259個資料庫，93.5萬筆記錄。在資料庫主題內容方面，有150個（57.9％）是科技性資料庫，混合型資料庫83個（34％），人文及藝術性資料庫4個（1.5％），社會科學資料庫17個（6.6％），顯示資料庫內容雖仍以科技性為主，但主題範圍已逐漸擴散⓫。

讀者使用線上檢索的範圍不斷的擴大。更多的學校圖書館及大型公共圖書館相繼接用由資料庫經銷商提供的線上檢索服務，使讀者的類別不再僅限於研究人員。依Williams的統計 1975年線上檢索次數為一百萬次，到1978年增加到267萬次，成長快速⓬。

線上使用者團體（user group）於1970年代中期出現，1976年為數衆多的會員要求加入RASD Information Retrieval Committee，而迫使美國圖書館協（ALA）會不得不於該年成立Machine-Assisted Reference Services Division Group。至1978年因參加的成員過多，且分科討論的主題也多，進而延伸出許多獨立的線上檢索委員會。

1976年Library Journal出版一期介紹書目檢索的文章，明顯指出線上檢索在學術和研究圖書館已成為一項成長最快的服務⑬。美國資訊科學學會（American Society for Information Science）早於1971年在該會附設之各種特殊興趣小組（Special Interest Group－SIG）中，亦設立了User Online Interaction特殊興趣小組。在1975年更增設了數字資料庫興趣小組，並將原先的SDI改名為電腦化檢索服務（Computered Retrieval Service－SIG / CRS）⑭。另外在線上檢索領域內，二本重要的期刊Online及Online Review於1977同年發行，Association of Computing Machinery－ACM亦於1978年出版Database⑮。許多國際性線上資訊檢索會議也在這一時期相繼舉辦，計有第一屆國際線上資訊會議（The First International Online Information Meeting）於1977年在倫敦舉行。第一屆美國線上會議（The First U.S. Online Meeting）於1979年在美國喬治亞州首府亞特蘭大（Atlanta）召開⑯。此外英文字「Online」及「Database」也分別於1976與1979年在資訊科學及技術評論年刊（Annual Review of Information Science and Technology－ARIST）中正式確立其拼法，由原先的兩字「On-line」，「Data-base」成為單一字⑰。

1975年第一部個人電腦誕生，1979年個人電腦可以參與分時系統，對1980年代的線上檢索產生革命性的影響。1970年代末期各圖書館學校紛紛開設線上檢索課程，提供檢索OCLC，BRS，DIALOG與ORBIT等系統的訓練。

1970年代後期，整個線上檢索市場對資料庫經銷商或資料庫製作者都具有極大的影響力。資料庫已不再被認為只用來製作紙本式的索引摘要而已，更重要的是它已成為一種商品，涉及資料庫製作者及經銷商本身的權益。此外由於更多商業性資料庫製作者投入資訊檢索市場，使得資料庫經銷商間的競爭更加激烈。資料庫市場的價格及市場的開發已成為他們擴展線上檢索服務時必要考慮的因素⓲。許多非營利性組織也開始在各地設立市場門市部，為自己的線上產品訂立了市場擴展計劃。市場範圍涵蓋了日本，中國大陸，及東南亞等國家。據估計資料庫製作者的營業額中有50％是來自美國以外的地區⓳。

1979年個人電腦大行其道，廣為各家庭及辦公室大量採用。為了因應此種新市場的情勢，資料庫經銷商不得不將其產品做更多元化的經營。例如：Compuserve與The Source兩家公司則以個人為市場訴求對象，提供一般大衆感興趣的資料庫,如好萊塢熱線 (Hollywood Hotline)，職業網路資料庫（Career Network）與航空旅遊指南（Airline Itineraries）等與生活相關的資訊內容。此種方式的資訊服務已走入家庭。為了吸引個人大量使用，The Source與Compuserve均開放較便宜的夜間時段以供使用者檢索。大型線上檢索服務處有鑑於此，紛紛起而效尤，尋求針對資訊需求者（end-user）而設計的檢索系統，例如：DIALOG的Knowledge Index與BRS的BRS After/ Dark等系統均屬之。這些系統共同的特色為夜間檢索，收費低廉及簡單易學的選項式的檢索方式⓴。

這二十幾年的線上資訊檢索服務的進展軌跡，已由原本學術研究的領域，逐漸普及到一般人使用並深入家庭之中。資訊的內涵也因需求的改變，而由原本很專業化的研究資訊普及到一般大衆感興趣的主題。凡此種種均再次的顯示資訊化社會已逐漸形成。

四、1980年代

接續著1970年代的雄風，線上檢索的聲勢到1980年代更是愈演愈烈。更多的商業組織繼續投入市場，當然也有些退出市場，原本競爭的市場更趨激烈。顧客比以往更加明顯而重要。資料庫經銷商也開始重視讀者教育，紛紛舉辦各種不同的使用說明會、學術研討會及研習會；一方面為這些服務開發市場，另方面也為其資料庫產品做推銷。其中最顯著的發展與改變有下列數端：光碟產品問世、全文資料庫大量增加、資訊需求者自行檢索、內部資料庫大為成長及資料庫消長等。

1. 光碟產品問世

1970年代的線上檢索必須配備大型電腦主機與高密度且價格昂貴的磁碟機，經過多年的研究與開發，微電腦及唯讀光碟記憶體（CD-ROM——Compact Disk Read Only Memory）互相配合於1985年代左右問世，該項發明不但可以操作複雜的檢索軟體、價格公道、容易使用且整個資料庫可以存放在CD-ROM上。有關CD-ROM詳細的情況可參考第十七章的介紹。

近年來，Wilson公司已將Wilsonline中22個資料庫製成CD-ROM提供市場使用，DIALOG製作ERIC on Disc與NTIS on Disc等多種CD-ROM產品出租，許多資料庫製作者亦計劃將自己的資料直接製成CD-ROM並發展自己的檢索軟體，例如：Bowker公司的BIP Plus、Cambridge Scientific Abstract公司的MEDLINE、

Sociological Abstracts公司的Sociofile及University Microfilm公司的Dissertation Abstracts on Disc等，由此可見CD-ROM的資訊檢索服務將大量增加且益形混亂，該現象對使用者而言眞是憂喜參半，喜的是，資料庫的電子產品更加多元化，有許多選擇的機會，憂的是，混亂的檢索服務市場帶來莫大的使用困擾。顯而易見的CD-ROM已經改變了線上檢索事業。

2. **全文資料庫大量增加**

早期資料庫主要為書目式，僅提供書目或摘要資料，這種二次資料已不能滿足讀者需求，大家企盼的是從資料庫中獲得立即可用的原始文獻。由於電腦儲存媒體成本降低與儲存容量增加的逐步發展而為全文資料庫催生。全文資料庫提供的是資料原件的完整內容。全文資料庫的類形有期刊論文，報紙新聞、名錄工具書、手册、百科全書、字典及教科書等。全文資料庫的增加，顯示出利用電腦作完整的全面性資訊儲存與檢索是未來的一種趨勢㉑。

3. **資訊需求者自行檢索**

資訊需求者，或稱讀者，自行從事線上檢索，自1980年起逐漸發展成一股潛力。為了因應此種趨勢，從事線上檢索服務事業者莫不急於尋求解決之道。目前較為人熟知的方法有讀者檢索系統，一貫檢索（front-end）軟體系統及轉接其他網路系統（gateway system）等三種。

⑴**讀者檢索系統**

可供讀者自行檢索的系統中以BRS的BRS/After Dark及DIALOG的Knowledge Index最為普遍。BRS/After Dark可檢索

88種書目與全文資料庫。Knowledge Index則提供58種資料庫。此二系統均必須於檢索當地下午六點以後或週末時間方可進行檢索㉒。當然其連線檢索費用較母系統便宜。BRS/After Dark採用簡單的選項式（menu driven）操作檢索，故毫無檢索經驗的讀者亦會使用㉓。Knowledge Index則將原來DIALOG的檢索指令加以改寫成較簡單的形式，故檢索者仍須閱讀一些使用手冊。利用讀者檢索系統作為線上參考服務的延續是一種很普遍的作法，尤其適用於本來就有夜間服務且讀者早就熟悉DIALOG及BRS系統的大學圖書館㉔。

⑵一貫檢索（front-end）軟體系統

一個好的front-end檢索軟體能幫助檢索者選擇資料庫、判斷檢索用語、制定檢索策略並印出檢索結果。Front-end檢索軟體配合微電腦可使得線上檢索作業功能更為強大。檢索者可利用這些設施將檢索敘述整批傳送至線上檢索服務處之電腦主機以檢索資料庫內的資料，同時亦可將檢索結果轉錄至微電腦的硬式磁碟機或軟式磁碟片上。

比較有名的front-end軟體有Sci-Mate Searcher、Pro-Search及WILSEARCH。Sci-Mate Searcher由Institute for Scientific Information－ISI製作、可檢索BRS、DIALOG、ORBIT、MEDLINE與Questel等系統㉕。

⑶轉接其他網路系統（gateway system）

Gateway系統可提供檢索者不須經過各種特定的上機與通訊網路的程序即可與多個線上檢索系統連線。許多gatway系統並可統一處理所有收費的手續，如此使用者就不必面對各個線上檢索服務處的賬務問題，而只要與gateway服務者連繫即可。美國最著名的gateway系統為Easynet。使用Easynet時，只要依系統指示選擇並回答一連串與制定檢索策略相關的問題，Easynet自動會與十三個線上檢索系統，七百多個資料庫連線，提供使用者選用㉖。

4. 內部資料庫大爲成長

內部資料庫（in-house data base）於1980年代大量增加。隨著電腦儲存媒體的價格大幅降低，加上微電腦處理複雜檢索程式的功能越來越強，促使更多的機構企圖製作內部的資料庫及檢索系統。內部資料庫的建立主要包括二大要素，一為檢索資訊的檢索軟體，另一要素則為保存資訊的儲存體。資料的儲存或可直接鍵檔或可轉錄其他資料檔。較著名的微電腦軟體系統有BRS Search、CAIRS、Pro-Cite及Sci-Mate。80年代初期主要的儲存媒體仍以硬式磁碟為主流，而今已漸被讀取互行的光碟取代，內部資料庫的創立與維護均應因而大大提高㉗。

5. 資料庫消長

早期資料庫多屬參考工具型，如索引摘要等。目前出版事業均採電腦化作業，致使任何資訊的製作者，如報紙、期刊、圖書等，只要將磁帶或磁碟提供資訊檢索服務處，即可成為資料庫製作者，成為提供線上服務的資源，故資料庫數量仍持續增加㉘。然此現象至1980年代末期漸趨平緩㉙。資料庫的過度成長亦將演變成同於資訊爆發的「資料庫爆發」的後果，相似的資料庫過多，致使檢索者無所適從且失去信心。有志之少數線上檢索服務處乃試圖將一些主題相近的資料庫重新組合，例如：NEXIS將不同製作者的資料庫合併，讓檢索者可以利用相同的檢索用語與指令進行檢索㉚。

五、結語

隨著時間的前進，1990年代的線上檢索事業將呈現什麼樣的面貌，邁入什麼樣的境界呢？稟持著1980年代的特色，在電腦科技的各項創新與讀者眞正的資訊需求為主導的趨勢下，毫無疑義的，一個更具智慧，更具「人性化」的新資訊檢索時代即將到來。

附 註

❶ Fenichel, Carol H. and Hogan, Thomas R., Online Searching: A Primer, Marlton, N.J.: Learned Information, 1982, p.2.

❷ Bourne, Charles P., "Online Systems: History, Technology, and Economics", Journal of the American Society for Information Science 31:155, May 1980.

❸ 同❷.

❹ McCarn, Davis B., "MEDLINE: An Introduction to Online Searching", Journal of the American Society for Information Science 31:181, May 1980.

❺ Lancaster, W.F., Information Retrieval System: Characteristics, Testing and Evaluation, 2nd ed., New York: John Wiley & Sons, 1979, p.76.

❻ 同❺.

❼ Knapp, Sarad, "Online Searching: Past, Present and Future", in Online Searching Techniques and Management, Chicago: ALA, 1983, p.5.

❽ 同❷.

❾ Roberts, Lawrence G., "The Evolution of Packet Switching", Proceedings of the IEEE 66:1307, November, 1978.

❿ Neufeld, M.L. and Cornoy, M., "Database History: From Dinosaurs to Compact Discs", Journal of the American Society for Information Science 37:186, July 1986.

⓫ Williams, M.E., "Database and Online Statistics for 1979", Bulletin of the

American Society for Information Science, 7:27-28, December, 1980.

⓬ 同⓫,p.29.

⓭ Gardner, J.J. and Wax, D.M., "Online Bibliographic Services", Library Journal, 101:1827-1832, September 1976.

⓮ 同❿，pp.184-185.

⓯ 同❿，p.185.

⓰ 同❿，p.185.

⓱ 同❿，p.185.

⓲ 同❿，p.186.

⓳ 莊道明，「我國台灣地區國際百科線上資訊檢索服務調查之研究」，民國77年元月，頁16-1 7。

⓴ Billinsky, Christyn, "Online Database Searching" in Principles and Applications of Information Sciençe for Library Professionals, Chicago: ALA, 1989, pp.70-71.

㉑ Tenopir, Carol, "Full-Text Databases", Annual Review of Information Science and Technology, 19:215-246, 1984.

㉒ Janke, Richard V., " Online After Six: End User Searching Comes of Age", Online 8:15-22, November 1984.

㉓ Trzebiatowski, Elaine, "End User Study on BRS/After Dark", RQ 23:446-450, Summer 1984.

㉔ Penhale, Sara J. and Taylor, Nancy, "Intergrating End-User Searching into a Bibliographic Instruction Program", RQ 26:212-220, Winter 1986.

㉕ King, Joseph T., "Frontends and Gateways: Financial Considerations and

Uses" in Dollars and Sense: Implications of the New Online Technology for Managing the Library, edited by Bernard E. Posquilini, Chicago: ALA, 1987, pp.76-77.

㉖ 同㉕.

㉗ 同⑳, pp.79-82.

㉘ Harris, Richard, "The Database Industry: Looking into the Future" Database 11:42-43, October 1988.

㉙ 同㉘, p.43.

㉚ 同㉘, p.44.

第三章　線上檢索之優缺點

一、導　言

College and Research Libraries News期刊曾刊載一項錯誤的報導，謂：「電腦及資料庫能解決全部資訊問題。」又稱:「電腦及資料庫無法解決任何一項資訊問題」❶。事實上，線上檢索並不是萬靈丹，它的確擁有許多不可抗拒的優點，但相對的亦產生許多困難，以下乃針對其優、缺點加以探討之。

二、線上檢索之優點

利用線上檢索資訊具有下列各項優點：

1. **檢索速度快**

線上檢索速度較人工查尋快，Elchesen 認為做一次人工查尋約需二小時，同時可以做五次的線上檢索❷。線上檢索結果可以立即獲得，例如：書目資料或事實資料，且可以一種排列得很好的格式印出以提供參考，即使是線外印出，只要幾天亦可取得排列印刷得非常整齊而完整的結果。反觀人工查尋，不但須先經由書後索引，查得所須款目的正確位置，例如：查化學摘要索引，只能得摘要號碼，再翻閱眞正款目所在，如此逐冊逐頁翻查才能得到完整的引用書目資料或摘要，使用時尚須逐條筆記或影印所需資料，既費時又費力，花費時間多出好幾倍。

2. **完整性**

線上檢索可茲檢索的資料庫為數較多，然而即使是最大的圖書館也不可能擁有全部紙本印刷式的工具書，且許多資料庫只製作機讀的形式，無印刷本出版，例如：ABI/INFORM，PTS PROMPT，及Exceptional Child Education Resources等皆是。故只要檢索前各項準備工作得宜，由線上檢索所查得的資料一定較人工查尋完整。尤其針對某主題作全面性回溯檢索（retrospective search）時，線上檢索更可大展長才，於短短時間內將所有相關資料一網打盡，較之人工查尋省時、省力又不致遺漏任何相關資料❸。唯一遺憾的是，許多資料庫收錄年代都只自1970年初期開始。

3. **時效性**

大部份資料庫的資料都隨時在更新，例如：書目資料庫有一個月、半個月或一星期更新一次資料，較之印刷式出版品來得快且容易。數據式資料庫的更新速度更快，幾乎到了一天或一小時甚至二十分鐘更新一次的地步，例如：Dow Jones資料庫股票市場的資料即如是❹。因此線上檢索可獲得具時效且新穎的資料。

4. **伸縮性**

線上檢索者可即時就獲得的資料，給予修改查尋範圍，或更換另一個資料庫，只要檢索者就述語（descriptor）或概念利用布林邏輯運算元AND、OR、NOT、ADJ、WITH等，做不同特殊深入的組合控制，以解決較複雜問題的查尋。當初步檢索的資料不足時，擴大主題檢索層面，或當檢索到不相關資料過多時，縮小主題檢索層面，再且亦可進一步利用文獻出版日期、語言及資料形態等進一步控制其檢索結果。總之可依讀者需要任意組合問題，而達到最完美的境界。此外線上檢索有許多不同的檢索點，除了具備傳統形式人工查尋的印刷式工具書的檢索項，如作者、標題、題名外，尚可由團體作者、會議名稱、期刊刊名、篇名等的關鍵字檢索，另外亦可自語言、出版年、資料形態、期刊代號等項查尋。

5. **方便性**

線上檢索的配備非常簡便，只要電插座、電話、數據轉換機（modem）及輕巧的終端機或個人電腦即可，使用者可以在辦公室、實驗室或家裡，隨時進行檢索，毋須到圖書館。再且許多全文資料庫針對問題提供全文原件資料，或數字、名錄型資料庫提供簡短的事實資料，這些直接的答案可立即使用，對即時回答型的參考問題（ready reference），助益良多。線上檢索之檢索過程及結果，可由微電腦儲存或由印表機直接印出，亦可採用線外印出方式，依據檢索者要求的排列方式，由線上檢索服務處主機印出，再郵寄給檢索單位轉交讀者，節省人工逐頁翻檢、逐筆抄錄的時間與精力，某些資料庫並允許依檢索者指定項目排列印製檢索結果的形式，例如：只印文章的篇名用以查驗初步檢索結果，或只印化學摘要（Chemical Abstract）之註冊號（registry number）再配合其他工具書查尋。以DIALOG系統為例，就有八種印出格式。

6. **經濟性**

人工查尋的人員經費較高，以至許多圖書館無法提供完整的人工查尋服務。線上檢索可減少購置一些昂貴又少用的索引、摘要工具書或期刊。線上資料庫都是收取使用費，換言之，只有眞正檢索，否則是不收費的。雖然收費的標準隨資料庫及電信通訊距離的遠近、傳輸字數及使用時間而有所差異，然就檢索的快速與檢索結果的準確比之人工查尋的成本，應屬經濟。紙張資料的應用通常一次付費，使用次數不限，線上檢索依使用實況付費，使有限的經費用於眞正需要的資料上❺，在預算有限無法大量增加館藏情況下，可以擴增可用的資料數量，達到經濟效益的目的❻。

7. **提昇館員專業形象**

線上檢索服務讓圖書館員深切的感受到自己專業地位的提昇，因為他們有更多與讀者面對面接觸的機會，他們能提供較往常快速而正確的服務，再且大多數的線上檢索必先預約時間，此舉易造成讀者視圖書館員為較具專業知能的看法。由於受到「時間即金錢」的壓力，線上檢索人員為了肯定自我，不辜負讀者的期許，對於整個作業的處理，一定較人工查尋來得周密而詳實❼，如此則打破了從前圖書館員坐在櫃台靜候服務的姿態。

8. **準確性**

只要檢索人員具學科素養與晤談技巧，能使用正確的檢索詞彙，能設計周密的檢索策略，以及能選擇適當的資料庫，則檢索結果必將是準確且能符合使用者的需求。因為線上檢索可同時一次自整筆資料記錄（record）的每一個含有主題意識的欄位，如題名、摘要、敘述語、識別語等，查尋與檢索主題相關之各重要關鍵字，而不像印刷式工具書大都只能逐步查閱主題或題名索引二種，由此可見線上檢索的主題查尋範圍較廣。

9. **公平性**

線上檢索服務是不分使用者之國家、種族、性別、教育程度、年齡等之不同而有差別待遇。線上檢索服務是大家皆得獲取質量相等且快速的資訊，尤其藉著電腦高度的性能、操作迅速，以及「分時系統」的便捷，使用者可共同、平等的享用。

10. **節省大量資料儲存空間**

線上檢索的設備簡單，資料經由線上或線外取得，不像紙本工具書必須佔用大量儲存空間。

11. **貯存檢索過程與結果**

有些系統具有線上貯存，保留使用者已檢索的問題及結果的性能，可供作使用者再度檢索參考，再檢索時不必從頭開始，可節省時間與不必要之重覆檢索費用，此項功能最適合作為提供新知通告（current awareness）及專題資訊選粹（Selective Dissemination of Information——SDI）服務的依據。例如：一位化學研究人員即可每個月或每二週定期收到他有興趣的新資料。

12. **線上新聞**（News online）

可線上提供使用者最新有關檢索服務的消息，如：新增加資料庫名稱及其介紹、新增加或更改之系統功能、資料庫內容變更等情況的報導。

三、線上檢索之缺點

線上檢索雖有上述各項優點，而使得使用者被深深吸引，且趨之若鶩的大量使用，然了解越透澈，對它未盡完善的缺點所造成的問題越清楚，以下就逐項加以剖析。

1. 缺乏標準

每一資料庫製作的規格不同，資料檔形式（file structure）、資料錄形式（record format）、代碼、索引詞彙等組成資料庫之要素缺乏標準，各線上檢索服務處亦各有其獨特、複雜多變的檢索步驟及指令，在缺乏標準和統一的格式下，迫使大部份的檢索工作均須委託檢索中間人代為檢索，在執行檢索的準備與過程中，讀者與檢索者的溝通常產生障礙或誤解，雖然可經由事前的面談減低到最少的程度，然總無法達到盡如人意的地步，因而滋生困擾，造成使用者疲於應付。

2. 資料庫學科、收錄資料時間、形態的偏差

資料庫大都偏向科技類的資料，近年來社會科學類資料庫漸有增加，唯人文方面資料庫仍頗缺乏；許多資料庫收錄資料的時限為最近幾年，不包含過去多年前資料，故欲從事一完整的回溯性檢索則無法竟其功；再有不少資料庫收錄資料形態有所偏差、有些甚至不收一般圖書。

3. 原始文件獲取困難

利用線上進行書目型資料的檢索，獲得的只是引證書目資料，至於原始文件則必須透過各種管道取得，例如：當地圖書館，館際互借或影印，或由資料庫製作者或線上檢索服務處提供，不管用何種方式都有其困難存在。原始文件若無法即時取得，光有參考書目於事無補，則線上檢索之最大優點「快速」亦將化為煙雲。

4. **資料庫內容重複**

各資料庫間之資料內容重複，造成不必要的浪費。

5. **缺乏普遍的認識**

一般讀者，甚至高級知識份子，至今仍不知線上檢索的存在，圖書館及資訊界、資料庫製作者、線上檢索服務處等須通力合作，廣為宣傳，加強推廣。

6. **檢索者人選的爭議**

由圖書館員或資訊專家，接受資訊需求者的委託代為檢索，其優點是：具有線上檢索方面的專業知識，對於資料庫了解透澈，熟悉各種檢索指令，打字技巧熟練，檢索結果較完善；缺點是：缺乏學科背景，與讀者討論主題時易造成溝通上的障礙；反之，若由資訊需求者（end-user）自己檢索，可以了解自己的需要，當場判斷檢索結果是否相關，但因檢索技巧不純熟，結果不一定完善。

7. **法律問題**

電腦資料庫已產生侵奪印刷式工具書的市場現象，而資料庫的資料版權與版稅問題亦引發一連串的紛爭，如何計稅、如何監督使用，宜制定一套妥善的辦法。

8. **檢索品質保證問題**

許多錯誤的觀念認為電腦可以汰蕪存菁，事實不然，一個線上檢索完全沒有，也無法有品質保證的承諾，它沒有辦法代替做任何思考性的工作，它只是一個工具，不是具創造力的思考者，故真正負成敗責任的是檢索者而不是電腦。

9. **收費問題**

線上檢索要收費嗎？見人見智，各有說詞。研究單位認為收費是合理的作法，公共圖書館讀者則認為應由政府機關支付，不應由個人負擔，否則違背了納稅人平等獲取知識的基本權利。多年來，對於收不收費，該收多少，爭議不休，解決之道完全視各執行單位的裁斷。

10. **降低瀏覽相關資料的機會**

線上檢索只能將完全與檢索用語吻合的資料檢索出來，無法如傳統印刷式的資料，當人工查尋時可順便仔細瀏覽其他周邊相關的資料，因此喪失了許多刺激開發新理念或新研究動機的機會。

有困難自應尋求解決之道，簡而言之不外：(1)各資訊系統應互相磋商，達成協議，統一檢索時的指令用語及功能，避免彼此之間激烈而混亂的競爭，讓使用者能安靜而理性的選擇他們的眞正需要；(2)減低機器故障的機率，縮短輸出入及等候回覆的時間；(3)資料庫間避免收錄重複的資料，重視學科、時限及資料形態的均衡發展，並加強多科性料庫的發展。

四、線上檢索對圖書館的衝擊

線上檢索既具有上述各項優、缺點，這些優、缺點對圖書館或資訊從業人員將造成那些衝擊呢[8]？

1. **館員必須學習新技術**

為了順應線上檢索服務的提供，館員必須培養許多新技術，如布林邏輯（Boolean logic）觀念、打字技巧、當機立斷的能力及發掘資訊的創造力，並要能以放鬆而有理性的態度處理使用者和電腦間的交互關係。因為每一分鐘的線上檢索都須收費，而造成許多線上檢索者的心理負擔，唯恐檢索不當，不能滿足讀者的需求，而感覺壓力龐大。

2. **設備與空間的需求**

租用或購買終端機，以小巧輕便、可攜帶、高速度印刷的終端機為最適合❾，這種終端機往往亦較少造成麻煩，是可信賴且較便宜的終端機。現在以智慧型終端機或稱微電腦取代，不但可從事檢索，且可作其它的文字處理（word processing）工作。

場地最好是獨立的空間，一來提供不受干擾的討論環境，以便集中精神作檢索，同時終端機的聲音亦可由於隔絕而不影響到其它讀者。

3. **參考服務員的衝擊**

參考服務員及其它館員工作負擔加重，例如：必須花正常工作以外的時間參加研習會接受訓練，而原來工作並未增加人員來分擔，若調不出適當人員，可能就必須另外聘請人員，同時必須有監督此項工作的負責人，如參考服務部主任或館長。

所有的參考服務員可能都需要對傳統的圖書館服務方式的態度與看法，做某些程度的修正。

4. **收費問題**

一般線上檢索收費計有電腦使用時間、列印、或許包括少許的使用費。據調查顯示，一般商業界的讀者及學術界與政府界的圖書館視這項服務收費是值得的，然而對公共圖書館的讀者而言，值不值得提供這種服務仍有待商榷，尤其在收費這方面，贊成者認為以收費式取得精確、快速具高品質的資訊，以建立資訊有價的觀念是應該的，反對者認為線上檢索不過是參考服務的延伸，是圖書館義務服務的一項工作，向讀者收費是站不住腳的。

5. **文件記錄的保持**

許多圖書館員對於每一件線上檢索都應保留記錄，認為是一件麻煩且是一種工作負擔，然而這件工作確屬必須的，欲做好線上檢索服務應保留的記錄包括有預約記錄、檢索申請單、檢索日誌、收據或購買訂單及統計記錄等。

(1)預約記錄：最好使用專用的預約登記簿。

(2)檢索申請表：提供讀者在檢索前填寫，內容有檢索主題、年限、所要的資料形態等。這些資料將在檢索前與讀者討論。

(3)檢索日誌：記載要項包括檢索日期、時間、使用的系統、使用的資料庫、所使用的時間及檢索者的個人資料等。

(4)收據或購買訂單：一般而言檢索費用都由讀者服務單位支付，故必須開立收據作為報賬之依據。

(5)統計記錄：可由檢索日誌及發票整理而得。這種統計應包括每一讀者、使用單位、使用次數的總計、是否每一個檢索都有收費。

6. **宣傳與市場的建立**

為吸引讀者使用，必須做宣傳、誘導的工作。對許多館員而言這就宛如必須向讀者收費一樣的叫人反感。然而這件工作確屬必須，因為任何讀者都不會對自己毫不認識的東西去嘗試。

7. **對其它圖書館服務的影響**

書目資料及資料庫的使用增加，讀者根據檢索到的書目清單，進一步要求獲取原件資料，在圖書館有限的館藏無法滿足讀者需求時，只有訴諸館際影印或互借的途徑，如此一來必相對的增加了館際合作的負擔❿。

線上服務可能吸引更多的讀者到圖書館，這無形中就增加了圖書館的各項工作量，例如：對某一期刊或書的使用率增加，圖書館將考慮增加採購的經費⓫。可能的負面效果是：由於高效率的線上檢索，讀者可能要求圖書館的其它各項服務亦須快速的配合。

線上檢索服務的提供必然會加重圖書館的財力負擔，圖書館被迫面對兩難的抉擇，提供線上檢索同時訂購如索引和摘要等工具書；或是提供線上檢索，但削減部份紙本工具書？前者造成預算的負荷與浪費，後者則強迫資訊需求者付費獲取資料，對經濟情況不佳的讀者而言，無疑是剝奪了他們使用資料的公平權利，更可能進一步怨言四起，深深影響圖書館業務的運作。線上檢索雖然造成圖書館採購政策的困擾，但對於館藏的發展業務亦產生正面的影響，例如：可以檢索結果的書目清單作為評估館藏的依據，常被檢索到的期刊可考慮增訂，反之則可進行刪除。

五、結　語

誠如本章所述，線上檢索既然擁有為數衆多之優點，亦不乏難以解決之困難存在。這些優缺點往往帶給圖書館與資訊服務業許多正面與負面的衝擊。面對如此局面，各有關業界之所有從業者均應作好各種調適工作來迎接此項資訊檢索服務。

附 註

❶ "More Fallacies of Librarianship", College and Research Libraries News, 43(4):125, April 1982.

❷ Elchesen, Dennis R., "Cost-Effectiveness Comparison of Manual and Online Retrospective Bibliographic Searching", Journal of the American Society for Information Science 29:56-66, March 1978.

❸ Atherton, P. and Roger, W. Christian, Librarians and Online Services, White Plains, N.Y.: Knowledge Industry Publications, 1977, pp.3-4.

❹ Cuadra, Carlos A., " Commercialy Funded On-Line Retrieval Services—Past, Present, Future", Aslib Proceedings January 1978, pp.4-7.

❺ Flynn, T., et al., "Cost-Effectiveness Comparison of Online and Manual Bibliographic Retrieval", Journal of Information Science 1:77-84, 1979.

❻ 同❷.

❼ Cogswell, James A., "On-Line Search Services: Implication for Libraries and Library Users", College and Research Libraries 39(4):276, July 1978.

❽ Moureau, M.L., "Problems and Pitfalls in Setting Up and Operating an Online Information Services", Online Review 2(3):237-244, September, 1978.

❾ Hartley, R.J.; Keen, E.M.;Large, J.A. and Tedd, L.A., Online Searching: Principles and Practice, London: Bowker-Saur, 1990, p.6.

❿ Martin, J.K., "Impact of Computer-Based Literature Searching

Interlibrary Loan Activity", Proceedings of the 38th ASIS Annual Meeting. Boston, 1975, p.12.

⓫ Seba, D.B. and Forrest, B.A., "Using SDI's to Get Primary Journals: A New Online Way", Online 2(1):10-15, January 1978.

參考書目

1. 范豪英。「從醫學圖書館看線上檢索」，教育資料科學，卷18，期4，民國70年6月，頁 110-114。

2. 李德竹。「資料庫與線上檢索服務」，圖書館學與資訊科學，卷5，期1，民國68年9月，頁87-95。

3. 黃世雄。現代圖書館系統綜論，台北市：學生書局，民國74年，頁116-117。

4. 黃鴻珠。「從國際百科的應用展望我國書目資訊系統的發展」，教育資料科學，卷18，期 2，民國69年12月，頁89-90。

5. 胡歐蘭。參考資訊服務，台北市：學生書局，民國71年，頁119-200，頁256-259。

6. 陳秀盡。「線上資料庫暨資訊服務系統」，中國圖書館學會會報。期44，民國78年6月，頁103。

7. 淡江大學覺生紀念圖書館。線上資訊檢索系統及DIALOG系統簡介，台北縣淡水鎮：淡江大學覺生紀念圖書館，民國73年，頁11。

第四章　資料庫

一、導　言

組成線上檢索四大要素為資料庫製作者、線上檢索服務處、檢索中間人(通常是圖書館或資訊中心從事檢索工作者)、資訊需求者(end-user),或稱讀者,該四者關係可以圖一表示之。

資料庫、資料庫製作者及資料庫經銷商(或稱線上檢索服務處)三者之間具有密不可分的關係,通常一個資料庫經銷商可以經銷多個資料庫製作者的產品(即資料庫),而一個資料庫製作者亦同時可生產多個資料庫,故三者之間就數量的比較,可以看出資料庫的數量最多,其次是資料庫製作者,最少的是資料庫經銷商,根據Williams 1988年的統計,全世界的資料庫約有4548個,資料庫製作者約有1733個,資料庫經銷商有750家❶,本章乃針對資料庫定義、資料庫製作者、資料庫類型、資料庫經銷商及資料庫使用者加以探討之。

二、資料庫的定義

資料庫的定義繁多,就線上資訊檢索系統而言,廣義的資料庫乃指針對某一主題,如商業或工程、某一資料類型,如期刊論

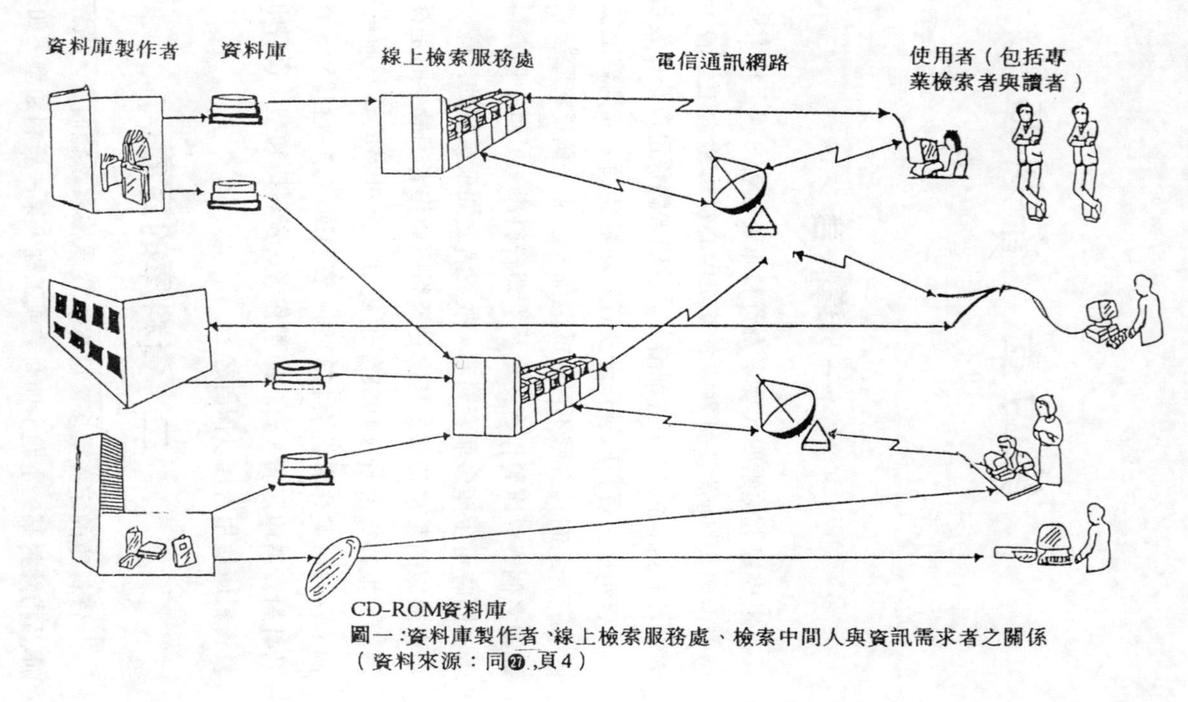

圖一：資料庫製作者、線上檢索服務處、檢索中間人與資訊需求者之關係
（資料來源：同㉗,頁4）

文或專利文獻、或資料發行機構，如美國能源部（Department of Energy——DOE）的需要搜集相關的資料加以整理、分析，並將結果存入電腦可讀的媒體中，以供各方使用❷。

就其他學科不同角度來定義，資料庫(1)是某特殊企業機構中為一些應用系統所用而儲存的一群作業資料；(2)是資料庫管理系統（Data Base Management System——DBMS）中的各種資料庫；(3)是「一群有用而最少重複之資料單元，於適當的結構狀況下儲存，透過資料庫管理系統，可提供各種需要資料」。簡而言之為「一群適當儲存而便於選用之管理系統之單元資料」。設計資料庫的目的在於使大量有用的資料「利用儲存，便於檢索」❸。

具體而言，線上資料庫實乃一個由具機讀形式之各單獨的資料記錄組成的檔，資料庫內的每一筆資料記錄（以下稱為資料錄）可為一項事實記載、一個圖形、一引證書目、或包含摘要的引證書目、一篇完整論文、或一單書中某一章節等。大多數資料庫作法乃將資料一次鍵入磁帶或其他電腦可讀的儲存媒體。同一儲存媒體可製作成線上檔，提供給線上檢索服務處作為更新線上檔之用，或經由電腦輔助排版的設計製作成印刷本，如Educational Resources Information Center——ERIC資料庫就出版了Resources in Education及Current Index to Journals in Education供一般圖書館或讀者採購。有些資料庫內容較副產品的紙本印刷品豐富，例如：MEDLINE就比Index Medicus完整；有些資料庫並未製作紙本式印刷品，如ABI/INFORM；而有些資料庫所製作的副產品是微縮形式。許多製作者從這些出版品，獲得百分之九十以上的收入來維持其資料庫的製作❹。

三、資料庫製作者

資料庫製作者之英文名稱為database producer 其他尚有electronic publisher、data base publisher及information provider（資訊供應者）❺。資料庫製作者主要任務是將原始資料完全未加任何修改的給予記錄下來，或經由搜集、閱讀、整理、索引及繪製圖表等方式加以處理、記錄並儲存下來而成為資料庫的內容。換言之，資料庫製作者是操縱資料庫的內容、適用對象、特性、涵蓋範圍大小、資料格式、年限及採用詞彙等之決定權。最早期資料庫製作者均為出版印刷式索引、摘要工具之專業學會❻。

一般而言，資料庫製作者基本上可分為非營利性、營利性及混合型三大類。

1.非營利性

非營利性資料庫製作者又可分為專業學會及政府機構二種。

(1)專業學會所製作的資料庫大都不受法律或職責約束，也不必以製作資料庫為營利的手段，例如：美國化學學會製作CA Search資料庫及生物學會製作的BIOSIS資料庫。該類資料庫因其本身的重要性及大量的使用率而盛行於1960及1970年代，尤其是科技類資料庫。該類資料庫製作者至1980年代逐漸走下坡而由營利性資料庫製作者取代。

(2)政府機構設立的資料庫，主要以完成某一任務為使命，大多為職責所在而製作，或受國際立法制定應盡供應資料庫之責而製作資料庫，例如：International Nuclear Information Service—

—INIS。多數1960及1970年代資料庫亦屬此類。例如：美國國家醫學圖書館（National Library of Medicine——NLM）製作MEDLINE資料庫，及美國國家農業圖書館（National Agriculture Library——NAL）製作AGRICOLA資料庫等皆是❼。

2.營利性

以營利為目的的資料庫製作者，如美國的Institute for Scientific Information——ISI製作SCISEARCH資料庫，英國的Derwent Publications Limited製作World Patent Index資料庫。這些製作者以企業化的投資經營製作資料庫，均以獲利為營業的宗旨。此類製作者於1980年代異軍突起，佔據了資料庫市場，從1977年佔22％至1988年佔65％，十年間成長三倍❽。

3.混合型

有些資料庫製作者既屬非營利機構，然又有營利行為；有些資料庫由一個以上製作者組成，尤其以政府機構製作的資料庫為典型的代表，例如：聯合國或歐洲共同市場。

總之，資料庫製作者包括索引、摘要服務社、出版界、政府及政府相關的機構、各類型的專門圖書館或資訊中心、資訊工業界、以及許多以營利為目的的商業性機構，這些資料庫製作者有的亦可能為資料庫使用者。

大部份的資料庫製作者本身不提供線上檢索服務，而將資料庫或以租賃或以買斷的方式，提供給線上檢索服務處或私人機構；有些製作者甚至與一家以上的檢索服務處簽約，提供線上檢索服務，少部份則由自己扮演製作者及資訊檢索服務處的雙重角色，例如：New York Times Information Bank、Wilson Company、Mead Data Central、National Library of Medicine等。

四、資料庫使用者

隨著資料庫本身的發展演變，使用者亦時有變化，而資料庫的發展又因使用者市場需求而不斷變化，故二者關係密切互為因果。一般資料庫使用者可分為資訊檢索中間人、資訊需求者及資訊顧問三大類。

1.**資訊檢索中間人**（intermediary）

資訊檢索中間人大多為圖書館館員，資訊專家或學科專家，這些中間人是受需要資訊者委託，代他們查尋資料庫之資訊。

2.**資訊需求者**（end-user）

使用者即為需要資訊者，如研究人員、科學家、行政的決策者等眞正需要資訊的人，直接利用資料庫自己進行檢索。資訊需求者一般或通稱為讀者。

3.**資訊顧問**（information broker）

資訊顧問可為單獨個人或機構，本身非資訊需求者。事實上資訊顧問亦為資訊檢索中間人的一種，然與第一類的資訊檢索中間人不同點在於，該類型檢索者乃在透過線上檢索收取服務費，主要以營利為目的，檢索到的資訊必須進一步加以分析、綜合再提供給資訊需求者，以期提供答案解決問題[9]。

資料庫的使用機構由最初的政府和其相關之機構，推廣至工業界、研究機構、專門和大學圖書館，現已延伸至公共圖書館，更可能遍及每個辦公室、實驗室和家庭[10]。

五、資料庫類型

有關資料庫及線上檢索服務處的名錄型工具可提供許多對於資料庫及檢索服務處的各種內容、特性等的最新介紹。這些工具有 Directory of Online Information Resources [11]、Datapro Directory of Online Services [12]、Computer-Readable Data Bases: A Directory and Data Sourcebook [13]及Directory of Online Databases [14]。

近二十年來資料庫無論在數量、學科範圍及類別方面的快速成長，令人震驚，根據Williams的調查報告，1965年時僅有不到二十個資料庫，至1975年已達300個，至1984年收錄資料庫已有約2500個之多，1988年增加至4200個，1989年則大約為4500個[15]。其中最常使用的為ABI/INFORM、CA Search（Chemical Abstract）、COMPENDEX（Engineering Index）、ERIC、Magazine Index、MEDLINE、NTIS、PTS（Predicasts）files 與 PsycInfo（Psychological Abstracts）[16]。

根據Williams的調查，資料庫可依收錄資料的形式，學科主題及資料形態三種方式加以分類。

(一) 依收錄資料的形式分

資料庫依收錄資料的形式可分為文字資料庫、數字資料庫、文數字混合資料庫及影像與聲音資料庫四種。

1. 文字資料庫

文字資料庫又可細分為書目資料庫、專利商標資料庫、名錄資料庫及全文資料庫。

⑴書目資料庫（bibliographic databases）

書目資料庫乃圖書館最早採行的線上資料庫，又可稱為索引摘要資料庫，其記錄內容同於一般索引摘要工具書，主要以書目記載形式指示資料出處，有些附加摘要。讀者必須進一步取得原始文獻，方達成資訊檢索目的。一如圖書館讀者查完館藏目錄之後，必須到書庫取書一樣。書目資料庫又可分為專門學科類、任務為主類、問題為主類及綜合一般類四種。

①專門學科類（disciplinary）：如BIOSIS PREVIEW, COMPENDEX等，以某特殊學科的資料為主的資料庫。

②以任務為主（mission-oriented）：如美國航空暨太空總署（NASA）所製作的資料庫。

③以問題為主（problem-oriented）：如Pollution Abstracts、TRISNET等資料庫。

④綜合一般類（multi-disciplinary）：如Institute for Scientific Information所製作的資料庫SCISEARCH、SOCIAL SCISEARCH等[17]。

⑵專利商標資料庫

專利商標資料庫收錄全世界或某一國專利及商標公告事項，例如：World Patent Index及CLAIMS ™ /U.S.Patents。

⑶名錄資料庫

名錄資料庫主要收錄簡單的事實資料，如傳記名錄，例如：Who's Who；工商名錄，例如：Electronic Yellow Pages Develop及機構名錄，例如：Encyclopedia of Association。

(4)全文資料庫（full text databases）

全文資料庫乃在將文獻的全部原文，以電子形式逐字存入電腦的資料庫中，並配合各種檢索方法做即時線上查尋，或進一步做統計分析、整理等工作，其類別主要有圖書，包括字典與百科全書，例如：Academic America Encyclopedia；法院判決，例如：LEXIS；新聞報紙，例如：NEXIS 及期刊論文，例如：Magazine ASAP等。

1960及1970年代以文字資料庫為主流，尤其以書目資料庫為代表。書目資料庫於1985年時佔文字資料庫的36％，而於1988年時則減少至29％，呈負成長現象；全文資料庫於1985年時佔18％，1988年時佔32％，顯示大幅成長，其它名錄、字典及專利等資料庫則呈正常成長⑱。

2. **數字資料庫**（numeric databases）

數字資料庫主要收錄原始數據或統計資料，如人口普查的普查記錄、經濟成長指數的財經記錄、化學實驗的研究結果數據等。數字資料庫又可細分為統計形、時間序列（time series）形、物質形及報告形等。較常見的代表有Defense Data Bank，PREDICASTS與PTS Time Series等。

3. **文數字混合資料庫**（textual-numeric databases）

該類資料庫內容包括文字與數字混合的資料，如字典、手冊等。較具代表性的文數字混合資料庫有CHEMSEARCH、DISCLOSURE Ⅱ、US EXPORTS、Chemical Dictionary File與BIOCODES等。

4.影像與聲音資料庫

影像與聲音資料庫乃1980年代中期以後的產物，隨著知識讀寫網路（hypertext）系統的廣為流行，未來我們將面臨一個多媒體的資料庫時代。

根據Williams於1988年統計[19]，各類型資料庫的數量及所佔的比率如表一所示。

表一：資料庫類型、個數及百分比

資料庫類型	個數及百分比
1.文字資料庫	3147(69%)
書目資料庫	1162(37%)
全文資料庫	1285(41%)
名錄資料庫	613(19.5%)
專利商標資料庫	55(1%)
字典資料庫	32(1%)
2.數字資料庫	1278(28%)
3.影像資料庫	16(<1%)
4.聲音資料庫	1(<1%)
5.其他（如電腦程式）	106(2%)
總　計	4548(114%)

由上表可見，文字資料庫佔78％，其中又以全文資料庫所佔比率最大，甚至超過書目資料庫4％；數字資料庫佔32％，影像資料庫有16個，只有一個聲音資料庫，另外，還有電子郵件、電子佈告欄、電子會議及電腦程式等類型資料庫約106個。因有些資料庫同時具有二種或二種以上的性質，可歸入文字資料庫亦可屬於數字資料庫，故總體百分比超過100而達114。

㈡ 依收錄資料的學科主題分

資料庫依收錄資料的學科主題可分為科學、醫學、工程、社會科學、人文學、商業經濟、新聞與一般消息及法律等。各學科及其代表性資料庫如表二所示。

表二：學科主題及其資料庫

學科主題	資料庫
科學	CA Search, BIOSIS
醫學	MEDLINE, Clinical Abstracts
工程	COMPENDEX, INSPEC
社會科學	ERIC, Social SCISEARCH
人文科學	Art and Humanities Search, MLA Bibliography
商業經濟	ABI/INFORM, Trade and Industry Index
新聞與一般性消息	Newsearch, Magazine Index
法律	Legal Resource Index, LEXIS

1970年代資料庫的主題以科技類為主，根據Williams調查統計顯示，1988年則以商業資料庫佔首位，約佔44％，其餘依次為科技（29％），社會科學（11％），法律（10％），生命科學（10％）[20]。

㈢ 依收錄資料形態分

大多數資料庫收入資料為混合型，即各類型的資料均收入，如圖書、期刊、技術報告、博碩士論文、會議文獻等，然亦有例外。表三乃各種資料類型及其代表性的資料庫。

表三：資料類型及其資料庫

資料類型	資料庫
圖書	Books in Print, Machine-Readable Cataloging-Books U.S.
會議論文	Proceedings Index, ISI/Index to Scientific and Technical Proceedings & Books.
博碩士論文	Dissertation Abstracts Online
政府出版品	Government Publications Index, GPO Monthly Catalog
技術報告	NTIS Bibliographic Data Base, Report Collection Index
期刊文獻	Social Scisearch, Readers' Guide to Periodical Literature
報紙	Newsearch, The Information Bank
專利	World Patent Index, CLAIMS™/U.S. Patents
字典	Oxford English Dictionary, Facts on File Visual Dictionary
百科全書	Academic American Encyclopedia, Encyclopedia Britannica
標準法規	Standards and Specifications Database, National Bureau of Standards Bulletin
手冊、便覽	Microsoft Bookshelf
名錄	Encyclopedia of Association, Marquis Who's Who

六、資料庫經銷商

線上檢索服務處又稱為資料庫經銷商，它們的行為已超過「賣」資料庫而已。除了資訊檢索外，它們還賦予資料庫許多價值，其採用的方法有轉錄資料至自己的系統，製作自己的檢索軟體，提供許多與線上檢索相關的服務，諸如線上訂購、專題選粹服務、電子郵件或新知預告等，茲以DIALOG系統為例說明之。DIALOG 提供下列八種服務，①DIALORDER：主要提供線上訂購服務，檢索者可利用電腦直接訂購所要的資料，只要下達線上訂購指令告知DIALOG文獻資料的供應商即可。②DIALMAIL：乃DIALOG電子郵件服務，提供國際性電子會議或電子佈告欄等訊息作為個人通訊之用。其特性在於檢索者可將檢索結果送到自己的DIALMAIL Inbox，並可在此將資料加以編輯、印出或傳給其它的Dialmail使用者，如此可互傳信息共享檢索結果。③DIALINDEX：乃DIALOG系統資料庫的主題索引，幫助檢索者選擇最適當的資料庫。④DIALNET：DIALOG公司本身的電信通訊網路（telecommunications network）可自美國或歐洲各城市提供高品質直接檢索DIALOG資料庫的服務，不須透過其它的網路公司，如Telenet。⑤DIALOG LINK：是DIALOG系統為了適應以個人電腦進行線上檢索作業，特別設計的一套軟體程式，可以幫助賬目的處理。⑥ONTAP（Online Training and Practice）：DIALOG系統為了提供檢索訓練，特別挑選各學科領域中甚具代表性的24個資料庫，例如：工程方面的

COMPENDEX，予以濃縮減少其資料錄數量而成，如此可減少使用費用，適合圖書館人員內部訓練。⑦Classroom Instruction Programs：供圖書館學系、所學生練習DIALOG檢索使用，費用較一般檢索為低。⑧專題選粹（SDI）及新知預告（current awareness）：該項服務可連續、自動的線上執行已設定的檢索敘述，當資料庫更新時，原先儲存的檢索敘述會自動執行一遍，並將最新的結果即刻寄給讀者㉑。

全球資料庫數量衆多，任何資訊服務單位不論就經費、設備與人員等各方面均不可能全部購得這些大量的資料庫，俾便提供資訊服務給他們的讀者，再且若每個資訊使用者都直接與資料庫製作者連線檢索，將造成電信通訊線路及使用上的許多困擾，故有線上檢索服務處的產生。線上檢索服務處有許多種英文名稱，如online vender, online system banks, databanks, knowledge banks, spinners等，其中以資料庫經銷商（database vendor）最為常見。線上檢索服務處本身不製作資料庫，而由資料庫製作者處取得原始資料庫，納入自己發展的檢索系統中，集中處理設計線上資訊檢索系統，提供電腦設備、檢索程式、資料庫索引以及檢索參考文件等給使用者以便檢索各資料庫的資料，這些檢索服務處在提供的檢索語言、資料庫服務及收費上均大同小異。線上檢索服務處可分為營利性線上檢索服務公司、商業出版商及政府機構三大類。

1. **營利性線上檢索服務公司**

這類公司能提供使用者多種資料庫檢索，使用者不必去購買資料庫或昂貴的電腦，規模較大且廣被使用的有三家：(1)美國洛克希德飛彈暨太空公司（Lockheed Missiles and Space Company），其系統名稱為DIALOG，該系統於1988年底轉由Knight-Ridder Business公司經營，此乃當今規模最大的線上資訊檢索系統；(2)書目檢索服務公司（Bibliographic Retrieval Service——BRS），其系統名稱為BRS；(3)系統發展公司（System Development Corporation——SDC），其系統名稱為ORBIT。三大系統中以DIALOG所代理的資料庫總數最多，迄今約有三百五十多種；BRS提供的資料庫為一百二十多種，較偏重教育及生物醫學兩大領域；ORBIT提供一百餘種資料庫，偏重科技性資料[22]。

2. **商業出版商**

以營利為目的的出版商，例如：The H.W. Wilson Company製作的一系列資料庫，並未經過線上檢索服務處提供檢索服務，該公司於1984年推出Wilsonline，以檢索費用低廉為號召，直接向圖書館及資訊單位提供服務。

3. **政府機構**

該類線上檢索服務處最著名的例子是美國國家醫學圖書館，它本身屬於資料庫製作者，同時也是出色的線上檢索服務的提供者，圖書館或資訊需求者可以透過營利性線上檢索服務公司檢索美國國家醫學圖書館的資料庫，或直接與該館的電腦系統連線檢索資料。

每一線上檢索服務處對某些資料庫有其專用權，連線使用單位，如圖書館或資訊中心，很難與其中任何一個資料庫簽約，若必須使用某些資料庫，而這些資料庫又分屬於兩家公司時，就得與兩家公司簽約。當然，有些資料庫可同時為許多個檢索服務處檢索，例如：ERIC、BIOSIS等。

大多數的資料庫經銷商均屬營利性質的商業行為，所提供的服務均須付費，主要費用在支付連線檢索的時間，每一個系統計費方式不同，例如：DIALOG系統中ERIC資料庫每小時的檢索費為美金30元，而ORBIT系統則為35元美金㉓。

全球目前約有750多個線上檢索服務處㉔，其中較有名的書目資料庫線上檢索服務系統為美國的DIALOG、BRS與ORBIT；加拿大的Canadian Online Enquiry－CAN/OLE，英國的British Library Automated Information Service－BLAISE及歐洲最古老的系統European Space Agency's Information Retrieval Service－IRS。較有名的數字資料庫線上檢索服務處為Data Resources Inc.－DRI、General Electric－GE、ADP Network及I.P. Sharp等。

七、國內引進的系統介紹

1. DIALOG

DIALOG係由美國洛克希德飛彈暨太空公司於1972年以三種資料庫提供營利性企業化經營的資訊檢索系統，此乃線上服務的先驅。目前收錄350個左右不同主題性質的資料庫，是收錄資料庫最多、最完整的系統。1988年底由Knight Ridder公司購併，目前的資料錄超過二億筆，觀其規模可謂當今最大的線上檢索服務系統。DIALOG系統所供應的資料庫，其內容涵蓋所有人文科學、社會科學、自然科學之範疇，諸如物理、化學、數學、生物、醫學、工程、能源、農學、商業、證券、金融、文學、藝術、哲學、社會學、心理學、教育、政治、法律、工商資訊、銀行、會計、統計、圖書館學、資訊科學、新聞時事等。資料庫類型舉凡書目、名錄、數字、全文等無所不包。有關其內容的中文簡介可參考「國際百科資料庫檢索服務手冊」㉕及「線上資料庫與資訊檢索系統」㉖。

DIALOG線上檢索系統除提供線上檢索服務外，尚包括許多項相關服務，如專題選粹、線上訂購資料原件、系統使用訓練講習、電子郵件、私人資料庫服務及提供CD-ROM光碟資料庫㉗。

2. BRS

BRS早期是由紐約州立大學（SUNY）的生物醫學網路（Biomedical Communication Network——BCN）發展而來，BRS於1976年進軍商業化的線上服務市場時只有四種資料庫，採用IBM公司發展的STAIRS軟體以供線上檢索，發展至今，供應檢索的資料庫已達120餘種，其中以醫學方面見長，約7200萬筆資料錄，1989年由Macmillan出版公司收購，並納入其子公司Maxwell Online下運作。BRS雖興起較遲卻能與DIALOG及ORBIT系統鼎足而三，除了本身具有的功能外，最吸引人的是使用價格低廉而廣受歡迎。除了線上檢索服務外，尚包括利用BRS的設備儲存與檢索私有資料庫，專題選粹服務，建立BRS/CROSS綜合詞彙資料庫，協助讀者選擇適當資料庫，供應BRS/SEARCH軟體，線上查尋圖書館目錄，提供檢索手冊，資料庫指南、訓練手冊，提供訓練課程，線上賬目服務與線上訂購原件服務等㉘。

3. ORBIT

ORBIT為國際性的線上書目檢索系統，初期由系統發展公司（System Development Corporation—SDC）設計與營運。該公司原先為美國空軍機構，於1968年改為營利公司，同時為國家醫學圖書館執行線上檢索系統的研究設計，於1972年開發完成並對外開放檢索，這也就是赫赫有名的MEDLINE系統。1973年系統發展公司改變為企業形態經營，推出ORBIT系統對外提供檢索服務，當時只有三種資料庫，迄今已有一百餘種資料庫，7500萬筆資料錄，其規模大小與BRS不相上下。該系統特長於生命科學、生態學、地球科學、石油及污染等學科。1986年底，ORBIT系統轉讓予英國Pergamon企業集團，成立了Pergamon ORBIT Infoline Inc., 1989年4月改為Maxwell Online公司。Pergamon公司發展的INFOLINE線上系統的各種專利與科技材料資料庫已陸續轉至ORBIT系統，將與ORBIT系統共同運作[29]。

4. STN

STN（The Scientific & Technical Information Network）國際網路是美國化學學會（American Chemical Society——ACS）所屬的化學摘要服務社（Chemical Abstract Service——CAS）與西德的能源物理暨數學資料中心（FIZ Karlsruhe）及日本科學技術情報中心（JICST）三個機構聯合運作的線上服務系統。STN自1984年起開始提供線上服務，主要目的在振興科學並促進國際科技資訊的交流，現今提供的資料庫約九十餘種，約9000餘萬筆資料錄，1200萬種化學物質。

設在西德Karlsruhe、美國Columbus及日本東京的三處服務中心的電腦，均經由人造衛星聯結形成網路，檢索者可在任何地點輸入指令，經由Telenet、Tymnet、Datex-P及其他電信通訊網路之傳輸，檢索STN資料庫。STN可作化學、化工方面期刊的全文檢索，可用化學結構式檢索，可畫光譜圖，故於設備上除一般必備的個人電腦或終端機，數據轉換機、印表機外還需一滑鼠（mouse）配合[30]。

5. ECHO

ECHO（European Host Organization）檢索系統於1980年建立，該系統乃歐洲共同市場委員會為促進歐洲線上資訊的利用，引介歐洲資訊市場而設。接用歐洲線上資訊網路（ECHO）所採用的共同指令GRIPS提供書目、名錄、數字等類型資料庫約六十萬筆資料錄，主要以歐洲為涵蓋範圍[31]。

八、線上檢索服務處的評估

線上檢索檢索服務處所提供的線上系統與資料庫同為建立線上服務之要件。目前全世界線上系統種類繁多、數量龐雜，如何依據讀者需求以客觀準則選擇適當的線上系統乃當務之急。線上系統的評估，可依下列七大準則作為取決的參考。

1. 決定是否真的需要提供線上服務

線上資源可擴展並提高參考服務的經濟效率，節省時間，改善查尋途徑以提昇服務品質。根據讀者及參考服務員的評估意見，製作一詳細的書面說明，確實證明此項服務的觀念與構想是經過謹慎調查、研究和分析所獲的結果。此份需求評估報告可進一步作為選定合適的線上系統之依據。

2. 資料庫

⑴線上系統提供的資料庫是否適用？資料庫數量是否滿足所有服務讀者的資訊需求？DIALOG系統收錄資料庫種數衆多，幾乎所有學科均一網打盡，該系統即以這種廣泛的包容量見長而廣受歡迎。

⑵資料庫的獨特性，是否此資料庫唯該系統僅有？

⑶資料庫的主題特色為何？是否可以滿足全部讀者需求？例如：ORBIT系統以專利及石油資訊特強，許多BRS的資料庫則以醫學著稱，不同系統各有不同類形資料庫，如果讀者需求偏向統計資料，則應選擇以數據資訊及運算功能見長的系統，例如：I.P. Sharp即為此中翹楚。

⑷資料庫涵蓋的時間範圍，此項雖非線上系統可全權控制卻可作部份的掌握，例如WILSONLINE收錄資料限1983年以後。

⑸資料庫時效性，資料庫更新資料的速度是否按照預定時程完成資料更新。例如：股票資訊乃依交易市場作現場時況更新，名錄或年鑑等則多一年更新一次資料內容。

⑹不同資料庫是否可同時檢索？跨檔或多檔查尋是否簡易可行？例如：MEDLARS與WILSONLINE在資料庫結構與控制詞彙的作法是完全一致，故可同時進行檢索㉜。

3. **價　格**

各線上系統的收費政策如何？使用次數多是否有折扣優待？每月或每年是否有最低使用次數限制？付費的期限是否有彈性？收費標準為何？是採連線時間或檢索資料多少或兩者合併計算；計費方式是否公平且容易估算？總之，必須採用一種非常精確的方法來分析並評估各系統之資料庫的使用費。

4.服　務

⑴線上系統必須可信賴的，不可隨便「當」機，應要求其最低的「當」機時間為多少？

⑵使用尖峰時段與非尖峰時段，系統的反應時間為多少？

⑶系統的軟硬體設施是否會造成檢索的限制？例如：BRS限制一次只處理一百個字根的變化。

⑷各種原有硬體設備是否具相容性而可適用於新的發明與技術，無須添購新設備？

⑸電信通訊的配備需求為何？傳輸的速度為何？是否提供多個電信通訊網路系統以為備用。

⑹檢索指令是否簡便易學？是選項式或指令式？是否兩者均提供？初學者或罕用者適合採用選項式，資深者或經常使用者適合指令式。

⑺是否有線上教授如何使用的說明？

⑻檢索失誤時顯示的訊息是否具意義？

⑼系統是否可提供預估的檢索費用？

⑽檢索時間為何？遇有緊急或特殊情況；不論時間，例如：晚上或週末假日也可檢索。

⑾遇有問題時與主事單位連絡的方式為何？

5.檢索特性

⑴各資料庫（或稱為檔）結構是否一致？例如：各資料錄之欄位代號及印出結果的格式等。

⑵是否有倒置索引檔的設計，促使各欄位及其所代表的內

容能快速而正確的被檢索出來，避免耗時受限的線性連續檢索。各欄位檢索是否可單獨檢索或可多種欄位一起檢索？例如：將檢索用語僅限於題名欄位檢索，或將檢索用語同時設定於題名、摘要、敘述語與識別語等欄位一起檢索。系統是否可自動設定主題檢索的欄位？

⑶是否有數據資料計算及統計運算的檢索？

⑷是否有全文檢索？

⑸檢索功能是否強而有力？是否具彈性？例如：布林邏輯運算、相近運算、截字、範圍、大於、小於及特定欄位檢索等功能。

⑹是否可展示與檢索用語相關之索引用語？並直接加以選擇進行檢索，不需再次輸入檢索用語。

⑺是否可同時進行數個資料庫檢索？

⑻檢索過程與結果是否可暫存？

⑼除了線上印出結果外，是否亦提供高品質的線外印出？線外印出紙張品質與大小是否便於存放與管理？

⑽印出格式是否多樣化？是否具排序功能？是由系統指定或可由檢索者自行設定？

⑾數字資料庫是否可以表格或欄位報告形式印出？

⑿全文資料庫是否可以只印出含有檢索用語的句子或段落？

⒀檢索結果是否可以轉錄至個人電腦或各式文字處理機作進一步的修訂編輯工作[33]。

6. 訓　練

⑴是否提供滿足機構需求的訓練服務？

⑵訓練的方式為何？是派專人免費到機構上課講解指導使用；或由機構派人至線上系統指定的地點集中受訓；或由線上系統提供免費的線上檢索練習資料庫；或提供電腦輔助檢索訓練；或發售錄影片教導檢索；或定期舉行專題會議；或成立使用者團體（user group），定期聚會以交換檢索知識與心得；或提供各種輔助的檢索工具，例如：檢索手冊、資料庫說明書及各種索引典，這些輔助工具是免費提供或必須收費？是否具教導性？檢索者只要閱讀即可操作；是否完整？是否定期更新或修訂？

⑶是否提供長途電話免費查詢服務？

⑷是否定期出版消息報導或新聞記要等出版品？

7. **其他服務**

⑴新知預告服務（Selective Dissemination of Information-SDI）。

⑵線上訂購

除了檢索者自行依據上述所載各項準則逐一評估外，亦可參考其他檢索專家或資訊科學家們對各系統的評估意見。有關這方面資料可參考Database、Information Today、Library Software Review、Online、Online Review等刊物刊載之論文，另外Carol Tenopir在Library Journal撰寫之專欄"Online Database"及Martin Kesselman 在 Wilson Library Bulletin 撰寫之專欄 "Online Update"，亦甚具參考價值㉞。

九、結　語

綜觀本章所述，資料庫世界不斷在成長改變中，其變化情況如下㉟：

1. CD-ROM產品問世。

2.營利性資料庫製作者主宰資料庫市場，提供商業資訊的資料庫已凌駕科技研究導向的資料庫。

3. 1970年代尚未存在的提供一般大衆檢索的數字式資料庫，現在已約佔所有資料庫的1/3，且超出科技與商業的範疇，例如：Artists' Materials Data File及Artists' Techniques Data File被歸為人文及藝術類，然而這二個資料庫不是書目式人文藝術資料庫，而是實實在在的數字資料庫。

4.由於知識讀寫網路的出現而有第一個聲音資料庫Macintosh ⅡPC的產生。

5.影像資料庫開放公開檢索，較有名的有Facts on File Visual Dictionary。該資料庫提供3000幅圖解，說明各詞彙的定義㊱。其代理商為CD-ROM Producer，IBM，Macintosh and Apple Ⅱe；Missing Children Database資料庫可根據輸入資料由電腦繪圖，提供兒童畫像，並配合其它資料敘述以找尋遺失的兒童，其代理商為Compu Serve。

6. 資料庫製作者亦紛紛提供各種電子產品，例如：電子會議、電子通訊等。

7.資料庫主題多變無限制，為了適應新資訊需求而製作，例如：有關AIDS的資訊有AIDS Policy and Law資料庫；旅遊方面的護照簽證問題有Visa Advisors資料庫。

8.提供消費者服務的資料庫有愈來愈廣受歡迎的傾向，例如：消費報導、分類廣告、電動遊戲、體育消息、室內佈置、外語學習以及許多個人電腦可以輕易檢索使用的資料。線上資訊查尋已走入家庭，其普遍化、大衆化不辯自明，較有名的資料庫有World Almanac及New York Times Consumer Information Service。

附　註

❶ Williams, Martha E., "State of Databases Today" in Computer Readable Databases: A Directory and Data Sourcebook, edited by Marcaccio, K.Y., DeMaggio, J.A., and Williams, M.E., Detroit, MI: Gale Research, 1989, p.viii-xi.

❷ 淡江大學覺生紀念圖書館，線上資訊檢索系統及DIALOG系統簡介，台北縣淡水鎭，淡江大學覺生紀念圖書館，民國73年，頁2。

❸ 劉石若。管理資訊系統，台北市：嘉德圖書，民國67年，頁417-418。

❹ Katz, William A., Introduction to Reference Work II, 3rd ed., New York: McGraw-Hill, 1978, pp.139-142.

❺ 同❶, p.x。

❻ 同❺。

❼ Preface of Directory of Online Databases, 9(1):viii, January 1988.

❽ 同❺。

❾ Collier, H.R., "Long-Term Economics of Online Services and Their Relationship to Conventional Publishers Seen from the Database Producers' View Point", Aslib Proceedings, January 1978, pp.17-22.

❿ 李德竹「資料庫與線上檢索服務」，圖書館學與資訊科學，卷5，期1，民國68年9月，頁85。

⓫ Directory of Online Information Resources, Kensington, MD: CSG Press, twice yearly.

⓬ Datapro Directory of Online Services, 2vols. Delran, NJ: Datapro

Research Corporation, Monthly.

⑬ Computer Readable Databases: A Directory and Data Sourcebook, edited by Marcaccio, K.Y., DeMaggio, J.A., and Williams, M.E., Detroit, MI: Gale Research, 1989.

⑭ Directory of Online Databases, Los Angeles, CA: Cuadra-Elsevier, Quarterly.

⑮ 同❶，p.viii。

⑯ Tenopir, Carol, "The Database Industry Today: Some Vendors' Perspectives", Library Journal, February 1, 1984, pp.156-157.

⑰ Williams, M.E., "Criteria for Evaluation and Selection of Data Bases and Data Base Services", Special Libraries, December 1975, p.562.

⑱ 同❶，p.xii。

⑲ 同❶，p.xi, p.xii。

⑳ 同❶，p.xiii。

㉑ Searching DIALOG: The Complete Guide., Palo Alto, CA: DIALOG Information Retrieval Services, Inc., August 1987, pp.I-12 & 13.

㉒ 行政院國家科學委員會科學技術資料中心，國際百科資料庫檢索服務手冊，台北市，編者印行，民國79年6月，頁2，5。

㉓ 同❶，p.348。

㉔ 同❶，p.viii。

㉕ 同㉒。

㉖ 黃麗郁。線上資料庫與資訊檢索系統，台北市：行政院國家科學委員會科學技術資料中心，民國73年。

㉗ Scanlan, J.M., Stricker, U. and Fernald, A.C., Business Online: The

Professionals' Guide to Electronic Information Sources, New York: John Wiley & Sons, 1989, p.141.

㉘ Hartley, R.J., Keen, E.M., Large, J.A. and Tedd, L.A., Onlines Searching: Principles & Practice, London: Bowker-Saur, 1990, p.44.

㉙ "ORBIT System Overview" in ORBIT Search Service User Guide, McLean, VA: Maxwell Online, Inc., 1989, pp21-22.

㉚ STN Basic Workshop Messenger Command Language, Columbus, Ohio: STN International, 1987, pp.1-5.

㉛ 同㉒，頁3。

㉜ Plosker, George R. and Summit, Roger K., "Management of Vendor Services: How to Choose an Online Vendor", Special Libraries, August 1980, pp.354-357.

㉝ 同⑰。

㉞ Chisman, Janet K., "End-User Search Services: Planning and Management" in Online Searching: The Basics, Settings, and Management, 2nd ed., edited by Joann H. Lee, Englewood, CO: Libraries Unlimited Inc., 1989, p.57.

㉟ 同❶，p.362。

㊱ 同❶，p.xiv。

第五章　書目與名錄資料庫

一、導　言

書目資料庫（bibliographic database）又可稱為索引摘要資料庫，記錄內容同於一般索引摘要工具書，主要以書目記載形式指示資料文獻出處，有些附加摘要，讀者必須進一步取得原始文獻方完成檢索的目的，一如圖書館讀者查完館藏目錄之後必須到書庫內取書一般。

從事書目資料庫檢索的主要目的在於：㈠回溯性文獻檢索（retrospective literature search），檢索結果只獲得引證書目，最後還必須透過可能途徑取得原始文獻，再加以閱讀、分析、綜合，進而對全部的檢索獲得一完整的了解。㈡已知書目資料的查證（known item search），例如：已知一作者，查其所有著作，主要在解答某主題的事實資料及書目查證❶。

書目資料庫若以學科類別區分以科技類佔最大部份，其次為社會科學，再次為人文藝術；亦有書目資料庫收錄新聞、運動或時事、法律與政府、商業經濟及多科際。書目資料庫收錄的資料類型以期刊論文為主體，其他尚有圖書、新聞報導、法律案件、博碩士論文、技術報告、編輯專欄、課程指引及其他出版品等。

二、書目資料庫結構

每一書目資料庫（database）由無數資料錄（record）組成，每一筆資料錄又由許多資料欄（field）及資料次欄（subfield）組成，每一資料欄及次欄均代表實質意義，對於資訊問題的解決具有很大的用處。一般而言，書目資料庫記載內容要項可分為書目資料、摘要及敘述語與識別語三部份，如圖一所示。

1.書目資料：目的在識別資料本身，如圖書則著錄書名、作者、版本、出版地、出版者、出版年等；期刊則著錄刊名、作者、篇名、卷期、頁次、年代等。

2.資料內容的摘要：即對內容簡單扼要的敘述。

3.敘述語（descriptor）與識別語（identifier）：即經分析、處理過足以顯示文獻資料主題意識之語彙，一般分為敘述語及識別語，在DIALOG系統敘述語乃索引者根據控制詞彙的工具，如索引典、標題表、或分類表等所制定，故多為控制詞彙。識別語則由索引者擷取文獻原文內的關鍵字、或依索引者自己的意識所制定的，故又稱之為自然語言。

總之，能顯示主題意義的欄位有題名、標題、敘述語、分類號、摘要、正文、識別語等，在DIALOG系統中這些欄位通常製作或基本索引（basic index）。除此之外尚有與原始文獻相關的其他欄位，則作成附加索引（additional index），例如：作者、期刊刊名、年代、技術報告號碼、語文別等。表一乃SCISEARCH、COMPENDEX PLUS、INSPEC、NTIS四個科技類書目資料庫的欄位之比較說明。

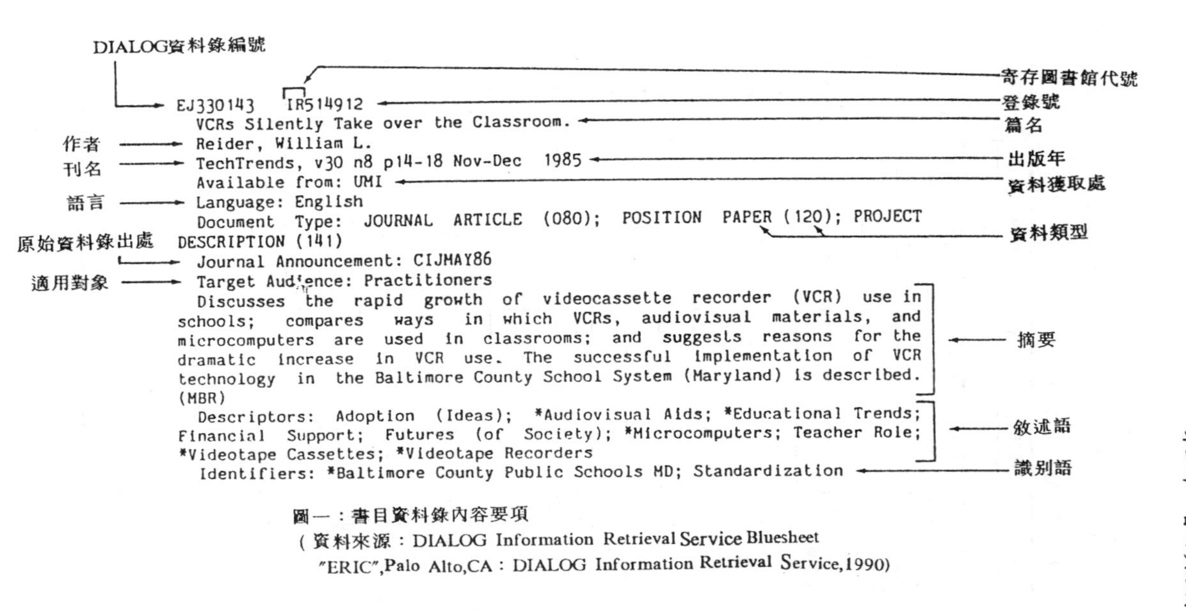

EJ330143 IR514912
VCRs Silently Take over the Classroom.
Reider, William L.
TechTrends, v30 n8 p14-18 Nov-Dec 1985
Available from: UMI
Language: English
Document Type: JOURNAL ARTICLE (080); POSITION PAPER (120); PROJECT DESCRIPTION (141)
Journal Announcement: CIJMAY86
Target Audience: Practitioners
Discusses the rapid growth of videocassette recorder (VCR) use in schools; compares ways in which VCRs, audiovisual materials, and microcomputers are used in classrooms; and suggests reasons for the dramatic increase in VCR use. The successful implementation of VCR technology in the Baltimore County School System (Maryland) is described. (MBR)
Descriptors: Adoption (Ideas); *Audiovisual Aids; *Educational Trends; Financial Support; Futures (of Society); *Microcomputers; Teacher Role; *Videotape Cassettes; *Videotape Recorders
Identifiers: *Baltimore County Public Schools MD; Standardization

圖一：書目資料錄內容要項
（資料來源：DIALOG Information Retrieval Service Bluesheet "ERIC",Palo Alto,CA：DIALOG Information Retrieval Service,1990)

表一：SCISEARCH、COMPENDEX PLUS、INSPEC與NTIS資料庫資料錄欄位之比較

欄位名稱	SCISEARCH	COMPENPEX PLUS	INSPEC	NTIS
篇名	v	v	v	v
摘要		v	v	v
敘述語		v	v	v
識別語		v	v	v
章節題名				v
DLALOG資料錄編號	v	v	v	v
作者	v	v	v	v
合約號碼			v	v
報告號碼			v	v
出版國			v	v
機構名稱	v	v	v	v
資料類型	v	v	v	v
刊名	v	v	v	v
語言	v	v	v	v
出版年	v	v	v	v
CAS註冊號				v
章節題名代碼				v
資料來源	v	v	v	v
更新資料時效	v	v	v	v
技術報告贊助機構				v
被申請專利國			v	
專利申請日期			v	
專利申請號碼			v	
專利受讓者			v	
專利申請國			v	
專利核准日期			v	
專利號碼			v	

欄位名稱	SCISEARCH	COMPENDEX PLUS	INSPEC	NTIS
會議地點		v	v	
會議名稱		v	v	
會議年代		v	v	
舉辦會議者		v	v	
會議編號		v		
摘要號碼		v	v	
ISBN		v	v	
ISSN		v	v	
分類號		v	v	
期刊代號		v	v	
出版者			v	
資料內容性質		v	v	
被引用作者或發明者	v			
被引用專利	v			
被引用書目資料	v			
被引用作品名稱	v			
被引用年代	v			
參考書目數目	v			
紙本出版品	v			
機構國名	v			
機構郵遞區號	v			

（資料來源：DIALOG Information Retrieval Service Bluesheet "SCISEARCH"、"COMPENDEX PLUS"、"INSPEC" and "NTIS", Palo Alto, CA: DIALOG Information Retrieval Service, 1990）

由表一可見：(1)SCISEARCH可供檢索的欄位較少且偏重於被引用資料的查尋，該資料庫的特性在於多科際及引用文的檢索（cited reference）。(2)各資料庫之間的資料欄缺乏標準，即使是相同主題的資料庫，四個資料庫中在五十個資料欄中只有十個是相同，例如：作者、刊名、語言、篇名及更新資料時效、資料類型、出版年、資料出處、機構名稱等，較常見或通用的欄位尚有識別語、摘要、敘述語，其他欄位則只有一至二個資料庫擁有。

欲有效的使用書目資料庫，必須詳加參考資料庫說明書（database documentation），例如：DIALOG系統的bluesheet或各資料庫的chapter。資料庫說明書記載有敘述語及標題清單、階層狀的分類表、或其他的控制詞彙的工具，如索引典，地理區域、語言、刊名、資料類型及其他非主題性質欄位的特殊代號。除了研究資料庫說明書，尚須參考線上系統使用手冊，例如：DIALOG Catalog與Guide to DIALOG Searching, 才能了解各種專用代號、及組成控制詞彙的語彙與系統檢索指令。

三、名錄資料庫

名錄資料庫（directory database）可快速解答事實資料，屬於解決即時回答型參考問題（ready reference）的資料庫，其檢索結果是立即可用的資訊而不是書目資料。名錄資料庫類型計有傳記名錄、公司名錄、工商組織名錄、研究計劃等，因其間差異頗大，故各資料欄之間更見混亂而缺乏一致性。名錄資料庫包括各種人或事的描述資料，例如：套裝軟體、人、學會、公司、私人基金會、政府或工業標準、獎助等，圖二乃名錄資料庫Encyclopedia of Association的資料內容。

Encyclopedia of Association

DIALOG資料錄編號 → 09996096 EA Entry No.: 003904 ← 登錄號 (NATIONAL ORGANIZATIONS OF THE U.S.)

機構名稱 → National Water Well Association (NWWA)

城市 → 6375 Riverside Dr., Dublin, OH ← 州名 43017 ← 郵遞區號

電話 → (614) 761-1711

負責人 → Dr. Jay H. Lehr, Exec.Dir.

創立年代 → Founded: 1948. Members: 13,500. ← 會員人數 Staff: 60. ← 職員人數 Budget: $5,000,000. ← 經費

摘要 → State Groups: 44. Water well drilling contractors; water system contractors; manufacturers and suppliers of drilling equipment; groundwater scientists such as geologists, engineers, public health officials, and others interested in the problems of locating, developing, preserving, and using underground water supplies. Conducts seminars, and 80 continuing education programs per year. Encourages scientific education, research, and the development of standards; offers placement services; compiles market statistics. Maintains speakers' bureau and 13,000 volume library on groundwater, hydrogeology, and water well technology. Offers charitable program. Maintains museum and software clearinghouse. Bestows awards. Computerized Services: Ground Water Legislative Data Base; Ground Water Online. Telecommunications Services: Telex, 241302. Committees: Aquifer Protection; International; Regulatory Officials; Safety; Specifications. Divisions: Association of Ground Water Scientists and Engineers (see separate entry); Contractors; Manufacturers; Suppliers. Publications: (1) Water Well Journal (magazine), monthly; (2) Well Log (newsletter), monthly; (3) Journal of Ground Water (magazine), bimonthly; (4) Newsletter of AGWSE, bimonthly; (5) Ground Water Monitoring Review (magazine), quarterly; (6) Proceedings, annual; (7) Membership Directory, triennial; also publishes seven special topic newsletters on a quarterly basis, textbooks, and manuals. Convention/Meeting: annual (with exhibits) - 1988 Dec. 12-14, Las Vegas, NV; 1989 Oct. 30-Nov. 2, Houston, TX; 1990 Sept. 24-26, Anaheim, CA.

機構類別 → Section Heading Codes: Trade, Business, and Commercial Organizations (01) ← 機構類別代號

敘述語 → Descriptors: Water

圖二：名錄資料錄內容要項

（資料來源：DIALOG Information Retrieval Service Bluesheet "Encyclopedia of Association",Palo Alto,CA：DIALOG Information Retrieval Service,1990）

名錄資料庫之資料欄位亦隨各資料庫而不同，例如：DISCLOSURE就有194個資料欄提供檢索，對於每個被索引的公司財務及其他事項均提供詳細的資訊[2]。

名錄資料庫與書目資料庫之檔結構雖類似，但仍有下列之不同點存在。

1. 名錄資料庫收錄較多事實性資料而書目資料庫則為文獻資料。

2. 名錄資料庫有一些數據欄位可執行算術比較，例如：大於小於及等於；書目資料庫雖然亦有數字出現，如出版年，然這些數字均以文字字串來處理，例如：2與1913比應該是2 < 1913，然以文字字串處理時則為‘2’>‘1913’，因為文字處理方式是逐字比較，故2的二進位碼大於1的二進位碼；但是名錄資料庫的數據資料是以數字處理，而不是文字字串處理，換言之，可以當數字來加減，可以排列順序、可以計算。

3. 名錄資料庫較不重視主題檢索，強調名稱檢索，如公司名稱、人名及其他專有名詞；書目資料庫則較重視主題檢索。

4. 名錄資料庫在印出結果之前較重視檢索結果的排序問題，依某一或某些欄位字母順序或數字大小排；書目資料庫則較不講求排序。

5. 名錄資料庫較注重事實資料的檢索；書目資料庫則偏重書目資料的查尋。

檢索結果加以排序乃線上檢索的一大特性，名錄資料庫的檢索或依公司名稱、城市、機構名稱、州名、郵遞區號、僱用人數、銷售金額等項加以排序，如此一來檢索得到的結果不但精確有效且可依需求欄位自動排序，印出的結果則立即可用，例如：查有關美國中西部各主要州郡，僱用人數在二十人以上的珠寶製造商，並依①按各州州名之字母A至Z的順序印出公司名稱，②每州再依城市名稱字母A至Z排，③每城市再依銷售金額，以百萬為基準，由大到小排，等三個需求印出結果。排序乃名錄型資料庫最基本且最後的一個檢索步驟。

四、書目資料庫與名錄資料庫的選擇與評估

談到書目資料庫與名錄資料庫的選擇及評估準則應同時考慮檢索系統，因為即使是同一個資料庫，因檢索系統的不同，其特性即可能產生莫大的變化。然評估準則可以收錄範圍、資料庫的大小、當地原始文獻的獲取情況、時效性、錯誤率、資料庫與資料錄結構、索引製作的方法、排序與印出結果的功能、價格、資料庫的輔助工具、線上資料庫及印刷本之區別與評論性文獻等為依據❸~❺。

1. **收錄範圍**

(1)**學科主題**：資料庫強調的主題是否與收錄資料的論題相關。資料庫收錄的主題乃所有評估要項中最為重要的一項，因為一旦主題不符所需，則一切檢索評估準則就毋庸再談。雖然線上系統提供有資料庫索引功能以便依檢索用語選擇適當的資料庫，例如：DIALOG的DIALINDEX、BRS的BRS/CROSS及ORBIT的Data Base Index，然而對於深具多科性質的檢索問題仍會產生許多困難，例如：檢索與英國小說相關的主題，在所有相關的資料庫中竟然有MEDLINE。

⑵**資料類型**：資料庫是否涵蓋各種類型的出版品或只特別強調某類型的資料，例如：期刊論文、演講稿、會議文獻、博碩士論文、技術報告、非書資料、正進行中的研究計劃、圖書、專利、標準或法規等。除了出版的文獻資料外，正出版中或將出版的資料是否亦收錄？

⑶**經營政策**：對於收錄資料的處理方式是偏向一般性、通俗性或研究性？資料庫全面的方向為何？例如：一個資料庫收錄主題是動物類，該主題的走向是偏重於環境方面或生物特性方面或食品生產方面或商業及市場方面？又資料庫製作者的選擇政策及索引品質亦影響資料庫的收錄範圍，例如：是採用全部的資料或採用部份的資料？是全球性或偏重美國方面？是否只限英文資料或包括其他語文資料？比方Magazine Index收錄資料具選擇性只限美、加地區通俗性雜誌，而Current Index to Journals in Education－CIJE 則收錄只要被它認可的期刊的全部內容資料。為了完整的檢索結果，Institute for Scientific Information－ISI，製作的Science Citation Index的資料庫SCISEARCH則號稱收入全世界有關科技方面具價值文獻的90％❻。

⑷**時間範圍**：資料庫收錄資料的時間範圍是否回溯至與印刷式出版品之時間範圍相同。一般而言書目資料庫大都收錄最近的出版品，對早期的資料多未收入。該問題對講求資料時效性的科技類或社會科學類的檢索影響不大，但對人文學則會造成斷層現象，導致檢索不完整的後果。Dissertation Abstracts Online收錄資料年代上溯至1861年誠屬難能可貴，其他如Historical Abstract則只回溯至1973年❼。

⑸**多科性及科際性**：由於編製索引複雜的特性，許多多科性資料庫，如SCISEARCH或Dissertation Abstract當製作索引時，於自然語言欄位設有許多同形異義字，故在處理一個檢索問題時會自各種不同的學科加以檢索，如此則容易導致較多的誤引（false drop）的檢索結果。

2. 資料庫的大小

所謂資料庫的大小意指資料庫所含資料錄有多少，以及每年平均成長率為多少，每年增加多少。資料錄的多少影響到檢索策略的制定。一個規模較大的資料庫較易產生檢索困難。有些線上系統規定在每一次檢索動作，可產生一個集號後，所獲得的資料筆數最多不得超過多少個，例如：CASEARCH。這個上限數字在許多大資料庫的檢索很容易遭遇到而導致檢索中斷。有些資料庫由於容量過多，故分或若干個子資料庫以供檢索，同時這些子資料庫必須分開個別檢索，例如：DIALOG系統中CASEARCH資料庫，File 399，收錄資料錄過於龐大，造成檢索上許多障礙，故將總檔切割成308–312五個子資料庫，收錄資料自1967年開始，五個子資料庫及其收錄年限分別是308（1967–1971），309（1972–1976），310（1977–1981），311（1982–1986），312（1987——）❽。各個完整的檢索必須採取相同的檢索程序在不同子資料庫不斷重複執行，委實浪費時間、金錢且不便。

3. 當地原始文獻的獲取情況

雖然該準則表面上看似乎與資料庫的評估無直接關係，然卻列為考慮的因素，其理由為書目資料庫獲得結果往往只有引證書目，原始文獻的取得才是最終的目的，故當地原始文獻的獲取情況主要在作為評估該資料庫對某一特定資訊問題的適用性是否更直接。

4. 時效性

該準則主要在討論資料庫更新資料的速度，多久推出新的資料？每天？每週？每月？或每季？換言之每天或每週更新一次資料的資料庫較之半年更新一次資料的資料庫來得具時效性。名錄資料庫尤應重視資料的時效與正確，因各種有關組織的事實資料時有變更，例如：負責人姓名、地址、電話號碼等，稍一疏忽延遲更新則失去其正確性。時效性同時亦反應資料的正確性，例如：Encyclopedia of Association收錄的單位均屬全國性、非營利性的美國組織，故除了新成立或已不存在的組織，大多數的組織均每年給予保留，當然一些重要的款目內容會給予更新，每半年重新整理一次資料，故其正確性無庸置疑。書目資料庫講求的資料時效，除了論及資料庫更新資料的速度外，尚包括資料刊出於首次資料，如期刊，與製成資料庫中間之時間間距（time lapse）為多少。

5. 錯誤率

資料庫本身錯誤率有多少？可與書本式相比較之，由於索引及編目作業的優劣，將導致錯誤率的高低。三種可能的錯誤為事實錯誤、打字印刷錯誤及索引錯誤。事實錯誤指非打字錯誤引起的數字或非主題資料，如出版年、僱用人數、年銷售額、地址、電話號碼等的錯誤，主要是由於資料過期或處理時粗心造成。打字錯誤則純粹是事務人員打字錯誤引起，這種錯誤若於人工檢索時非常容易發現，因為使用者可以閱讀正文而認知錯誤出在那裡。然而電腦檢索的是一些字串而不是一些概念，故只要其中含有任何打字錯誤則無法檢索到正確拼音的字串，當然檢索結果必定失敗。索引錯誤則完全歸因於主題判斷錯誤，亦即索引人員於分析資料內容，指定索引用語時做了錯誤的判斷。

6. 資料庫與資料錄結構

資料庫那些主題欄位可檢索？如何檢索？那些欄位只可以顯示不能檢索？是否包括摘要？摘要可供檢索或顯示嗎？例如：CA SEARCH資料庫於STN系統提供檢索時，摘要只可顯示不能檢索，近年來始可以檢索。Dissertation Abstract資料庫1984年於DIALOG系統提供檢索時，摘要的部份只能顯示而不能檢索，含主題意義而可供檢索的欄位只有論文名稱及採用控制詞彙非常廣義的標題，故該資料庫的主題查尋功能非常弱，有鑑於此，該資料庫現已加以改進，摘要的部份除可展示外亦可檢索。除了了解那些欄位可檢索那些不可檢索外，尚須注意檢索方法，是否有線上說明檢索方法？檢索方法是否容易明瞭、接受和使用？所用指令是否大衆化？方便使用？是否有布林邏輯運算？是否有截字功能？是採單一字彙索引或採複合語索引或單一字彙與複合語混合的索引？停用字（stopword）有那些？標點符號如何處理？自然語言檢索是否可採用相近運算元（proximity operator）？那些欄位可行？這些問題都可作為選擇資料庫以進行檢索的依據，甚而作為評估的準則。

7. 索引製作的方法

代碼應用情況和詞彙控制如何？採自然語言或控制詞彙？索引的詳盡度、精確度與一致性如何？以上所述皆會直接影響檢索結果的回現率和精確率。

8. **排序與印出結果的功能**

必須了解系統顯示及印出檢索結果的排序情況。某些系統資料錄在印出前若未加以排序，則以相反次序的登錄號印出，亦即按資料錄入檔的次序相反排列，先入檔的排在後面，後入檔的排在前面。不少系統允許許多欄位可依數字或文字順序加以排序，換言之，系統既定的排列順序可依檢索者的需求給予修正更改，此功能尤其對名錄型資料庫影響更大。書目資料庫大多以作者姓、刊名或團體作者名稱排序。有些檢索問題可能要求多重排序，例如先依團體名稱再依作者排。究竟系統既定的排序方式為何？那些欄位可以排序？是否可以多重排序？均應加以考慮。印出的方式也有許多種，自印出全筆資料至僅印出登錄號等形式衆多而不一，全聽憑檢索者選取，甚至可進一步依自己需求加以修飾。

9. **價格**

另一不能忽視的準則為價格。評估時對於執行檢索的費用及檢索者與讀者的時間花費、線上檢索節省的費用等各項均應考慮❾。該準則不能單就價格做絕對評估，必須與效果一齊作相對評估。如果一個檢索在金錢允許的範圍下無法有效的達成檢索效果，則不該進行線上檢索。檢索者對一次檢索可能的花費事先該有一大約的概念，同時應徵詢讀者意見。線上檢索的價格評估可自多方面加以探討，例如：連線時間的花費，資料庫使用費（royalty charge），線上印出費，線外印出費及訂購費。依以上各種費用來比較各線上系統，並決定那個系統好那個不好是不對的作法，因為每個系統處理方式不同，有些費用會合併成一項，有些系統則没有那項費用，例如：有一個系統可能印出價錢較便宜，但卻較難使用或較花費連線時間或使用主機時間的時間，如此一來全部的計價可能較高。

10. **資料庫的輔助工具**

資料庫製作者及線上檢索服務處為了加強檢索者有效的使用資料庫，大都提供印刷式出版品作為輔助檢索的工具，較重要且常用的類型有：⑴檢索者使用手册，指引讀者如何從事線上檢索，例如：DIALOG系統的Guide to DIALOG Serching其內容對於系統的特性與指令均不乏詳細的介紹，有些甚至附上例子與討論。⑵索引典，指引使用者，系統採用的標準索引用語，例如：ERIC Thesaurus。⑶標題表或分類表。⑷收入期刊清單。⑸地理區域的分類代號、生產品類型、資料類型等清單。此外，較不常用的則有字彙使用次數表、主題索引法指引、名稱及頭字語使用法指引、書目描述指引、摘要法指引等。大部份的輔助工具須付錢購買，有些則由資料庫製作者免費提供。

近年來資料庫大量成長，任何一位檢索者均不可能徹底了解全部資料庫，故必須窮其有效的能力透過可能管道自我進修，以便不斷認識新資料庫、複習舊資料庫，得知其改變情形，才能進行一有效檢索，而自我閱讀檢索輔助工具是最便捷而完整的途徑。

資料庫的輔助工具有時亦可透過線上檢索獲得，例如：使用HELP或EXPLAIN等指令，當然收費則以連線時間為基準，這種方式最好少採用，一來收費昂貴，二來這些說明只針對你個別使用，故內容較散亂，不容易組織閱讀，尤其適合資訊需求者使用的系統如The Source、Compuserve、Dow Jones News Retrieval等，較之圖書館傳統採用的DIALOG、ORBIT、BRS系統而言更為嚴重。DIALOG、ORBIT、BRS等上軌道的系統均有完整的使用說明書。資料庫輔助工具本身亦應嚴加評估，首先評估其是否提供，其次要求清楚、正確及完整。

11. **線上資料庫及印刷本之區別**

雖然相同的資料內容往往以線上資料庫及印刷本二種形式製作，然其間仍有不同點存在，這些不同點可作為選擇線上檢索或人工檢索的依據，二者最大差異在於提供的檢索點的種類與數目，其次為收錄資料的年代，第三為檢索結果排序功能，第四為資料時效性，最後為執行一次檢索兩者所花的時間和金錢。

12. **評論性文獻**

有關資料庫的評估與比較的評論性文獻，可作為選擇或評估資料庫的參考。不論資料庫或線上系統均不斷在改變中，故可透過這些文獻得知學者專家對各資料庫的見解，擷取他人之意見作為參考亦不失為可行之道。例如：ABI/INFORM及Management Contents二資料庫的比較分析[10]。這些評論性文獻可自Data Base, RQ, Journal of the American Society for Information Science, Online, Online Review與Special Libraries等期刊獲得[11]。另外全國性或國際性有關線上檢索之會議文獻亦可查到不少分析及比較資料庫的資訊。

五、結　語

書目資料庫乃線上資料庫中最早發展之資料庫類型，發展至今已趨穩定飽和的狀態。大多數書目資料庫均以學科主題來區分，然亦有少數書目資料庫是以收錄資料類型來分辨，例如Dissertation Abstract Online以收錄博士論文為主，而Conference Proceedings Index則以會議文獻為主，不論其收錄內容為何，均不外以文獻的書目資料或配合摘要加以記載。這種只提供二次資料的資訊檢索已不能滿足凡事講求速度與效率的現代使用者的資訊需求，因此近年來逐漸被提供可直接使用的一次資料之數字資料庫及全文資料庫取代。書目資料庫雖漸式微，但就保留文獻之書目資料記錄檔的歷史意義而言，仍具有不可抹滅的地位。

附　註

❶ Hitchingham, Eileen, ″A Survey of Database Use at the Reference Desk″, Online 8:44-50, March 1984.

❷ DIALOG Information Retrieval Service, Chapter ″DISCLOSURE″, Palo Alto, CA: DIALOG Information Retrieval Service, 1988.

❸ 李德竹。「資料庫與線上檢索服務」，圖書館與資訊科學，卷5，期1，民國68年9月，頁86。

❹ Harter, Stephen P., Online Information Retrieval: Concepts, Principles, and Techniques, New York: Academic Press, 1986, pp.108-121.

❺ Williams, M.E., ″Criteria for Evaluation and Selection of Data Bases and Data Base Services″, Special Libraries, December 1975, pp.563-567.

❻ DIALOG Information Retrieval Service, Bluesheet ″SCISEARCH″, Palo Alto, CA: DIALOG Information Retrieval Service, 1990.

❼ DIALOG Information Retrieval Service, Bluesheet ″Historical Abstract″, Palo Alto, CA: DIALOG Information Retrieval Service, 1990.

❽ DIALOG Information Retrieval Service, Bluesheet ″CASEARCH″, Palo Alto, CA: DIALOG Information Retrieval Service, 1990.

❾ Harter, Stephen P., ″Online Searching Style: An Exploratory Study″, College and Research Libraries 45:249-250, July 1984.

❿ Wagers, Robert, ″ABI/INFORM and Management Contents on DIALOG″, Database 3:12-36, March 1980.

⓫ Dolan, Donna and Heron, Carol E., ″Criminal Justice Coverage in Online Databases″, Database 3:10-32, March 1980.

第六章　全文資料庫

一、導　言

NEXIS是第一個線上全文資料庫。自該資料庫於1980年初期由Mead Data Central System提供服務以來，全文資料庫於這十年間其成長率快速驚人，大有凌駕書目資料庫之勢。在第四章「資料庫」中亦曾述及根據Williams調查資料庫類型所得結果顯示，全文資料庫約佔全部資料庫的32％❶，與Cuadra❷於1984年的調查比較，四年之間增加一倍，其成長之快速可見一般。線上系統幾乎每個月都加入為數不少的全文資料庫，許多報紙、雜誌及書均製作全文資料庫，雖然未完全取代印刷本，未包括廣告、讀者投書、消息預告等資料，卻可取代書目資料庫及某種程度的出版品，究其原因不外為：⑴電腦排版技術於出版業大佔優勢，⑵大而便宜的儲存媒體持續問世，故許多原先為印刷式之出版品均提供線上全文檢索，例如：報紙、廣播、新聞報導、分類廣告、百科全書、學術性期刊或休閒性雜誌及法院的判決等。法律資料是線上全文資料庫的濫觴，最有名的系統為LEXIS。NEXIS、STN International、NEWSNET、Dow Jones News Retrieval及Westlaw等乃較常見之全文資料庫❸。

二、定 義

所謂全文資料庫（full-text database）是指將文獻的全部原文以忠於原來形式的電子方式，逐字存入電腦之資料庫中，並建立各種檢索或查尋之方法，以便使用者能透過電腦網路或相關的電子通訊設備，做即時線上之查閱資料或進一步做統計、分析、整理等應用之工作的系統❹。全文系統已超越書目資料庫偏限於特定主題的檢索方式，它可直接檢索在原文中出現過的字，換言之除停用字（stopword）之外，文中的任何字都可被檢索。而其檢索特性，諸如布林邏輯運算AND、OR、NOT，相近運算元（proximity operator），截字法（truncation）等；及資料展示與印出特性，例如：特定欄位印出，則與書目資料庫雷同。總之全文資料庫最大特色在於正文中每個字都可檢索及印出，故解決了書目資料庫獲取原始文獻的最大問題。

早期的全文資料庫經常藉已有的資料庫，配以全文檔案所組成，他們把全文中與檢索相關的屬性（attribute）資料或關鍵字（keywords）利用人工或電腦程式整理出來，並利用資料庫管理系統（database management systems）建立為欄位化的資料庫，在此資料庫中以指標（pointers）指向相關原文的檔案中的地址，故其設計主要是以書目資料庫的模式為基礎發展而來，因此全文資料庫的檢索方式和傳統的資料庫一樣，只是多提供了參閱原文的機會而已。由於從原文中摘出檢索所需的屬性或關鍵字，存在許多與語文相關的技術上的困難，例如：同義字、同形異義字、相關字等，因此必須由各種專家建立索引典等權威工具對詞彙加以控制，以做為處理資料及檢索資料的依據。

此作法即牽涉到索引法（indexing）中的內容分析與選定索引用語的工作，換言之必先整理詞彙，由詞彙做主要的查尋控制，如此只要文獻增加而使用詞彙變化時，資料庫的索引必須全部更新，引起系統維護方面的龐大負擔。為了避免此項缺失，全文檢索邁向更進步的檢索境界，直接利用原文檢索資料，如此可超越人工索引及欄位化檢索所無法做到的查尋，並大大發揮了系統的功能。再且全文資料庫中存的資料比欄位化的資料庫更多，如書目資料庫，更允許設計自然語言（natural language）的查尋，以做變化更多、更深入的原文檢索，能做到任何字、詞、片語都能查的地步，這種檢索不同於控制詞彙查尋，故稱為自由語文查尋（free-text searching）❺。

三、特　性

全文檢索系統通常具有下列特點：

1. 可任意選擇某特定詞句查尋所需文獻的全部內容。

2. 可利用作者、主題等不同需求條件，檢索相關文獻的部份內容。

3. 無須預先設定關鍵語，即可做單字或片語的檢索。

4. 使用者可依不同需求，以各種指令建立查尋程序。

5. 操作過程採畫面指引方式，使用者容易學習❻。

6. 資料檔結構採倒置索引檔法。

7.共通的檢索技術有：布林邏輯運算AND、OR、NOT；相近運算元，包括二個檢索用語相連或中間可插入數個字、或兩個檢索用語出現在同一欄位等，截字法，通常為向右截字法。

8. 其它改良的檢索技術尚有：

⑴相同句子、相同段落的相近運算元檢索。

⑵印出結果時會加強顯示檢索用語的位置，例如：DIALOG的HILIGHT 與KWIC 指令功能。HILIGHT指令可以避免檢索結果列印出一長串不相關的資料；KWIC指令則只顯示正文中含檢索用語的部份❼；BRS則提供檢索用語出現次數表（occurrence table），依檢索用語出現次數多少序列；及print hit功能，該指令能一一選出並展示檢索用語在整篇文獻中的位置，這些都是有助於看到檢索結果的設計。

⑶自動處理標準化字彙問題，例如：自動查尋單複數，如LEXIS、NEXIS、BRS等系統均有此功能；不同拼法的英國英文與美國英文，如LEXIS、NEXIS、BRS；標準縮寫名稱與全名對照等。

⑷依檢索用語出現次數的多少判斷其與主題相關性。

9.為了使全文資料庫檢索更加便利，全文資料庫與索引資料庫的結合乃一必然的走向❽。

四、類　型

全文資料庫收錄的資料內容以法律與新聞資訊為主，就資料形態分主要有：學術性期刊、通俗性雜誌、百科全書、字典、名錄、科技類手冊及政府出版品等。

1. 法律資訊，例如：由Mead Data Central提供的LEXIS及由West Publishing Co. 提供的WESTLAW均屬之。

2.新聞資訊，例如：由Mead Data Central發展的NEXIS，收集美國各種報紙、雜誌，某些新聞資料可於出版後48小時內提供檢索❾。由Dow Jones公司提供的Dow Jones News特長於股票資訊，大約每分鐘甚至數秒鐘即更新一次資料。DIALOG系統的Facts on File內容偏重國際新聞提要。至於國家性國際性的新聞網則有News Net系統發展的NEWSNET、DIALOG的AP News、Compuserve及The Source等。

3.學術性或技術性期刊，例如：STN的CJACS資料庫收錄美國化學學會出版的十八種期刊論文全文。

4.參考工具書，包括：

⑴百科全書，如Everyman's Encyclopedia, Academic American Encyclopedia, BRS的Kirk-Othmer Encyclopedia of Chemical Technology。

⑵字典，如由Dow Jones News Retrieval所提供的Words of Wall Street，收錄適合專業投資者使用的商業財政之專有名詞二千多個❿。

⑶名錄，名錄是最常見的線上參考工具書的一種類型，如：由Bowker公司製作，DIALOG系統提供的Books in Print; ORBIT提供的Cuadra Directory of Online Databases，收入約三千三百種線上資料庫指引；BRS的PDQ Directory File,收錄一萬個治療癌症病人的醫師及醫療機構。

⑷科技類手冊，如DIALOG、BRS、NEXIS與STN均收錄的Consumer Drug Information資料庫乃有關藥物方面的手冊資料。

5.政府出版品，如DIALOG的CENDATA乃收錄美國商務部普查局發佈的新聞稿、出版品和統計資料的全文資料庫。

6. 通俗性雜誌，如BRS、DIALOG、NEXIS所收錄的Magazine ASAP[TM]，該資料庫是Information Access Company製作並提供一百多種通俗性雜誌所刊載的文章，這些雜誌有Time、People、PC Week、Science、Teen、Play Boy、Popular Science與New Republic。舉凡科學、法律、娛樂等各類主題幾乎無所不包。各類主題可進一步細分為(1)新聞，如Time及News Week；(2)商業，如Forbes及Money；(3)嗜好，如Popular Photography及Popular Mechanics；(4)政治，如New Republic及Nation；(5)女性，如Ladies' Home Journal及Red Book；(6)娛樂，如Rolling Stone及Sports Illustrated及Teen；(7)一般科學，如Science及Psychology Today ⑪。

全文資料庫每一筆資料錄的內容除正文外尚有書目資料、控制詞彙的敘述語、及各種標題名稱（caption title），圖一乃Consumer Reports全文資料錄的資料內容。

許多全文資料庫都只由一個出版品形成，例如：多數百科全書及名錄型的全文資料庫大都只有一個單獨書名，而DIALOG及BRS系統的Harvard Business Review Online資料庫亦只針對Harvard Business Review該期刊數年來每一篇文章加以收錄；但有些系統則包含許多出版品，例如：Magazine ASAP資料庫包含一百多種美國通俗性雜誌刊載的文章，而STN系統的CJACS亦收錄了美國化學學會出版的十八種期刊的論文。

DIALOG資料錄編號

00000908

篇名 → Compact-Disc Players.

刊名卷期 → Consumer Reports: vol. 52, no. 5, pp. 283-288, May, 1987 (出版日期)
2 photographs, 1 ratings table

正文 →

An authentic revolution in recorded music got under way with the introduction of the compact disc in 1983. Free from the crackles, pops, and clicks that afflict long-playing vinyl records, the CD delivers flawless, noise-free sound with a near-concert-hall dynamic range, ruler-flat rendering of all the music spectrum's frequencies, negligible distortion, and freedom from such impediments to listening pleasure as flutter and drift.

Though a CD measures less than five inches in diameter, it's capable of providing about 75 minutes of playing time. (Its grooves, or tracks, are so fine that more than 300 of them could fit side by side in a single groove of a standard vinyl record.)

.
.
.

敘述語 → DESCRIPTORS: Compact-disc players; Frequency response; CD; Portable models; Changer models

圖一：全文資料錄內容要項
（資料來源：DIALOG Information Retrieval Service Bluesheet "Consumer Reports",Palo Alto,CA：DIALOG Information Retrieval Service,1989）

五、檢索策略

全文資料庫的檢索策略及其用法隨著資料庫的主題及所包含資料的多少而改變，然首要注意避免採用布林邏輯AND去連結兩個概念，而採用段落或相近運算元，即兩個檢索用語中間插入其它用語的方式查尋⓬。AND檢索固然可得較多其他相關的資料，然亦因而檢索到許多不相關資料，而降低了精確率⓭。大多數全文檢索的特性為高的回現率、低的精確率，然亦有例外⓮。由此可見，不同主題類型的文獻、或不同的寫作風格均應採不同的檢索模式以因應之，例如：化學期刊文獻查尋最成功的檢索策略是同一段或同一句子的查尋，因其寫作方式偏屬於技術文章的敘述法（technical writing），重視直接、簡潔的事實描述，然而通俗性雜誌若亦採同方式檢索，則較易使讀者獲得錯誤的結果；又如新聞性雜誌，即使是二個檢索用語只相隔五至十個字仍容易產生誤引而造成不相關的檢索結果，因為該類性質文獻，往往包含了許多不相干的觀念在內。再且資料庫若包括多種類型的期刊，其檢索策略則較難制定。檢索結果評估所採取的準則亦視檢索的動機而有不同，設若檢索需求是某一主題的書目查尋，則評估書目查尋的準則亦可適用於此，若檢索需求是某項事實、或某篇文獻中的一些資訊，則回現率將不成為一個重要的考慮，資訊需求者（end user）通常應用全文資料庫進行上述二種形態的資料檢索⓯。

總之，全文資料庫的檢索與書目資料庫的檢索略有不同，全文檢索應避免使用布林邏輯AND運算元，因為採用AND的結果，很可能產生一個詞彙在一篇文獻的起始，而另一個詞彙在結尾，而這二個詞彙彼此間卻毫無關係，進而造成過多誤引的檢索結果。為了避免此錯誤現象，DIALOG建議採用相近運算元的方式，此方式較注重段落。雖然每個系統的功能各有差異，但主要精神卻相同，如詞彙連接在一起、或中間可插入其他的字、或二個詞彙出現在同一句子或同一段等，這種使詞彙互相連結的作法可查得主題的相關性，以獲取較完善的檢索結果[16]。職是之故，從事全文檢索務必注意所有採用自然語言查尋所可能產生的問題，尤其當系統未提供控制詞彙檢索時更應當心，因為全文檢索可查尋的字較其它類型的資料庫更多，當兩個字於觀念上無相關連的意思而利用在布林邏輯AND運算元加以連結時，所造成誤引的機率亦比較其它類型的資料庫更高，是以全文資料庫最好將檢索用語限於同一段，或採用較嚴格的相近運算元，絕對避免採用AND邏輯運算，AND只適用於一個檢索問題含有多個概念，或這些概念不夠精確而無法於一段內說明清楚；另外亦可採用一些輔助方法，例如：採用特定的檢索用語或專有名詞等[17]。

檢索用語在文獻中出現的次數愈多，表示該文獻與主題愈相關，有些系統提供檢索用語出現次數表，如BRS與STN，或依出現次數多少序列之。檢索者應善加利用此特性以選定精確的檢索用語。

六、全文資料庫應用

如同書目資料庫，全文資料庫亦可用來編製某學科主題的文獻清單。檢索題名或敘述語中的詞彙，可獲高精確率又合乎經濟效益的結果，採段落檢索則獲高回現率，亦即檢索到較多，包括許多周邊的資料；故較書目資料庫更能查獲相關資料⑱。檢索者最好在印出結果之前先檢視所有文獻的題名或含有關鍵字的部份。根據一項研究顯示，讀者偏好只印出書目出處及相關段落，而以其他方式獲取原文，可見全文資料庫仍無法完全取代印刷本，事實上它們只扮演加強書目資料庫檢索的角色，換言之，全文資料庫可說是文獻獲取的一項輔助工具，經由線上印出或轉錄（download）到讀者的磁片，並且增加圖形顯示功能。利用線上直接閱讀原文資料是不合經濟效益，因電腦連線花費相當可觀。

當某些期刊有新文章出現或當作完一大主題檢索而欲查閱有興趣的文獻時，可利用全文資料庫檢索，檢索策略應制定得較廣，這時可採用布林邏輯AND加以運算，如此一來雖然精確率較低，卻可以檢索到段落查尋或相近運算查尋無法檢索到的許多相關的文獻，再且讀者自己檢索全文資料庫，能寬容自己檢索到不相關的資料，這是檢索中間人所無法受到的禮遇，而大多數全文檢索提供自然語言查尋亦廣為無線上檢索經驗的讀者所喜愛⑲。

全文資料庫之另一種用途是查尋某篇文獻中某孤立的事實或段落，這時檢索策略宜特定，可採用檢索用語中插入數個字的方法查尋，這是全文資料庫強有力的查尋功能，也是人們閱讀與作者撰寫常見的模式⑳。全文資料線上查尋將偏向於段落檢索，而不是全篇文獻檢索，檢索者與資料庫製作者將操控人們的閱讀，這是文章的作者們始料所未及的事情㉑。

七、評　估

全文資料庫的評估準則一如印刷品的評估準則，比方專家用以評估Academic American Encyclopedia工具書的原則亦可適用於線上全文資料庫的評估㉒，除此之外，應注意下列數項：

1. 新穎性：印刷式出版品與線上資料庫二者的時間間距為何？

2.索引與編目的作法：是否採控制語彙？索引品質如何？是否具一致性？是否採行權威控制？

3.自然語言查尋：是否提供自然語言查尋？是否正文中任何具體的字或詞都可以利用檢索系統的截字或相近運算元功能查尋？

4.全文查尋：是否全文的任何部份均可查尋？例如：BRS系統即可檢索出現在同一段或同一句子的字，若缺少該特性，則可能造成誤引而檢索到不相關的資料。

5.印出結果功能：是否可印出檢索結果的某部份資料？例如：含有檢索用語的某些句子、段落或某區，或必須全部印出。若缺少該功能，則可能造成檢索者印出許多不相關、不需要的資料。

6.欄位結構：檢索欄位是否如書目資料庫般可以特殊類型的資料加以定義㉓？

7.可檢索的欄位：是否正文的各個可區分的部份均為可檢索的欄位？例如：正文的題名、段落名、圖表名、方法論、結果或引證書目等㉔。

8.圖形資料：是否可自線上全文資料庫獲得圖形顯示的資訊。

其他有關書目型資料評估準則亦可作為參考而加以運用。

八、結　語

全文資料庫的未來雖然看好，但目前的研究還未能突破任何字、任何詞、任何片語都能檢索的地步，亦即做到變化更多、更深入的完全自由詞彙的原文檢索㉕，大多數的全文資料庫仍未脫離控制詞彙的作法，最好的作法是從全文中的某些字去找特定的主題、配合較廣泛的控制字彙，這等於是結合自然語言與控制詞彙兩者的優點，採控制詞彙精確率高、自然語言回現率高，否則若只靠檢索者以自由詞彙（free text）去檢索，所花的時間將是靠索引檢索的三倍，這種負擔轉移到檢索者身上，代價也相當高㉖。

附　註

❶ Williams, Martha E., "State of Databases Today" in Computer Readable Databases: A Directory and Data Sourcebook, edited by Marcaccio, K.Y., DeMaggio, J.A., and Williams, M.E., Detroit, MI: Gale Research, 1989, pxi.

❷ Directory of Online Databases, edited by Cuadra Associates, Inc., vol.5, no.1, January 1984, p.vii.

❸ Tenopir, Carol, "Full Text Databases", Annual Review of Information Science and Technology 19:215-246, 1984.

❹ 徐惠文。「全文資料庫的發展與現況」，科學月刊，卷19，期4，民國77年4月，頁248。

❺ 謝清俊。「全文檢索的方法」，科學月刊，卷19，期4，民國77年4月，頁262-263。

❻ 沙燕琪。「全文檢索系統比較」，資訊傳眞，民國77年5月，頁58-59。

❼ Dehncke, Nancy, "Full-Text Business News: Panacea or Problem" in Proceedings of the 8th National Online Meeting, New York, May 5-7, 1987, Medford, NJ: Learned Information, Inc., 1987, p.88.

❽ Harris, Richard, "The Database Industry: Looking into the Future", Database 11:43, October 1988.

❾ Tenopir, Carol, "Newspapers Online", Libary Journal 109:452-453, March 1, 1984.

⑩ Computer Readable Databases: A Directory and Data Sourcebook, edited by Marcaccio, K.Y., DeMaggio, J.A., and Williams, M.E., Detroit, MI: Gale Research, 1989, p.902。

⑪ Tenopir, Carol, "Searching Full-Text Databases", Library Journal, 113:60-61, May 1, 1988.

⑫ Tenopir, Carol, "Full Text Database Retrieval Performance",Online Review 9:149-164, 1985.

⑬ Ro, Jung Soon, "An Evaluation of the Applicability of Ranking Algorithms to Improving the Effectiveness of Full-Text Retrieval I: On The Effectiveness of Full-Text Retrieval", Journal of the American Society for Information Science 39:73-78, March 1988.

⑭ Blair, D.C. and Maron, M.E., "An Evaluation of Retrieval Effectiveness for a Full-Text Document-Retrieval System", Communications of the ACM 28:289-299, 1985.

⑮ Durkin, Kay, Egeland, Janet, Garson, Lorrin R., and Terrant, Seldon, W., "An Experiment to Study the Online Use of Full-Text Primary Journal Database" in Proceedings of the 4th International Online Information Meeting: 1980 December 9-11, London, England: Learned Information, Ltd., 1980, pp.53-56.

⑯ Franklin, J., Buckingham, M.C.S., and Westwater, J., "Biomedical Journals in an Online Full Text Database: A Review of Reaction to ESPL" in Proceedings of the 7th International Online Information Meeting, 1983 December 6-8, London, England: Learned Information Ltd., 1983, pp.407-410.

⑰ Quint, Barbara, "Newsbanks and News Data Bases" in Online Search Strategies by Hoover, Ryan E., White Plains, N.Y.: Knowledge Industry Publications, 1982, p.288.

⑱ 同⑮。

⑲ 同⑮。

⑳ Terrant, Seldon W. et al., "The American Chemical Society Online Primary Journal Database" in Information Interaction: Proceedings of the American Society for Information Science 45th Annual Meeting, 17-21 October 1982, Columbus, Ohio, White Plains, N.Y.: Knowledge Industry Publications, Inc., 1982, p.379.

㉑ Terrant, Seldon W., "ACS Primary Journal Online Database" in Proceedings of the Fourth National Online Meetig, 12-14 April 1983, New York, edited by Martha E. Williams and Thomas H. Hogan, Medford, NJ: Learned Information, Inc., 1983, p.551.

㉒ Kister, Kenneth F., Encyclopedia Buying Guide: A Consumer Guide to General Encyclopedias in Print, New York: R.R. Bowker, 1981.

㉓ Harter, Stephen P., " Online Encyclopedias" in Encyclopedia of Library and Information Science v.38. Supplement, New York: Marcel Dekker, 1985, pp.312-324.

㉔ 同❸，p.221。

㉕ 同❺，p.263。

㉖ 同❻，p.251。

第七章　數字資料庫

一、導　言

在第四章「資料庫」中曾就資料庫的類型加以分析，其中數字資料庫所佔比率為32％，在各類型資料庫中獨佔鰲頭，甚至超過自1970年代開始就久負盛名的書目資料庫，其成長快速與日漸重要的地位由此可見。一般預測其成長不僅於此，甚或超出數倍不止，因為有許多數字資料庫為非營利性機構所發展，常會限制使用，故其資料散見各處而鮮為人知。近年來政府機構，學術機構及工商企業由於重視利用具體的數據或數值作為驗證或評估其成果的方法，而促使數字資料庫的製作蓬勃發展。數字資料庫日漸成為科技研究人員或社會、政治、經濟等學家們直接查尋採用的第一手資料，有凌駕各類型資料庫的趨勢，究其原因有：量化資料的需要增加、微電腦的普遍使用、套裝軟體的檢索與分析功能強大、電腦檢索技術的改良、線上貯存成本降低、利用科際整合方式提供資料，以解決主題混淆的學科問題及資料獲取技術改善，能方便快速完成等，因之數字資料庫逐漸受到歡迎❶。

數字資料庫所載的資料均可於印刷式出版品中找到，雖然它未必較書目資料難檢索，但卻有顯著的不同且必須花上一些時間去學習使用。數字資料庫之所以有越來越受普遍使用的趨勢，主要源於利用電腦來處理資料較具彈性與新穎性且錯誤率較低，可以同時檢索大量的資料，節省處理的時間。今天我們面臨的是一個數字充斥的世界，一切的行為表現均重視量化的評估，具有事實性的數字資料變成任何研究、商業及政府活動的基準。再且收集統計資料及其應用的方法越來越進步而使得我們的生活中存在著愈來愈多、愈來愈好的統計資料。由於時間、空間及人力的短缺、迫使我們不得不去接受數字資料庫。

二、定 義

所謂數字資料庫乃指：凡以電腦形式收集以數字或數據為主之資料組織而成之資料庫❷，其資料內容如圖一所示。

數字資料庫系統提供線上查尋與顯示，並可利用統計方法處理各種數據資料，例如：查明數字、範圍查尋、敘述性統計數字的計算、圖形表示、檢索數據資料的排序，並印製各種報表；尚可提供較複雜的分析工作，例如：製造一複雜現象的模擬模式，利用各種分析的技巧，從線性回歸（linear regress）到多重回歸（multiple regress）以發現最好的數據資料，作為各種預測的依據；另外數字資料庫亦可利用電腦預估各種可信度、或假設測試等。

數據資料庫線上系統檢索服務處，除了提供檢索資料之查尋功能外，且能將檢索到的資料進一步加以運用及分析處理❸。這些線上檢索服務處可分為二大類，一類為DIALOG、BRS及

DIALOG資料錄編號 → 0041338
地名 → HALF MOON BAY CITY

行政區等級 → Level: City
州名 → State: CA
城市或地名 → City or Place: HALF MOON BAY CITY

	1980年普查數字 1980 Census	1986年預估數字 1986 Estimate	80年至86年變化之百分比 % Change 80 to 86	1991年推測數字 1991 Projection
總人口數 → Total Population	7,282	8,246	13.2%	8,936
總戶口數 → Total Households	2,609	3,092	18.5%	3,388
總戶口人口數 → Household Population	7,280	8,244	13.2%	8,934
每戶平均人數 → Average Household Size	2.8	2.7	-4.3%	2.6
平均年收入 → Median Household Income	$25,583	$35,221	37.7%	$44,688

.
.
.

圖一：數字資料錄內容要項
（資料來源：DIALOG Information Retrieval Service Bluesheet, "D&B-Donnelly Demographics",Palo Alto,CA:DIALOG Information Retrieval Service,1989）

ORBIT等規模較大、歷史較悠久，以書目資料庫為收集主流的系統，書目資料庫與數字資料庫二者查尋方式相同較易使用。另一類則完全以數字或少部份文數字混合的資料庫為收錄對象，如I. P. Sharp Associates Ltd、Control Data Corporation/Business Information Services、Data Resources Inc、Chemical Information System 及ADP Network Services 等，各家單獨提供數據資料，故常有不同使用方式。有許多數字資料庫系統並不公開發行，僅限於特定使用團體，例如：美國聯邦政府或能源部等。而美國聯邦政府支援許多數字資料庫與系統，其中有美國國家標準局（U.S. National Bureau of Standards）的 National Standard Reference Data System 。國際間知名之機構，如CODATA及EURONET等均大力推動數字資料之生產、組織、評估與傳播。大多數數字資料庫均針對某些特定團體或使用者而設計，故檢索時應配合資料庫使用手冊與相關文件，並輔以經濟學、統計學、研究方法論等各種學科字典才可順利進行數字資料之檢索與應用。

以上二大類均以商業營利為導向，至於內部自製的數字資料庫較為人熟知且常使用的為 Battelle研究機構製作的BASIS（Battelle Automated Search Information System ）該系統主要為美國國防部之科學家與工程師提供有關軍事方面之科技研究，為一資料庫管理系統❹。

三、特　性

數字資料庫提供直接的第一手資料，其特性具下列數項：

1.數字資料庫提供數據資料，是第一手資料，使用者的問題可獲得直接立即的答案，檢索到的數據資料，還可加以運用，依學科範疇之各種不同功能需求，大部份具備下列功能：(1)利用圖表表現光譜等分子結構功能關係，(2)統計分析，(3)功能關係之決定，(4)依各種需求列印報表，(5)模式模擬❺。

2.數字資料庫收錄資料之可信度非常高，有些資料庫在列印資料時，附有品質索引，可以顯示資訊品質之評分。在物理學方面最重視列述資料之來源、設備類型及狀況，以供研究者可重複製作。

3.數字資料庫非常重視圖表輸出顯示，故需以具圖表檢索功能之終端機配合使用，例如：預測經濟趨勢與工業成長，描繪三度空間組織或各種數字變化。

4.數據資料之查尋常常只是單一數值或一組事實資料，故查尋模式較直接單純。

5.數字資料庫依資料複雜與分析程度，來決定使用收費的多寡。換言之各資料庫因製作成本的差異，收費亦各不同。

6.數字資料庫之檢索較重視學科或主題專長，尤其當資料運用與分析時，例如：利用時間序列（time series）觀察預測某情況的變化，故必須具有統計學的知識，才能對於檢索結果加以分析並進一步解說，因之使用者須訂購多種線上服務系統以應所需，並且須學習各系統功能。然系統常變，十分不便，費時費錢，致使使用者常感挫折與困難。

7.各數字資料庫資料錄結構變化多端，較書目資料庫資料錄複雜而不統一。

8.數字資料庫較重視資料的可信度、有效性及正確性，較不重視資料的新穎性❻。

9.數據資料大都來自計算、觀察、記錄或測量而得的數值，例如：科學家的實驗記錄、處理資料的統計方法、抽樣統計的過程（sampling procedure）、劃刻度及其他的研究方法等❼。

10.資料評估與品質控制困難，數字資料庫之正確與可信度十分重要，然因資料有許多變動的因素，很難控制品質。而資料評估須對主題作深入了解，費時費錢，但若不作好控制，則線上資訊服務價值全失，不僅浪費金錢且令使用者失望，同時錯誤的資料將引起重大的影響❽。

11.缺乏標準，各數字資料庫系統有其不同之檢索語言與使用手冊，資料庫之檔案結構與形式尤其複雜，並且詞彙的使用與定義、測量單位、代碼、索引法與查尋語言亦各有不同。資料庫與系統之間彼此無法適用，常引起資料交換與系統溝通的困難，因此亟須發展一數字資料庫之標準格式❾。

由上所述之特性，可知利用數字資料庫解決的問題有下列數種案例：

1.各種大氣變化之下鋁化合物的破碎性質為何？又其估計的可信度為何？可能錯誤的範圍是多少？

2.鋼鐵工人賺錢是否較結構工人為多？

3.最近三年二手汽車價錢增加多少？

4.根據每年喝掉的啤酒數量，統計預測未來的銷售情況。

5.自1945年來，美國人對希特勒及納粹黨觀感的改變情形。

由此可見，這些問題有小有大，有簡單亦有複雜，有直接針對某一項事實，進而估計其錯誤的可能性，到預測一趨勢，及利用統計的意義作邊際的觀察等。包含數值或一種與多種性質經過實驗、測量、觀察或計算所得之數字資料，例如：某化學化合物之沸點。根據Robbin 的分析，大約可分為四種問題：(1)查尋事實資料，(2)預測趨勢，(3)可信度、品質及可接受錯誤率等的判斷，(4)經驗豐富的科學家，將檢索所得之數據資料利用統計分析的方法加以評估並生產知識❿。

四、類　型

由於缺乏對科技研究與評估的認識，大多數的圖書館館員或資訊專家均對數字資料庫不熟悉且易產生排斥，因數字資料庫乃基本或應用研究與測量的產物。最大的統計資料的生產者為政府機構或國際組織，例如：美國的National Archives and Records Service、Bureau of Economic Analysis、The Bureau of the Census、The National Center for Health Statistics、U. S. Department of Transportation、Bureau of Labor Statistics, Employment, Hours, and Earnings ⓫。數字資料庫依學科主題可分為物理及生物、科學及工程、社會科學、商業及經濟及人文學科等五種。

1. **物理及生物**

該類數字資料庫主要為化合物的化學或物質性質，如光、熱、傳導、機構、電機等、實驗室測量動物資料所得之數據、穀物生產及毒性等。有關這類資料強調質的觀察重於量的測量。生命科學數字資料庫常指非數值資料，但不含書目資料，其中以Foundation of Amercan Societies for Experimental Biology 為主流。美國國家醫學圖書館（NLM）的線上服務系統MEDLINE,TOXLINE與CHEMLINE提供Toxicology Data Bank TDB是NLM第一個數字資料庫。

2.**科學及工程**

該類資料庫常是科技實驗室在界定條件與良好控制之下經過各種實驗測量及觀察之數值記錄。大都為一或多個數字資料庫收入，例如：由美國U.S.National Institute of Health與U.S. Environmental Protection Agency聯合製作NIH/EPA Chemical Information System CIS就收入20個資料庫⓬。使用此類資料，首要確定資料之有效性、正確性、可靠性與資料適用之條件。必須詳細了解測量情形，包括測量工具、畫刻度、使用標準、數學計算或統計方式⓭。CODATA（The Comittes on Data for Science and Technology of the International Council of Scientific Unions）出版The CODATA Series of Directories of Data Sources for Science and Technology⓮，該書主要介紹科技數字資料庫之處理方式，此方面的資料常經由實驗室在不同時間、地方，由各個不同研究人員作實驗測量所得之數據或數值結果加以比較而來。

3.**社會科學**

該學科有數以百計的數字資料庫，自普查資料至各種民意、社會調查意見無所不包，如學校、住家人口普查、選舉及會計統計、機關文件記錄、健康、交通、農業、工業、市政等，這些社會科學與科技資料愈來愈相關且難以區分。調查統計資料大多由政府執行，如國際組織、中央或地方政府之各有關單位或部門，例如：National Center for Education Statistics提供Educational

Statistics Information Access Service 資料庫包含美國各級學校資料；U.S. Bureau of Labor Statistics 的 Employment, Hours and Earnings 資料庫；以及SITE 市場分析資料庫，則提供使用者依美國地區查尋人口、住家統計等資料⑮。

4. 商業及經濟

該類數字資料庫為數最多，約佔各學科全部數字資料庫的9%⑯。近年來此方面資料庫成長迅速，其涵蓋範圍有經濟學、財務統計、貨幣匯率、公司與金融機構之財務資料、保險與商品資料、物價、利率、股票、職業、薪資與工業等特別資料。此類資料庫亦大多由政府機關製作，例如：Bureau of the Census 及 Bureau of Labor Statistics。較著名的私人經營機構為Predicasts, Inc.與I. P. Sharp Associates, Inc.等。許多這類型的數字資料庫主要以時間序列表示，亦即收集某段時間的統計數字，依年代順序以表格形式排列，以觀察其規則性與變化，進而了解週期變化波動及其他變化的趨勢，以便預測未來的走向。例如：1989年股票每星期的起落情況，自1985年至現在日本每個月製造汽車的情況、或二十年來歐洲每年咖啡的消費情況。在這類數字資料庫的經營者中I.P.Sharp 無疑是其中的翹楚⑰。

5. 人文學科

該類數字資料庫較少，但亦有逐漸增多的走向，尤其是當代的各種歷史資料，例如：普查、醫藥、教育等更為看好，且有越來越多的印刷式的歷史資料作成以回溯性轉錄的方式及電腦機讀形式，例如：Warner,Sam Buss,Jr、Nineteenth-Century Family History in Michigan。為數衆多的電腦機讀形式的歷史資料，迫使歷史學家不得不尋求新的歷史分析技術，包括量化及分析方法。

五、資料內容

欲做好數字資料庫的檢索首先必須了解組合數字資料庫的單元「資料」，一如了解書目資料庫的資料錄（record）。換言之，即熟悉數字資料庫經常採用的變數或敘述語及統計學上的術語與定義。雖然各數字資料庫因學科不同各有其組織特色，但若能掌握其基本結構的共通處自能應付，然欲巧妙運用，必須深入了解各種專門數據及其應用於數字資料庫的方式，且須詳加閱讀、研究各資料庫使用手冊與相關文件。

1.變數

在一組統計資料中，凡描述這些資料者稱之為變數，書目資料庫中的變數為作者、書名、文獻出處等，根據Suozzi分析，數字資料庫最常見的變數為資料類型（type）、時間（time- frame）、單位（demomination）與詳細層次（level of detail）⓲。

⑴資料類型：指示資料的類型，例如：利率資料庫將包括原價利率、抵押利率及貸款利率等，有些資料庫只包含一種類型或主題的資料，正如前面所述的利率資料庫，有些資料庫則包含各種類型或主題，諸如利率、就業、商業、價格及股票等，如Citibase資料庫。

⑵時間：指提供資料涵蓋的時間長度與更新資料的頻率，有些資料庫以分秒計，有些則以季年計，完全視資料庫性質是否具時效性而定，如股票行情或科技實驗則極重視資料的新穎性。商

業資料通常的更新頻率為日、週、月、季、年，有時相同類型的資料其更新的頻率亦不同，例如：同是就業率，有些一個月更新一次，有些一年更新一次。又有些系統則依使用者的需求，依不同的時間頻率印出資料。時間長度指資料庫資料涵蓋的時間範圍，例如：Consumer Price Index 資料庫在I.P.Sharp系統中是自1914年開始收錄，而在DIALOG系統中卻只收錄最近二十年的。

⑶單位：指資料表示的單位，如元、百分比、數量等。一般相同主題可以有多種不同的單位，例如：某地區的人口統計中的單位就有以人口數及百分比表示。而有些相同主題卻只有一種單位，例如：利率的單位就只能以百分比表示。

⑷詳細層次：資料依詳細程度、收集方法、資料類型及欲表達的目的分成若干層次。例如：地理區、工業、年齡、性別、種族常有相同主題不同層次，詳細層次乃決定使用某種資料庫的主要因素，例如：Citibase與Employment, Hours, and Earnings同為U.S Bureau of Labor Statistics製作的資料庫，同樣收錄有關就業統計資料，其中Citibase由I.P. Sharp提供檢索服務，其資料只提供全國性，而Employment, Hours, and Earnings由DIA LOG提供檢索服務，其資料就可細分至美國各地理區。

2.其他相關名詞

⑴基數（index number）：將某時間之資料與基數時間之資料相比較以觀察其變化，基數通常為100，以此為依據求出其增加或減少的百分比，例如：消費物價指數在1967= 100, 1968=105, 表示1968年增5％。

⑵時間序列（time series）：一組統計資料通常須經過一段

時間加以收集，例如：圖二就是以時間序列來觀察其消費物價基數的變化。

PRODUCER PRICE INDEX

	1979	1980	1981	1982
U00000000 ALL COMMODITIES	235.57	268.84	293.39	299.32
U03 TEXTILE PRODUCTS AND APPAR	168.71	183.52	199.72	204.33
U0382 TEXTILE HOUSEFURNISHINGS	190.39	206.94	226.71	239.95
U057 PETROLEUM PRODUCTS REFIN	444.75	674.68	805.94	761.45

	1ST/81	2ND/81	3RD/81	4TH/81	YEAR/81
U00000000 ALL COMMODITIES	287.57	294.10	296.10	295.80	293.39
U03 TEXTILE PRODUCTS AND APPAR	194.07	198.97	202.20	203.67	199.72
U0382 TEXTILE HOUSEFURNISHINGS	220.80	223.33	229.37	233.33	226.71
U057 PETROLEUM PRODUCTS REFIN	777.33	834.77	811.93	799.73	805.94

圖二：消費物價基數　（資料來源：同⑱，頁21）

(3)參照（cross-section）：比較同時間不同資料參照分析，例如：1988年8月薪資所得與工作時數的相對比照。

(4)迴歸分析（regression analysis）：應用統計方法同時顯示兩種以上變數之關係，可作預測之用。

六、檢索策略

數字資料庫的檢索策略隨各系統不同而有出入，然組成數字資料庫的主體「數字」是不可用來檢索，換言之不能用作檢索用語，例如：不能查利率為10％的全部的利息資料。因此首先必須確定所有你需要的變數，例如：全美國每個月銀行的抵押權與存款利率，亦即前面變數中所提到的類型與單位，並利用各資料庫使用手冊或說明書去辨認該資料庫是否具有這些特性，有些系統，例如：DIALOG，的數字資料庫可以於一些變數中進行關鍵字檢索，尤其是主題及詳細層次兩種變數，然而這並不是最有效的檢索方法，因為：(1)大多數的變數是以縮寫形式記錄，例如：DIALOG系統的Chase Econometrics資料庫中有關產品價格指數Producer Price Index是以PPI代替，若不知正確的縮寫或於正確地方截字，則可能檢索不到資料，圖三即為檢索舉例。

```
File 565:Chase Econometrics – 86/Oct
Copr. Chase Econometrics 1986

        Set    Items      Description
        ---    -----      -----------
?S PRODUCER(W)PRICE(W)INDEX
                  0       PRODUCER
                164       PRICE
                371       INDEX
        S1        0       PRODUCER(W)PRICE(W)INDEX  <注意以縮寫形式
?S PPI                                                取代關鍵字>
        S2       60       PPI
?S TEXTILE
        S3       47       TEXTILE
?C 2 AND 3
                 60       2
                 47       3
        S4        3       2 AND 3
?T 4/7

 4/7/1
0019608
PPI, TEXTILE PRODUCTS, UNITED STATES

        Series Code:      PPITXAU
        Corp Source:      BLS ; PRODUCER INDEX RELEASE
        Start Date:       JANUARY 1948 (4801)
        Frequency:        MONTHLY
        Units:            INDEX 1967 = 100, NOT SEASONALLY ADJUSTED

    1986      JAN  215.4      FEB  215.3      MAR  215.6
              APR  214.9      MAY  214.9      JUN  215
              JUL  215.1      AUG  214.7
    1985      JAN  216.6      FEB  216.7      MAR  216.5
              APR  216.5      MAY  216.1      JUN  215.4
              JUL  215.1      AUG  215        SEP  215
              OCT  214.5      NOV  215.4      DEC  215.2
    1984      JAN  214.9      FEB  217.1      MAR  217.5
              APR  217.5      MAY  218.1      JUN  218
              JUL  217.9      AUG  217.6      SEP  217.7
              OCT  217.4      NOV  216.8      DEC  216.5
    1983      JAN  209.6      FEB  208.9      MAR  209.4
              APR  209.9      MAY  210.8      JUN  210.3
              JUL  211        AUG  212        SEP  212.4
              OCT  213.8      NOV  214.6      DEC  215.1
    1982      JAN  215.1      FEB  215.8      MAR  214.6
              APR  214.7      MAY  214.4      JUN  213.3
              JUL  211.8      AUG  211.7      SEP  211.7
              OCT  211        NOV  210.9      DEC  210.5
```

圖三：數字資料庫關鍵字檢索舉例

（資料來源：同⓲,頁22）

再且，⑵詞彙的變化亦會造成關鍵字檢索的困難，例如：Standard and Poor's 500 Stock Price Index 亦可稱為Combined 500或Composite 500 或Stock Composite 然卻不包括Stock Price Index三個字。⑶以關鍵字檢索會產生問題的是地理名稱的檢索，因為有許多地方有相同的名稱，例如：在Kansas及Missouri均有Kansas City這個地名，故必須於檢索策略中附加其他名詞加以區別。

大部份數字資料庫均採代號來代表各個不同的變數，資料庫使用手冊均會附屬這些代號清單及其定義與說明，這些代號可能是純數字、文數字混合或純文字，且通常具助記性質，例如：以PIT代表Pittsburgh。利用代號檢索將可獲得更正確的變數資料，而不須操心各種拼法、字彙或地名等各種問題，且可節省輸入多餘的檢索指令以設限檢索結果或核對初步印出檢索結果，以決定是否適合所需等工作。

有關檢索策略最後要注意的是資料表現的方式，其中包括各種資料的計算及處理後展示或印出的格式，如圖表，許多線上系統具有此項功能，例如：圖四的I.P.Sharp 系統。至於這些功能執行效果則取決於檢索策略制定的表現，該項功能亦可線外執行，將檢索到資料轉錄到個人電腦的硬式磁碟機或軟式磁碟片，再加以計算或處理，並以圖表形式印出。

總之，欲制定一個完善的檢索策略，必須以完整而正確的數字資料庫配合有效可用的檢索點，進而善用電腦運算及序列功能等三大要素為基石。

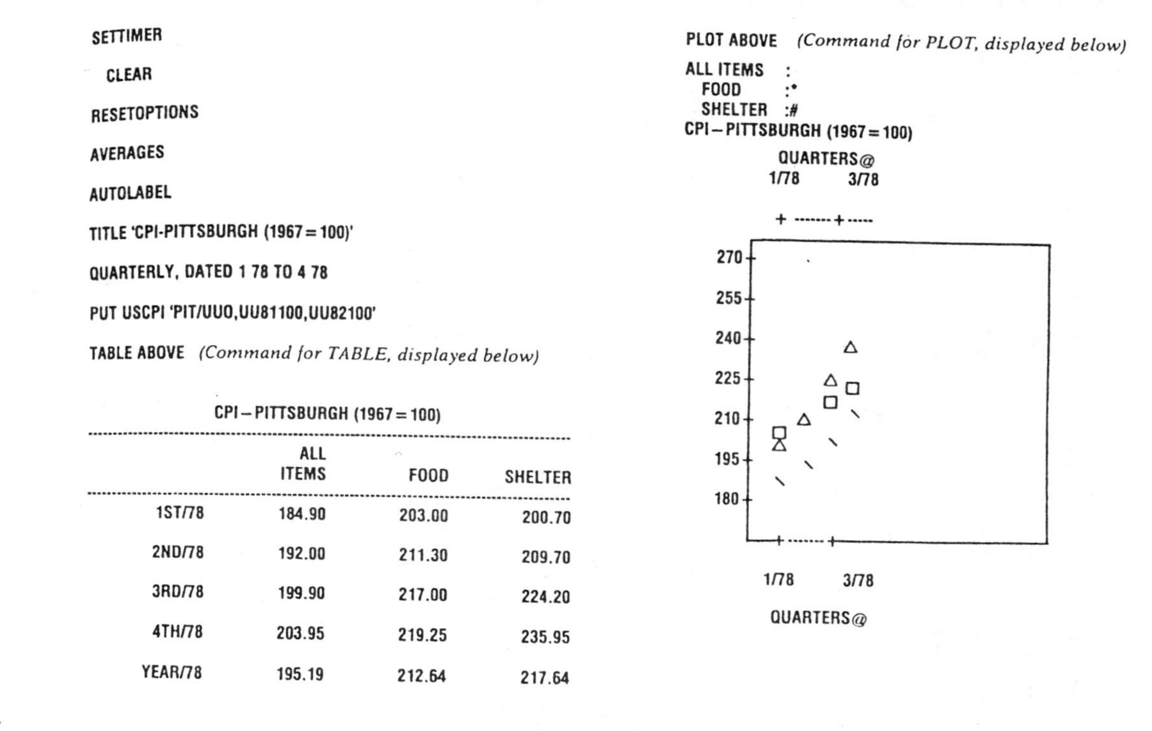

SETTIMER

CLEAR

RESETOPTIONS

AVERAGES

AUTOLABEL

TITLE 'CPI-PITTSBURGH (1967=100)'

QUARTERLY, DATED 1 78 TO 4 78

PUT USCPI 'PIT/UUO,UU81100,UU82100'

TABLE ABOVE *(Command for TABLE, displayed below)*

CPI－PITTSBURGH (1967=100)

	ALL ITEMS	FOOD	SHELTER
1ST/78	184.90	203.00	200.70
2ND/78	192.00	211.30	209.70
3RD/78	199.90	217.00	224.20
4TH/78	203.95	219.25	235.95
YEAR/78	195.19	212.64	217.64

PLOT ABOVE *(Command for PLOT, displayed below)*

ALL ITEMS :
FOOD :*
SHELTER :#
CPI－PITTSBURGH (1967=100)

圖四：數字資料庫印出結果的形式
（資料來源：同⑱，頁21）

1.完整而正確的數字資料庫

資訊需求者可獲得的資料要項有些什麼，完全看資料庫每一筆資料錄所記載的內容及檢索者對每一筆資料內容的了解程度而定，就資料庫的立場而論，每一筆資料內容取決於資料庫製作的目的，資料的來源及系統處理這些資料的方法等三因素。資料庫的種類衆多繁簡各異，例如：圖五DISCLOSURE資料庫及圖六Electronic Yellow Page資料庫所示，二者記錄雖均為財務資料，然內容繁簡詳略卻相去甚遠，很顯然DISCLOSURE較Electronic Yellow Page來得完整，因DISCLOSURE雖只包含九千個公司但每一資料內容均極詳盡，而Yellow Page雖收入一千萬個公司，但內容則較簡短。除此之外尚須注意資料來源及其涵蓋的地理範圍，例如：U.S.Bureau of Labor Statistics製作的Consumer Price Index及Business International Corporation製作的Business International Time Series二個資料庫，很明顯地，前者偏重美國地區，後者則以全球為對象。故必須確實掌握各資料庫的特性，利用資料庫使用手冊或線上系統提供的索引工具，如DIALOG的DIALINDEX，可深入了解各資料庫的特性。

0008258
WANG LABORATORIES INC
DISCLOSURE CO NO: W122000000
CROSS REFERENCE: NA

AUDITOR CHANGE: NA
AUDITOR: ERNST & WHINNEY
AUDITOR'S REPORT: UNQUALIFIED

FISCAL YEAR ENDING	06/30/82	06/30/81
	ASSETS (000S)	
CASH	7,267	9,989
MRKTABLE SECURITIES	62,795	24,907
RECEIVABLES	281,260	257,885
INVENTORIES	374,224	271,335
RAW MATERIALS	NA	81,133
WORK IN PROGRESS	NA	56,764
FINISHED GOODS	NA	133,438
NOTES RECEIVABLE	NA	NA
OTHER CURRENT ASSETS	40,644	34,831
TOTAL CURRENT ASSETS	766,190	598,947
PROP, PLANT & EQUIP	489,869	350,839
ACCUMULATED DEP	133,700	88,483
NET PROP & EQUIP	356,169	262,356
INVEST & ADV TO SUBS	NA	NA
OTH NON-CUR ASSETS	52,006	30,617
DEFERRED CHARGES	NA	NA
INTANGIBLES	NA	NA
DEPOSITS & OTH ASSET	13,500	2,774
TOTAL ASSETS	1,187,865	894,694
	LIABILITIES (000S)	
NOTES PAYABLE	21,266	24,129
ACCOUNTS PAYABLE	156,705	58,663
CUR LONG TERM DEBT	20,493	12,713
CUR PORT CAP LEASES	NA	NA
ACCRUED EXPENSES	NA	37,495
INCOME TAXES	5,971	8,601
OTHER CURRENT LIAB	38,801	24,407
TOTAL CURRENT LIAB	243,236	166,008
MORTGAGES	NA	NA
DEFERRED CHARGES/INC	39,000	18,850
CONVERTIBLE DEBT	NA	NA
LONG TERM DEBT	328,519	244,240
NON-CUR CAP LEASES	NA	NA
OTHER LONG TERM LIAB	NA	NA
TOTAL LIABILITIES	610,755	429,098
MINORITY INT (LIAB)	NA	NA
PREFERRED STOCK	NA	NA
COMMON STOCK NET	29,979	29,869
CAPITAL SURPLUS	245,203	236,959
RETAINED EARNINGS	302,459	202,104
TREASURY STOCK	531	3,336
OTHER LIABILITIES	NA	NA
SHAREHOLDER'S EQUITY	577,110	465,596
TOT LIAB & NET WORTH	1,187,865	894,694

FISCAL YEAR ENDING	06/30/82	06/30/81	06/30/80
	INCOME STATEMENT (000S)		
NET SALES	1,159,309	856,376	543,272
COST OF GOODS	549,430	399,015	242,338
GROSS PROFIT	609,879	457,361	300,934
R & D EXPENDITURES	86,913	66,870	36,655
SELL GEN & ADMIN EXP	360,825	269,686	170,557
INC BEF DEP & AMORT	162,141	120,805	93,722
DEPRECIATION & AMORT	NA	NA	NA
NON-OPERATING INC	NA	NA	NA
INTEREST EXPENSE	26,002	20,732	15,909
INCOME BEFORE TAX	136,139	100,073	77,813
PROV FOR INC TAXES	29,000	22,000	25,700
MINORITY INT (INC)	NA	NA	NA
INVEST GAINS/LOSSES	NA	NA	NA
OTHER INCOME	NA	NA	NA
NET INC BEF EX ITEMS	107,139	78,073	52,113
EX ITEMS & DISC OPS	NA	NA	NA
NET INCOME	107,139	78,073	52,113
OUTSTANDING SHARES	59,937,025	59,606,283	25,454,188

QUARTERLY REPORT FOR	09/30/81	12/31/81	03/31/82
	INCOME STATEMENT (000S)		
NET SALES	190,729	273,426	297,630
COST OF GOODS	111,532	128,936	141,601
GROSS PROFIT	79,197	144,490	156,029
R & D EXPENDITURES	17,640	20,945	21,272
SELL GEN & ADMIN EXP	76,566	84,199	94,812
INC BEF DEP & AMORT	(15,009)	39,346	39,945
DEPRECIATION & AMORT	NA	NA	NA
NON-OPERATING INC	46,199	NA	NA
INTEREST EXPENSE	6,142	6,582	7,568
INCOME BEFORE TAX	25,048	32,764	32,377
PROV FOR INC TAXES	7,000	7,600	7,000
MINORITY INT (INC)	NA	NA	NA
INVEST GAINS/LOSSES	NA	NA	NA
OTHER INCOME	NA	NA	NA
NET INC BEF EX ITEMS	18,048	25,164	25,377
EX ITEMS & DISC OPS	NA	NA	NA
NET INCOME	18,048	25,164	25,377
OUTSTANDING SHARES	59,708,230	59,719,381	59,939,472

SEGMENT DATA	SALES (000S)	OP INCOME
NA		

FIVE YEAR SUMMARY

YEAR	SALES (000S)	NET INCOME	EPS
1982	1,159,309	107,139	1.76
1981	856,376	78,073	1.36
1980	543,272	52,113	1.00
1979	321,565	28,585	0.58
1978	198,134	15,592	0.35

COMMENTS:
NA

圖五：DISCLOSURE資料錄內容要項
(資料來源：同⓯,頁207- 208)

```
0280316
THE SINGLETREE
239 W HIGH ST
CHESTERTOWN, MD 21620
TELEPHONE: 301-758-2267
COUNTY: KENT

SIC:
5948  .(LUGGAGE & LEATHER GOODS STORES)
ADVERTISING CLASS: ORDINARY LISTING
CITY POPULATION: 2 .(2,500-4,999)

THIS IS A(N) FIRM

  (Copyright 1982 Market Data Retrieval, Inc.)
```

圖六：Electronic Yellow Page 資料錄內容要項
(資料來源：同⓳ ,頁209)

2. **了解有效可用的檢索點**

此問題較書目資料庫困難處理，書目資料的變化欄位較有限，且多已發展定型，而數據資料仍在不斷產生中，故每有新資料產生，線上系統就必須為其設計、規則、處理，否則就成一團無用的資料。圖七乃Dun's Million Dollar Directory資料庫的記錄，該資料庫乃美國工商企業公司的內容介紹以及可檢索的欄位，了解這些特性之後，方可結合各種檢索用語有效的進行檢索，例如：查尋有關紐約市電動車製造商其員工超過 500人的所有公司的名單，該檢索關鍵欄位乃為電動車及員工人數。目前檢索點最多的資料庫是DISCLOSURE，約有一百多個，故能善為掌握檢索欄位方能進行各種需求的檢索。

```
0002499
THERMO ELECTRON CORP
101 FIRST AVE
WALTHAM, MA  02154
PHONE: 617-890-8700
MIDDLESEX COUNTY       SMSA: 082   (BOSTON, MASSACHUSETTS)

BUSINESS:                          MFR PDTS FOR INDUS

PRIMARY SIC:      3567             IND FURNACES,OVENS
SECONDARY SIC:    3811             ENGR,SCI INSTRUMENTS
SECONDARY SIC:    3398             METAL HEAT TREATING
SECONDARY SIC:    3999             MANUFACTURES NEC
SECONDARY SIC:    3519             IN COMBUSTN ENGS NEC
SECONDARY SIC:    3554             PAPER IND MACHINERY

YEAR STARTED:                    1956

SALES:                            $174,000,000
EMPLOYEES HERE:                   305
EMPLOYEES TOTAL:                  3,000

THIS IS:
A MANUFACTURING LOCATION
A HEADQUARTERS LOCATION
A CORPORATION
AN EXPORTER
A PUBLIC COMPANY

TICKER SYMBOL:  TMO
STOCK EXCHANGE:  NYS

DUNS NUMBER:              00-140-8673
HEADQUARTER DUNS:         00-140-8673
CORPORATE FAMILY DUNS:00-140-8673  THERMO ELECTRON CORPORATI

CHIEF EXECUTIVE:          G N HATSOPOULOS PR
FINANCIAL EXECUTIVE:      P F FERRARI TR

                                        (Copyright 1982 Dun and Bradstree
```

Searchable Fields

County Name	Primary SIC
Company Name	Sales
City	SIC
D-U-N-S Corporation Number	Special Features
D-U-N-S Headquarters Number	State
D-U-N-S Parent Number	Telephone Area Code
Employees Here	Ticker Symbol
Employees Total	Year Started
SMSA Code	ZIP Code
	Stock Exchange
	SMSA Name

圖七： Dun's Million Dollar Directory 資料錄內容要項
（資料來源：同⑲,頁p214）

3. 善用電腦運算及序列功能

一旦對於資料、資料庫及如何檢索都了解透徹，整個檢索尚未結束，必須將檢索結果進一步給予分析、綜合整理，再以讀者需求的形式印出，換言之，利用電腦排序（sort）的功能印出，例如：圖八所示，依省、縣（市）、鄉鎮、公司名稱與員工人數之順序印出⓳。

COUNTY CITY	EMPLOYEES HERE	COUNT
KENT		
CAMDEN-WY	47	3
CLAYTON	30	2
DOVER	613	10
FELTON	0	1
HARRINGTON	88	3
MAGNOLIA	2	1
MILFORD	530	5
SMYRNA	37	4
	1,347	29
NEW CASTLE		
BEAR	12	1
CLAYMONT	174	7
MIDDLETOWN	45	2
NEW CASTLE	683	14
NEWARK	767	15
ODESSA	10	1
WILMINGTON	18,006	106
YORKLYN	1,000	1
	20,697	147
SUSSEX		
BETHANY BEACH	5	1
BRIDGEVILLE	366	6
FRANKFORD	3	2
GEORGETOWN	29	2
GREENWOOD	335	4
LAUREL	127	3
LEWES	8	1
NASSAU	46	1
REHOBOTH BCH	27	4
SEAFORD	166	6
SELBYVILLE	201	7
	1,349	38
TOTAL	23,393	214

圖八：依城鎮及公司名稱序列的檢索結果
（資料來源：同⓭，頁216）

除此之外尚可只印出某一筆資料或許多筆資料中的某些項目，亦可將檢索結果加以分析修飾，例如：DIALOG系統中的Report指令，更可利用布林邏輯運算求出所要的結果。

七、評　估

無論資訊需求者或檢索專家均須認眞評估數字資料庫內的資料內容，因為接受或使用任何不夠精確的資料，均是愚魯的作為，資料對某問題是否有效完全決定於資料品質及資料來源。數字資料的處理涉及下列五個問題：(1)收集方法(2)合格的數量(3)範例設計(4)數值偏差有多少(5)品質控制。這些問題均具有科學本質，所謂科學總是離不開可信度、有效性及適當性，是故資訊服務員若涉及數字資料庫或系統時，必須對數字資料庫有正確的認識，同時要具有專業知識始能勝任該項工作，以下逐項說明數字資料庫評估的準則。

首先注意是否提供完整的使用手冊，如user's guide、data dictionary或codebook等，以介紹整個資料庫的各種情況，包括資料檔結構、檢索指令、使用方法等詳細的說明[20]。有關產生資料的方法，必須詳實以便讀者閱讀後便可正確無誤的模擬一遍，且可據以評估資料是否有效，故評估要項有：

1.概略性敘述：包括資料庫的製作者、設立的歷史、資料庫取得的方法。

2.實例與選擇設計：實例詳細否？資料選擇過程如何？分析的單元如何？資料可信度及正確性如何？資料的精確度如何？資料涵蓋的時間範圍為何？資料的來源為何？資料的完整性如何？

3.資料收集：有關收集資料的編寫及轉換成機讀形式，包括編輯、校對、查錯、定義、處理遺漏資料的慣例。創造新的變數資料的評估要項計有資料類型、如利率，資料庫之資料類型包括抵押利率、原價利率及商業貸款利率等、什麼時間、地點、多久？如何作業？品質控制如何？資料改正及更新的方法為何？偏差或變化會影響資料價值及其他設計上問題。

4.編寫過程及錯誤率：人工編輯過程如何？資料是否具一致性？編寫的錯誤率如何[21]？

數字資料庫線上檢索系統與資料是否可適當運作攸關，至於其評估要項則針對其功能加以考量，計有下列數端：

1.檢索功能：可查尋欄位為何？是否有布林邏輯運算元？可數值範圍查尋否？由系統或資料庫設定或使用者可自行設定。是否有大於（ > ）、小於（ < ）、等於（ = ）等數學運算功能。

2.數值分析功能：測量中間傾向及變化的描述性統計，如平均值、中間值、範圍、標準誤差與相對係數等；就檢索的資料加以錯誤估算或假設測試的推論性統計；根據舊資料各種變數產生新資料的功能；範例的模仿與測試是否可行？是否有收集及刪除資料的功能[22]？

3.展示功能：是否可依某特定欄位序列？是否可依特定需求印出報表？圖形展示的類型為何？如柱狀圖、圓形圖等。

八、結　語

數字資料庫能直接提供各學科有關數值方面的第一手資料，使用者不但可立即使用這些資訊，且可利用分析、模擬、圖表、程式及評估等各項功能將檢索所得依需求加以重新整理印出，然囿於各資料庫檢索語言及查尋方式紛歧複雜，致使整個數字資料庫的市場愈來愈形混亂，造成使用者的卻步㉓，為了充分發揮數字資料庫的功效，必須資料庫製作者、線上檢索服務處及檢索者之間互相鼓勵配合。資料庫製作者及線上系統努力突破現有的各種限制，尤其應革新資料庫及系統的標準與統合問題，檢索者亦應投入各種資料庫手冊的研究，了解各學科數據資料的特色，提昇檢索策略與技巧，充實各主題之知識，協助資料庫製作者與線上檢索服務處設計各有效且簡便的檢索模式，加強從事各項引進、宣傳與推廣的工作，使數字資料庫發揮其極致的功能，為資訊需求者提供服務。

附　註

❶ Luedke, James A. Jr., Kovacs, Gabor J. and Fried, John B., "Numeric Data Bases and Systems" Annual Review of Information Science and Technology v.12, 1977, Chapter 5, p.119.

❷ 同❶。

❸ 同❶，pp.120-121。

❹ Gubiotti, R., Pestel, H., and Kovacs, G., "Numeric Data Information Analysis Centers at Battelle" in Numeric Databases, edited by Ching-Chih Chen and Peter Hernon, Norwood, NJ: Ablex Publishing Corp., 1984, pp.71-104.

❺ Meschel, S.V., "Numeric Databases in the Sciences", Online Review 8:79, February 1984.

❻ 王梅玲，「數據資料庫」，教育資料與圖書館學，卷26，期3，民國78年3月，頁272。

❼ Fried, John B., "Online Numeric Databases", Bulletin of the American Society for Information Science 1:17-18, 1975.

❽ Luedke, James A., "Numeric Data Bases Online", Online Review 1:213, September 1977.

❾ Fried, John B., "Numeric Databases in the 80s", Drexel Library Quarterly 18:2-10, Summer-Fall 1982.

❿ Robbin, Alice, "Strategies for Increasing the Use of Statistical Data", occasional papers, Graduate School of Library and Information Science,

University of Illinois, 1983, pp.6-7.

⓫ 同❿，pp.4-5。

⓬ Heller, Stephen R., "NIH/EPA Chemical Information System (CIS) Physical and Chemical Databases", Drexel Library Quarterly 18:39-66, Summer-Fall 1982.

⓭ Carter, Gesina C., "Numeric Databases for Science and Technology" in Numeric Databases, edited by Ching-Chih Chen and Peter Hernon, Norwod, NJ: Ablex Publishing, 1984, pp.15-37.

⓮ CODATA Series of Directories of Data Sources, CODATA Secretariat, Paris, France; Publications from 1981 forward, Pergamon Press, N.Y.

⓯ Heim, Kathleen M.,"Government Produced Statistical Data for Social Science Inquiry: Scope, Problems, and Strategies" in Numeric Databases, edited by Ching-Chih Chen and Peter Hernon, Norwood, NJ: Ablex Publishing Corp., 1984, pp.105-124.

⓰ Berger, Mary C. and Wanger, Judith, "Retrieval Analysis and Display of Numeric Data", Drexel Library Quarterly 18(3-4):11-26, Summer-Fall 1982.

⓱ I.P. Sharp Associates, Public Data Bases Catalogue, July 1983.

⓲ Suozzi, Patricia, "By the Numbers: An Introduction to Numeric Databases", Databases 10(1):17-18, February 1987.

⓳ Hock, Randolph E., "Numeric Databases on DIALOG: Interaction Between Vendor, Database and Searcher" in Numeric Databases, edited by Ching-Chih Chen and Peter Hernon, Norwood, NJ: Ablex Publishing, 1984, pp.206-216.

⑳ Perry, J. Chris and Dagobert, Soergel, "Aids for the Planning and Implementation of Data Base Applications: Three Checklist Prepared for the Workshop on the Use and Management of Numeric Data Base Services", ASIS Annual Meeting in Minneapolis, MN, October 14, 1979.

㉑ Harter, Stephen P., Online Information Retrieval: Concepts, Principles, and Techniques, New York: Academic Press, 1986, pp.213-214.

㉒ McGee, Jacqueline M. and Trees, Donald P., "Major Available Social Science-Machine-Readable Databases", Drexel Library Quarterly 18:110, Summer-Fall 1982.

㉓ Bellardo, Trudi and Stephenson, Judy, "The Use of Online Numeric Databases in Academic Libraries: A Report of a Survey", The Journal of Academic Librarianship 12:152-155, July 1986.

第八章　資料庫結構

一、導　言

一個好的檢索者除了對每一個資料庫及線上系統的內容特性及檢索指令應瞭若指掌外，同時更應進一步認識資料庫的結構及線上系統如何運作，本章將針對此加以探討。

欲使線上檢索有效執行，對於每一個資料庫的每一筆資料錄的每一個欄位均必須詳細研究、徹底了解。其方法不外乎閱讀資料庫使用說明書，資料庫使用說明書通常由資料庫製作者，如ERIC，及線上檢索服務處，如DIALOG提供，ERIC原始資料庫中有關各資料錄之資料欄位共有二十七個代表欄位，例如：登錄號及出版品類型。登錄號乃一單獨且唯一的號碼，由二個文字及六個數字組成，每當一筆資料入檔時則依序編列一個號碼。出版品類型乃由三個數字的代號組成，共有三十一種類型，其中010代表圖書，143代表技術報告❶。

資料庫製作者本身所製作的使用說明書只有一種，但當資料庫提供給線上檢索服務處使用時，每一個線上檢索服務處的作法都不相同，例如：ERIC資料庫原先所採用的資料欄位，可能有些被DIALOG系統取消不用，但BRS仍保留，有些欄位或許被修改過，有些欄位則被限制為只可顯示或印出，但不可檢索；即便可檢索，每一個線上系統各自採用不同的索引方法，設計的索引用語亦各不相同。例如：圖一所示，DIALOG系統的ERIC欄位則改為十五個。因此檢索者若要檢索各個不同的線上系統則必須了解各種不同的檢索技巧，茲以DIALOG系統說明之。DIALOG系統將題名、摘要、敘述語等認為是能表達主題意義的欄位，而將語言與資料形態等認為是不能顯示主題意義的欄位。主題欄位的檢索是採字尾代號限制法（ suffix code ），亦即在檢索語之後加上適當的代號限制之，例如：Indians/DE, AB，乃於敘述語與摘要二個欄位檢索與主題Indians有關的資料；非主題欄位的檢索則採字首代號限制法（ prefix code ），在檢索語前加上適當的代號限制之，例如：JN=Library Journal，表示檢索有關期刊刊名為Library Journal的資料。事實上，每一個線上系統各有其採用的方法，其他的系統如ORBIT，BRS或COMPUSERVE各自不同，對於檢索者而言實在是一大困擾。

二、資料庫組織

每一個線上系統收錄有上百個資料庫（ database ）每一個資料庫稱為一個檔（ file ），每一個檔均有其編號，例如：ERIC資料庫在DIALOG系統中的檔號為File 1。每一個檔是由近萬筆資料錄（ record ）組成，在書目資料庫中則代表每一篇文獻，例如：ERIC資料庫截至1987年所收資料筆數為606,402。每一筆資料錄則分成一連串的資料欄位（ field ），這些資料欄乃每一篇文獻的書目成份，諸如刊名、作者、篇名等。每一欄位又可複分為

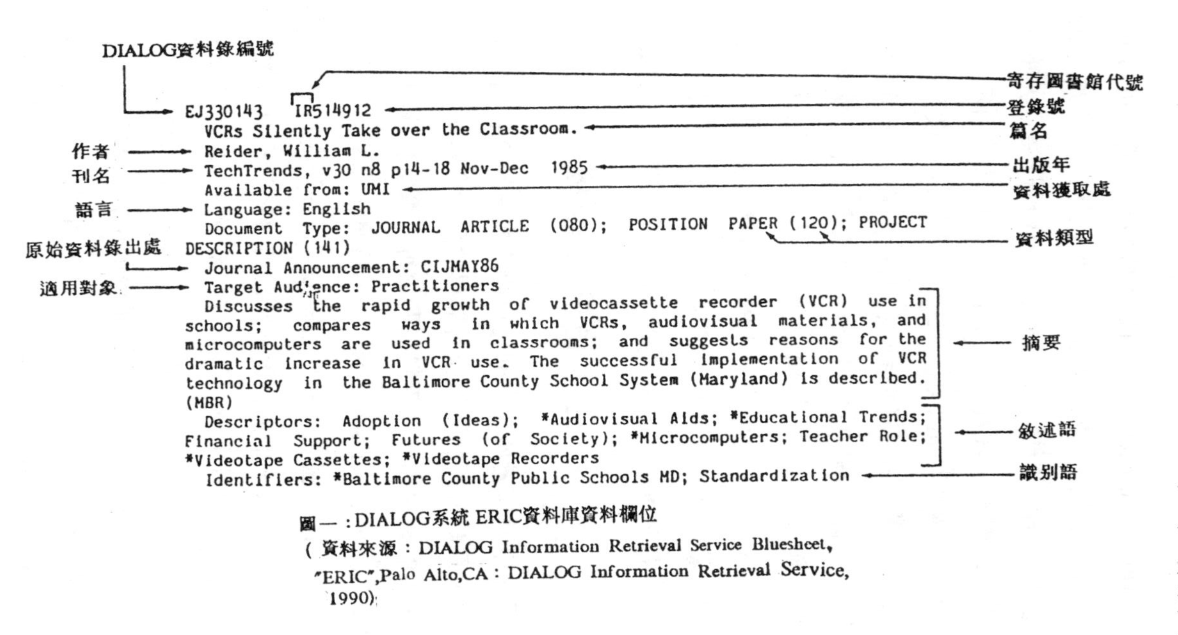

```
EJ330143   IR514912
  VCRs Silently Take over the Classroom.
  Reider, William L.
  TechTrends, v30 n8 p14-18 Nov-Dec  1985
  Available from: UMI
  Language: English
  Document  Type:  JOURNAL  ARTICLE  (080);  POSITION  PAPER (120); PROJECT
DESCRIPTION (141)
  Journal Announcement: CIJMAY86
  Target Audience: Practitioners
  Discusses  the  rapid  growth  of  videocassette  recorder  (VCR)  use in
schools;  compares  ways  in which VCRs, audiovisual materials, and
microcomputers  are  used  in  classrooms;  and  suggests  reasons  for the
dramatic  increase  in  VCR  use.  The  successful  implementation  of  VCR
technology  in  the Baltimore County School System (Maryland) is described.
(MBR)
  Descriptors:  Adoption  (Ideas);  *Audiovisual Aids; *Educational Trends;
Financial  Support;  Futures  (of  Society); *Microcomputers; Teacher Role;
*Videotape Cassettes; *Videotape Recorders
  Identifiers: *Baltimore County Public Schools MD; Standardization
```


圖一：DIALOG系統 ERIC資料庫資料欄位

（資料來源：DIALOG Information Retrieval Service Blueshect, "ERIC",Palo Alto,CA：DIALOG Information Retrieval Service, 1990)

若干次欄位（subfield），例如：資料出處欄又可複分為期刊刊名、卷號、期號、頁數，出版年月等次欄位；又如主要敘述語欄位包含有六個敘述語，每一個敘述語亦可視為一次欄位，次欄位是否可作為檢索項視資料庫及線上系統的政策而定。每一個次欄位則由每一個資料元（data element）組成，換言之，即組成題名或摘要等的每一個字❷。茲以圖一說明之。ERIC資料庫在DIALOG系統中為File 1，該筆資料錄有十五個欄位，諸如ERIC登錄號、作者、篇名、資料出處（如：刊名、卷期、頁數、年代）、語言、在CIJE的卷期、ERIC寄存地代號、資料類型、資料獲取處、敘述語、識別語、摘要等，期刊刊名及卷期分別為次欄位，而篇名中的每一個字，如VCRS，則為最基本的資料元。

三、資料庫結構

資料庫製作者所建立的資料庫均為原始資料檔（original file）。線上系統自資料庫製作者取得的原始資料檔在資訊檢索系統中為基本的資料檔，該資料檔乃依每一筆資料錄的編號連續儲存，故稱為線形檔（linear file）。若線形檔為線上系統存放資料的唯一方法，則電腦必須一一循序檢索每一筆資料的每一個欄位的每一個字母，對一個大型資料庫而言這是一種浪費電腦時間、不經濟且愚笨的設計。對資料庫管理系統而言最普遍的改良方法是由電腦製作一些輔助檔，僅存放每一筆資料錄中可供檢索的資料元，並指示該筆資料在原線形檔中的位置，大多數線上系統稱此種輔助檔為倒置檔（inverted file），因其具有索引的功用，故又稱為索引檔（index file）❸。

一般資料檔的結構為線性組織（ linear structure ）又稱為文獻款目系統（ item entry system ）亦即一篇文獻代表一筆資料錄，所有與該文獻相關的資料均記錄在內，整個資料檔即以每一筆資料錄編號的數字先後次序組成。索引檔的結構稱為索引款目系統（ term entry system ）又稱為文獻在索引款目之內（ item-on-term ），所有與主題相關的每一件文獻都記錄在該索引款目之下，因索引款目與文獻編號的關係，剛好與一般資料檔的結構顛倒，如圖二所示，故又稱為倒置檔❹。

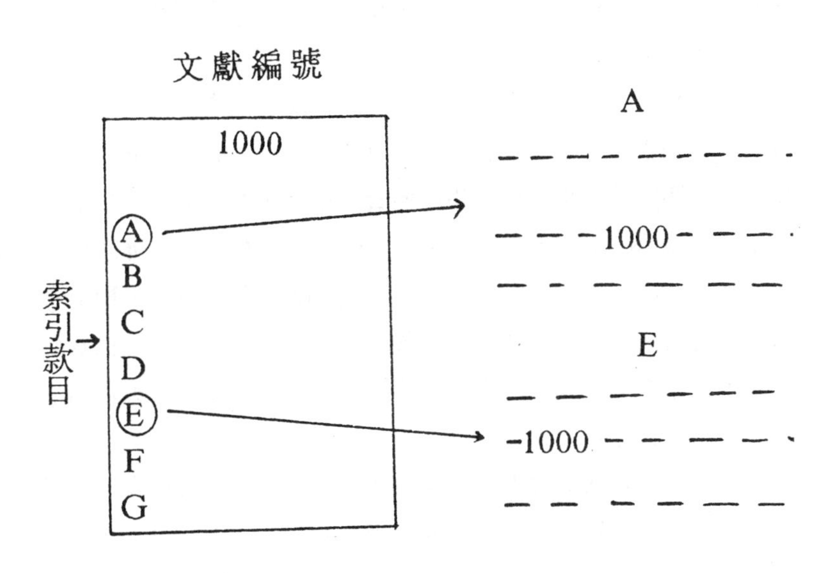

圖二：倒置檔

索引檔內容乃出自線形檔，當資料庫轉錄至線上系統時，由電腦自動自線形檔中的每一筆資料錄抓出每一個資料元（字），並依字母順序排列成一個表。不同的檢索系統在不同的資料庫下有其獨自的設計，有些線上系統甚至有多個索引檔，例如：DIALOG系統就有基本索引檔（basic index file），附加索引檔（additional index file）及索引典檔（thesaurus file）。索引典檔主要為提供控制詞彙的檢索❺。

索引檔的結構於檢索速度上大大向前跨一步，當使用者查尋一個詞彙時，系統首先至索引檔中檢索，而不是直接到線形檔檢索，並指示出該資料庫含有該詞彙的資料錄有多少筆，這在線上檢索的過程中稱之為命中（hits）或posting，如圖三security一詞檢索得到16297筆資料即是。所有命中的資料錄的編號通通集合起來，其總數就是滿足檢索用語的資料筆數，稱為一個「集組」（set），如圖三S1 即是。每個檢索用語或檢索敘述，可產生一個集號，如圖三S1, S2, S3及S4即是。各個檢索用語經由各種檢索運算組合而成一個檢索敘述。一俟檢索者下達印出或顯示檢索結果指令，系統則利用每一個集號所儲存的資料錄編號至線形檔中提取原始資料❻。

資料庫的結構通常由資料庫製作者與線上檢索服務處共同研商設計。每一個資料欄位包含的內容必須作成索引方可提供有效的檢索。故設計其結構前首先要決定的是每筆資料錄應包括那些欄位，那些可以檢索，這些可檢索的欄位在各索引檔中如何放置。其作法均由電腦依某些特定的處理方法給予分析資料，換言之即每筆資料錄，每個欄位，次欄位及資料元如何加以分隔。另

```
?b 15
      12mar87 18:45:22 User013187
    $0.06    0.002 Hrs File1
    $0.06  Estimated total session cost   0.001 Hrs.

File  15:ABI/Inform - 71-87/Mar, Week 2
(Copr. Data Courier  1987)
 For Additional Business Information search
File 635--Data Courier's Business Dateline

      Set  Items  Description
      ---  -----  -----------
?s security or surveillance
           16297  SECURITY
             602  SURVEILLANCE
      S1   16713  SECURITY OR SURVEILLANCE
?s supermarket? or grocery(w)store?
            2145  SUPERMARKET?
            1049  GROCERY
           12914  STORE?
             585  GROCERY(W)STORE?
      S2    2431  SUPERMARKET? OR GROCERY(W)STORE?
?s shoplift?
      S3     160  SHOPLIFT?
?s s1 and s2 and s3
           16713  S1
            2431  S2
             160  S3
      S4      14  S1 AND S2 AND S3
?t s3/7/1

  3/7/1
87007405
  Subliminal  Tapes  Urge  Snoppers to Heed the Warning Sounds of Silenc-
 'Don't Steal'
   McLaughlin, Mark
   New England Business  v9n2  PP: 36-37  Feb 2, 1987
   AVAILABILITY: ABI/INFORM

   David  A.  Riccio, president of Viaticus Group (Cranston, Rhode Island
has  developed musical audio programs for retail settings, and they inclu
subliminal  messages  that  are  meant  to  discourage  shoplifting. Ricc
believes  that his method can reduce shoplifting and that it will cost le
than  more  conventional forms of security. Research shows that shoplifti
has  been  reduced  between 20% and 40% in settings that use this approac
However,  Riccio does not recommend subliminal messages as a blanket answ
to  security  problems.  Riccio also notes that, although it is possible
influence  people's behavior without their being aware of it, the system
effective only among those with a predisposition to consider and respond
the  subliminal  message.  Riccio  believes that subliminal security can
applied to handle security or safety problems beyond those of the retaile
```

圖三：DIALOG系統檢索實例

(資料來源：DIALOG System Seminar Manual,May1987,Problem Set3.1.1)

外尚有各欄位的代號為何，以及用以區隔各欄位與次欄位起始與結束的位址代碼的制定等均深深影響每一筆資料錄中詞彙被檢索的情況❼。茲舉DIALOG系統的線形檔、基本索引檔及附加索引檔為例，進一步說明資料庫的結構。

1. **線形檔**

線形檔是將所要入檔的每一筆資料錄，即每本書或每篇文章、報告、會議記錄等資料之書目資料，如作者、篇名或書名、出版項、頁次、摘要、敘述語、識別語及登錄號等，建成一個檔，成為電腦可讀的形式，如圖四所示。

2. **基本索引檔**

基本索引檔的編製乃根據每一筆資料錄中可顯示主題意識的欄位，以書目資料庫為例，通常為篇名或書名及摘要中的關鍵字，敘述語及識別語等，將這些字依字母順序混合排列，每一字註明其所屬資料錄的編號及在該資料錄中的欄位及該欄位中的位址，如圖五所示，Action這個索引詞彙出現在編號30249這筆資料錄的摘要欄的第22個次欄位（字）及篇名的第五個字。

3. **附加索引檔**

附加索引檔是基本索引檔所用的欄位外,其他可供作檢索的欄位，大都屬非主題意識的欄位，例如：作者、機構名稱、出版年、語文別、分類號、期刊刊名、期刊代號、資料形態及註冊號等，每種自成一種索引檔，以供獨立檢索或與基本索引檔配合使用。每一欄位後註明其所屬資料錄的登錄號，如圖六所示。附加索引檔每個資料庫建法不一，各有代號名稱，檢索前必須詳閱資料庫使用說明書。

30249 (accession number)

Postpurchase consumer evaluations, complaint actions and repurchase
TI1 TI2 TI3 TI4 TI5 TI7

behavior.
TI8

Francken, Dick A.
AU

Journal of Economic Psychology, 1984 Nov Vol 4(3) 273-290
JN PY

Language: ENGLISH Document Type: JOURNAL ARTICLE
LA DT

Presents a model of postpurchase evaluation processes, which is used as a
AB1 AB2 AB3 AB5 AB6 AB7 AB8 AB9 AB10 AB11 AB12

theoretical framework for explaining different kinds of consumer complaint
AB13 AB14 AB16 AB17 AB18 AB20 AB21

actions.
AB22

Descriptors: CONSUMER ATTITUDES (11470); CONSUMER BEHAVIOR (11480)
DE1 DE2 DC DE3 DE4 DC

30156 (accession number)

Labor force participation of metropolitan, nonmetropolitan, and farm
TI1 TI2 TI3 TI5 TI6 TI8

women: A comparative study.
TI9 TI10 TI11 TI12

Bokemeier, Janet L.; Sachs, Carolyn; Keith, Verna
AU AU AU

Rural Sociology, 1984 Win Vol 48(4) 515-539
JN PY

Language: ENGLISH Document Type: JOURNAL ARTICLE
LA DT

Examined data from 937 metropolitan, 3631 nonfarm-nonmetropolitan, and
AB1 AB2 AB4 AB5 AB6 AB7 AB8

1231 farm women (18-65 yrs of age) from Kentucky to compare personal,
AB10 AB11 AB12 AB13 AB14 AB15 AB17 AB19 AB21 AB22

socioeconomic, and family characteristics and the occupations and
AB23 AB25 AB26 AB29

industries of women in the labor force.
AB31 AB33 AB34 AB36 AB37

Descriptors: EMPLOYMENT STATUS (17196); HUMAN FEMALES (23450); URBAN
DE1 DE2 DC DE3 DE4 DC DE5

ENVIRONMENTS (54940); RURAL ENVIRONMENTS (45040)
DE6 DC DE7 DE8 DC

圖四：線型檔
（資料來源：同圖三，頁20）

a	30249 AB2	in	30156 AB34
	30249 AB12	industries	30156 AB31
	30156 TI10	is	30249 AB9
actions	30249 AB22	kentucky	30156 AB19
	30249 TI5	kinds	30249 AB18
age	30156 AB17	labor	30156 AB36
as	30249 AB11		30156 TI1
attitudes	30249 DE2	metropolitan	30156 AB5
behavior	30249 UE4		30156 TI5
	30249 TI8	model	30249 AB3
characteristics	30156 AB26	nonfarm	30156 AB7
comparative	30156 TI11	nonmetropolitan	30156 AB8
compare	30156 AB21		30156 TI6
complaint	30249 AB21	occupations	30156 AB29
	30249 TI4	participation	30156 TI3
consumer	30249 AB20	personal	30156 AB22
	30249 DE1	postpurchase	30249 AB5
	30249 DE3		30249 TI1
	30249 TI2	presents	30249 AB1
consumer attitudes	30249 DE1DE2	processes	30249 AB7
consumer behavior	30249 DE3DE4	repurchase	30249 TI7
data	30156 AB2	rural	30156 DE7
different	30249 AB17	rural environments	30156 DE7DE8
employment	30156 DE1	socioeconomic	30156 AB23
employment status	30156 DE1DE2	status	30156 DE2
environments	30156 DE6	study	30156 TI12
	30156 DE8	theoretical	30249 AB13
evaluation	30249 AB6	urban	30156 DE5
evaluations	30249 TI3	urban environments	30156 DE5DE6
examined	30156 AB1	used	30249 AB10
explaining	30249 AB16	which	30249 AB8
family	30156 AB25	women	30156 AB12
farm	30156 AB11		30156 AB33
	30156 TI8		30156 TI9
females	30156 DE4	yrs	30156 AB15
force	30156 AB37	1231	30156 AB10
	30156 TI2	18	30156 AB13
framework	30249 AB14	3631	30156 AB6
human	30156 DE3	65	30156 AB14
human females	30156 DE3DE4	937	30156 AB4

STOP WORDS		
an	for	the
and	from	to
by	of	with

圖五：基本索引檔
（資料來源：同圖三，頁21）

```
AU=Bokemeier, Janet L.                  30156
AU=Francken, Dick A.                    30249
AU=Keith, Verna                         30156
AU=Sachs, Carolyn                       30156
DC=11470                                30249
DC=11480                                30249
DC=17196                                30156
DC=23450                                30156
DC=45040                                30156
DC=54940                                30156
DT=Journal Article                      30249
                                        30156
JN=Journal of Economic Psychology       30249
JN=Rural Sociology                      30156
LA=English                              30249
                                        30156
PY=1984                                 30249
                                        30156
```

圖六：附加索引檔
（資料來源：同圖三，頁21）

四、資料庫索引法

最常見的資料庫索引法有四種，分別為單字索引法（word indexing），複合語索引法（phrase indexing）、單字與複合語混合索引法（word and phrase indexing）及數字索引法（numeric indexing），茲分述如下。

1. 單字索引法

單字索引法通常用於有主題意識的欄位，且常選用非控制詞彙表示，例如：題名、摘要及全文資料，每一個單字視為一獨立的索引款目，換言之，這些欄位所包含的任何非停用字（stopword）均可逐一被檢索。當一個欄位以單字索引法處理時，則該欄位中的每一個字均是以字順方式分開個別索引，逐字靠左依次比較，數字排在文字之後，一個字若包含標點符號，則將符號去掉，並將該字分為二個字，例如：X-Ray則索引成X與Ray二個字，而1,100分為1與100二個字。檢索時所有的標點符號必須以相近運算元，如DIALOG系統的（W）指令，給予取代而將分開的二個字連結一起，例如：Select X（W）Ray。DIALOG系統的基本索引檔即採此索引法。

大部份線上系統的索引檔均採剔除停用字的方式編列索引。停用字包括介繫詞，如of及with、冠詞，如as及the、連接詞，如and、or與but等，當然每個系統規定的停用字不盡相同，例如：DIALOG系統的停用字為as, and, by, for, from, of, the, to與with九個❽。利用電腦編製索引檔，首先查對停用字清單，凡為停用字則剔除之，不列為索引款目，例如：題名為the evaluation of indexing，其索引款目只有evaluation與indexing兩個。

2. **複合語索引法**

複合語索引法適用於非主題欄位。整個欄位的每一個獨立款目視為整個複合語提作索引款目，其中包括空白與標點符號。電腦程式可以利用特殊符號，如分號（；）來區分每個複合語索引的起始與終結的位置。作者欄位是採用複合語索引最典型的例子。例如：Olds, Henry F. Jr.只作為一個複合語索引，檢索時必須與資料庫製作時的注錄方式，包括所有的空格與標點符號，完全相同方可檢索到資料，例如：在DIALOG系統中，檢索複合語時必須以單引號或雙引號將整個複合語限制之，若複合語本身含有所有格引號或括號且檢索指令含有運輯運算的括號時，則必須用雙引號，否則系統無法區別是所有格引號或檢索限制使用的引號。例如：Select " Werner's Syndrome " 或 Select " Reading (Ability) " OR Writing。許多線上系統為了避免此種失誤，發明許多方法加以補救改善，例如DIALOG 系統採用EXPAND 指令，可以查證附加索引檔作者姓名的正確拚法。

3. 單字與複合語混合索引法

此索引法最適用於標題欄位，例如：DIALOG系統的敘述語與識別語二欄位。這些欄位可以索引二次，一次以單字索引法，一次以複合語索引法；換言之，可以前組合的形式組合複合語，這些複合語若以空格或標點符號區隔為單一字彙（word）時，亦可作為索引用語。例如：圖四編號30156資料錄的主要敘述語有四個，卻於圖五索引檔中編製成十二個索引款目。由此可見，此種索引法最具檢索彈性，檢索者可採複合語檢索提高檢索精確率，當不知道複合語時，亦可以單字檢索來補救，同時提高檢索的回現率，然而此索引法最大的缺點是佔用資料庫的儲存空間❾。

4. 數字索引法

一個欄位若所包含資料全為數字性資料，則以特殊的方式索引之，致使這些數字可依一定數字大小序列而不同於單字索引法。例如：DIALOG系統利用單字索引法的欄位，完全以最左邊的數字作為排序比較的依據，且文字在數字之前，比方2排在1990之後，2B在20之前，數字索引法完全採數字大小來排序比較，且特殊符號均略而不算，比方－5, 2, 10, 100等。數字索引法最常作為檢索數字範圍的資料。統計形資料庫包含許多數據欄位，均採此索引法以提供精確的檢索⑩。

五、輔助檢索法

屬於單字索引法的欄位，只可以單一的字彙來檢索，而屬於複合語索引法的欄位亦只可以完整的複合語來檢索。為了改良這些缺點而使檢索更具彈性，不少線上系統紛紛設計出許多檢索特性，例如：布林邏輯運算元、截字法、相近運算元、特定欄位檢索法及檢索語查證法等。

1. **布林邏輯運算元**（Boolean logic operator）

布林邏輯運算元屬於後組合形式，可任意應用於整筆資料錄的檢索運算，而不只限於各特定欄位的層次。利用AND、OR、NOT可調整整筆資料錄之任何欄位的各種組合檢索。AND縮小檢索範圍，OR 擴大檢索範圍，NOT排除不相關的範圍。所有布林邏輯運算元只適用於索引檔。

2. **截字法**（truncation）

大部份線上系統均有截字功能，在設定的字根之後加上各種特殊符號，如DIALOG「？」、BRS「＃」與ORBIT「＄」等，就可檢索到全部字根相同的字，例如：檢索Librar？將獲得libra ry、libraries、librarian、librarians、librarianship及library automation等。截字法若用於複合語欄位的檢索更能彰顯其功能。因為如此一來檢索者可以不必知道複合語索引完全正確的記錄形式，例如：檢索Martha E. Williams，若利用截字法查尋，則凡含 Williams的資料錄均可檢索出來，而不必擔心空格、標點符號或名字縮寫等是否與索引中的注錄形式完全吻合。當然，利用截字法不免要檢索到許多不相關的資料，因為這麼一來，將會檢索出所有姓Williams的資料。

3. **相近運算元**（proximity operator）

相近運算元最適合用於單字索引法的欄位，如題名與摘要的檢索。其目的一如後組合詞彙檢索，亦即檢索用語於檢索當時再給予組合完成。相近運算元可以限定檢索用語出現的欄位及其位置，例如：檢索Library與Automation時可以限定這二個字必須相連在一起且前後次序不可顛倒，如Library Automation；或中間可加入其他的字，如Library and Automation；或必須在同一欄位等。每個系統有其不同的作法，必須詳加研究正確掌握[11]。

4. **特定欄位檢索法**

特定欄位檢索法可以加快檢索速度，並可減少檢索到不相關的資料。例如：將檢索用語限制於題名或敘述語二欄位則可避免於摘要或正文中出現的詞彙，如此可提高檢索的精確率。除特定欄位的檢索外，尚可印出或顯示特定欄位的檢索結果。

5. **檢索用語查證法**

不少線上系統有自動查證檢索用語的功能。當一個不正確的檢索用語輸入系統時，系統會主動檢查並顯示正確的敘述語，再令檢索者重作一次，例如：DIALOG系統的MAP 指令，可以減輕檢索者制定檢索策略的負擔。

六、結　語

資料庫之單字索引法、複合語索引法、單字與複合語混合索引法、數字索引法的規則與制定檢索策略習習相關。資料庫的線形檔、基本索引檔與附加索引檔的結構更影響到印出檢索結果的資料的了解。總之，一個線上檢索者必須徹底了解資料庫結構之種種原理與應用法則，方能提高檢索效率。

附　　註

❶ ERIC Processing and Reference Facility, ERIC Data Base Master Files: Tape Documentation (ERIC Processing and Reference Facility Computer Systems Department, 1980)

❷ Willliams, Martha E., "Electronic Databases", Science 228:445-456, April 26, 1985.

❸ Padin, Mary Ellen, "How to Study an Online Bibliographic Database", Online 2(3):82-85, July 1978.

❹ Lancaster, F . W., Information Retrieval Systems; Characteristics, Testing and Evaluation, 2nd ed., New York: John Wiley & Sons, 1979, p.27.

❺ Garman, N., "An Inside Look at an Online Database", Database 11(2):50-56, 1989.

❻ Tenopir, Carol, "Database Design and Management" in Principles and Applications of Information Science for Library Professionals, edited by John Olsgaard, Chicago: ALA, 1989, pp.52-68.

❼ Levine, G. R., "Developing Databases for Online Information Retrieval", Online Review 5(2):109-120, 1981.

❽ DIALOG Information Service, Searching DIALOG:The Complete Guide, Lockheed DIALOG Information Services, Inc., 1987, p.Ⅲ-8.

❾ 同❽p.Ⅲ-9.

❿ 同❽p. Ⅲ-10.

⓫ Rouse, Sandra H. and Lannon, Laurence W. "Some Differences Between

Three On-Line Systems: Impact on Search Results", Online Review 1(3):117-132, 1977.

第九章　檢索語言

一、導　言

人類的思想必須以符號加以表達才得以傳播，最常見的符號是語言與文字，任何語言的屬性均由字彙、語法、邏輯結構及領域特性等要素組成。字彙是指：「不論是單字或兩個字以上合成，以代表一個概念的文字」。語法是指「語言組織法則，包括操控各字彙間彼此結合而形成有意義的意思的所有規則」，例如：' honesty ' ' is ' ' the ' ' best ' ' policy ' 是一些能代表概念的英文字彙，而Honesty is the Best Policy 在語法上，是一種將這些字彙連結成一個英文句子的正確方法。換言之，hstoney不是一個英文字彙，同時Policy Honesty is the Best 亦是一種錯誤的英文語法。邏輯結構是指：可以反應出字彙間彼此關係的性質，此乃語言的一大特質。領域特性是指：相同的語言在不同的領域，即會產生不同的意義。

在數學語言中，數字、運算式與關係式乃人類用以表示數字觀念的符號。這些符號即為算術字彙中的元素或個體，例如：1+1=2 是由1 與2 的算術字彙，依正確的算術語法組成一個正確的算術式子；然而+1=2- 就是一個錯誤的表示法，在此1 與2 的概念是以阿拉伯數字的符號來表示，當然亦可以一及二或one及two等表示。儘管1與2的概念可以各種符號表示，但它們的意思卻是一樣的。

值得注意的是，一個句子在某個學科領域的語法是正確的，然而在另一個學科領域卻是代表錯誤的意思。如上述1+1=10在十進位的運算式中是錯誤的語法，但在2進位的運算式中，卻是正確的。數學符號可以用各種不同的語言來表示，同樣的在商業、音樂、文學、科學等學科領域亦各有其專用語言。

在資訊檢索領域中，必須嚴加注意此項事實。因為電腦處理的是符號而不是概念。當一個檢索概念以一連串的字彙形式送進資訊檢索系統時，這些字彙即與存在資料庫中，代表此一概念的字彙相比對。所以這是一符號的比對，而不是思想或概念的比對。因此對於一個有效的檢索而言，最重要的是謹慎考慮代表檢索問題的字彙、字彙間可能的語法關係以及隱藏在檢索問題下的眞正含意。否則極可能造成同一個檢索問題，卻可能獲得兩種極端不同的檢索結果，故這些字彙深深地影響檢索策略的結構、影響眞正檢索結果亦深深影響資訊需求者提出的檢索問題。一般線上檢索系統主要採用控制詞彙（controlled vocabulary）與自然語言（natural language）二種方式。

在資訊檢索系統中除了代表檢索問題的語言，或為控制詞彙或為自然語言外，尚涉及檢索者與線上系統交談的指令語言，這種指令語言亦是一種正式語言，有其字彙、語法、語意及邏輯結構。本章擬就自然語言、控制詞彙加以闡述。有關指令語言則於第11章再予以討論。

二、自然語言

1、定義

一個沒有採用控制詞彙索引法的資訊檢索系統即為自然語言系統。自然語言索引法又稱為單字索引法(word indexing)或導出索引法(derivation indexing),因其索引用語是自文獻的正文中直接抓取引出,故又稱為自由語文(free-text)系統。近年來由於電腦廣泛利用到資訊檢索系統上,致使自然語言索引法就變得更為普遍而可行。自然語言索引法可分為三種方式,一為人工索引法,二為電腦索引法,三為完全不編製索引法。

2、自然語言索引法

⑴人工索引法

人工索引法有二種,一是索引者自文獻中摘取能代表主題意義的詞彙,一是由索引者自己制定索引用語,以代表文獻的主題意義,人工索引法不是自控制詞彙工具中提取索引用語。

⑵電腦索引法

利用電腦軟體程式控制,自文獻中抓取有意義的關鍵字以編製索引❶。

⑶完全不編製索引法

資料庫中正文的每個字都可單獨檢索或與其他字結合檢索,換言之,根本不需給予編製索引,只要利用電腦各種可能的軟體功能,即可進行檢索❷。

一個資訊檢索系統若採用自然語言索引法則同義字、近同義字（ near synonyms ）或類同義字（ quasi synonyms ）均無法控制，而增加線上檢索的困難。如前所述，利用電腦檢索資訊是採用符號比對而不是概念的比對。故欲與一個資料庫或資訊系統有效的溝通，檢索者必須利用一些符號，如字、片語或代碼來代表一些抽象的概念。

若執行某一特定概念的資訊檢索時，未包括同義字的查尋，則將遺漏許多相關的資料，故進行一個採用自然語言系統資料庫檢索時，檢索者必須考慮所有與主題相關的詞彙，然而這些詞彙本身仍有各種問題，諸如語意不明確，語法不確定及階層附屬關係等。

3、**自然語言問題**

⑴語意（ semantics ）不明確

由線上檢索特性「字並不代表概念」所產生的問題之一，乃同形異義字無法區分，例如：the pitcher fell and broke 在語法上是正確的，但若系統認為pitcher是為「投手」而非小壺，則產生模糊不清的語意。自然語言中同形異義字的不明確性，對科技類的文獻檢索所造成的影響較不嚴重，因科技性詞彙較明確特定。人文或社會科學的文獻用語則較多變而不確定❸，抽象意義的用詞時而可見，而所用詞彙的語意亦較不明確，且常以各種不同的形式來表達一個意思❹。換言之，人文與社會科學的用語較難分析解釋，不論就文獻的分析，索引用語的釐訂，或檢索用語的制定，在語意上均較科技類文獻容易產生語意混淆不清的現象。這些困難至今不論從語言學的探討或電腦比對的設計均仍無法解決。

⑵語法（syntax）不確定

語法指語彙被組合成片語或句子形態，語句的構成純粹是構造上形式，語法的不確定來自結構上的不確定，不同的語法結構產生不同的闡釋。它們的不確定性是屬於語彙層次而不是句子的形式本身不確定。結構上的不確定性，普遍是因為修飾詞放置的問題，例如：John saw the woman in the park with a telescope. 兩個介係詞片語’in the park’與’with a telescope’都可能修飾John及woman，而第二個片語亦可能用來修飾前面的名詞park❺。

4、**解決方法**

自然語言系統最大的障礙在於無法解決語言上有關人類智慧判斷的工作，諸如同義字、語意相關字、同形異義字或其他句法上錯誤連結的字。大多數採用自然語言系統的線上資料庫均竭盡所能克服上述的問題，其所採行的方法不外是利用相近運算元（proximity operator）及截字法（truncation）。相近運算元可以限制兩個檢索用語必須緊密相連且位置不可調換，或限制兩個檢索用語之間可以插入其他的字，或限制兩個檢索用語必須出現在同一句子、或同一段落，如此則可解決字與字之間錯誤的連結，避免檢索到不相關的資料，例如：plants 有植物與工廠二種意義，故若與industry 相連則表示工廠之意。截字法則可解決部份同義字或語意相關字的問題。截字法又可分為右截法（right truncation），左截法（left truncation）、字中截字法（infix truncation）及左右截字一起併存。右截法可以將字的前數個相同字母一起檢索出來，例如：檢索Librar...則可檢索出Libraries、

Library、Librarian、Librarians與Librarianship等。左截法，可以將字的後數個相同字母一起檢索出來，尤其在科技學科領域中，左截法往往可以檢索出同一類一完整的相關字，例如...mycin則可檢索出一組與抗生素相關的字彙。字中截字法，可令檢索者指定一個字如何起始，如何結束，但留中間字母可自由變化，此方法對於檢索化學名詞最為有用，例如：tri... cobaltate❻。

5、**自然語言的優缺點**

自然語言索引法雖具有上述各項問題，然亦擁有不少優點，究其優點不外下列數種。

優　點：

⑴直接利用文獻中使用的詞彙作為索引用語，不須先查尋索引典等控制詞彙工具，索引作業較快，且成本較低。

⑵查尋作業時，不必查閱或熟悉複雜的控制詞彙、檢索較簡單。

⑶直接自資料中提取索引用語，不會遺漏資料間彼此之關鍵所在。

⑷檢索者得用非常專深的檢索用語查尋資料，如使用的檢索技術得當，可避免錯誤的連結（false drop）而達成高的精確率。

⑸文獻中出現的新詞彙在索引作業時已進入系統，可立即檢索資料，容易表達新的及複雜概念。

⑹避免索引人員產生人為錯誤。

⑺索引者的學識背景與經驗不甚重要，索引用語主要是自原文中摘取。

⑻索引用語乃檢索者所熟知，尤其某些特殊用語是某些學科

專家所熟知。

⑼不必應付索引典易於老化所帶來的問題。

⑽字義的表達較為自由。

缺　點：

⑴查尋資料時，同義、同類或相關詞彙未加以徹底組織，不能同時檢索，必須逐項查尋，也易有遺漏。

⑵檢索者必須竭力思考與檢索主題有關的所有同義字，或分析有關此主題的可用詞彙以避免遺漏相關的資料，故檢索者須付出較多心力。

⑶文獻內隱含的內容常因直接自文獻中選出詞彙作為索引而被遺漏。

⑷基於上面三項因素，致使檢索的回現率降低。

⑸語義混淆、模糊不定，缺乏統一的標準。

⑹不易檢索有層次附屬關係的概念。

三、控制詞彙

1、定　義

控制詞彙可幫助資訊檢索過程中系統與檢索者的溝通，故應了解控制詞彙的特性及線上系統採用控制詞彙的理由，而欲了解線上系統採用控制詞彙的理由，可從採用自然語言所產生問題探討起。採自然語言索引，同一特定的論題，可能由多個不同的索引者制定索引用語，或由電腦編制索引，編製索引過程中，並無標準的索引工具供制定索引用語的依據，致使對於同一個主題缺乏一致的表示方式，再且檢索者必須考慮所有可能的相似詞、同義詞及相關語，否則一旦檢索用語無法與索引用語相吻合則可能檢索到不相關的資料或遺漏了相關的資料，如此將增加檢索者的負擔。

2、**控制詞彙的功能**

(1)控制同義字（synonyms）

將各種可能的同義字，決定其中某一個或某些個作為特定採用的標準詞彙，以提供索引者及檢索者使用，而避免同一主題為多個不同的詞彙表示所造成分歧錯亂的現象。其作法為利用各種參見功能如'see'或'use'的標示，在各種使用者可能採用的檢索點下指示出應採用的詞彙。標準詞彙的決定乃根據大部份資訊需求者可能首先採用的詞彙作為第一優先考慮。

(2)控制類同義字（quasi-synonyms）

所謂類同義字乃指一字的相對意思，以表達一個概念或事物的一體兩面，例如：粗糙與平滑，很明顯的粗糙可以解釋為缺乏平滑。其作法與同義字相同，換言之，擇其一為採用的詞彙而另一個詞彙作為參見之用❼。

(3)控制同形異義字（homographs）

所謂同形異義字乃指二個詞彙拼法相同但意思不同，例如：Mercury，可以代表水星、水銀或使神等，其作法為加括號加限定語（qualifier）或範圍註（scope note），例如：Mercury（methology），表示羅馬神話中的使神，而不是水星、水銀或車牌名稱。不管控制詞彙執行的是那一種功能，最重要的是要注意避免相同的主題用語的分散及不相關的主題用語卻相連結的現象，以便達到不論在作索引或檢索時，主題的表示法能保持一貫性❽。

⑷控制語意上相關的詞彙

控制詞彙可將語意上相關的詞彙集合在一起，促使檢索結果更完整，例如：查尋與learning laboratory 有關及與independent study 有關的詞彙。其作法為收集各種語意相關的詞彙以特定標示符號，如RT（related term）表示之。

⑸控制階層附屬關係（hierarchical）的詞彙

控制詞彙可將詞彙語意的上層關係，亦即較廣義字，及下層關係，亦即較狹義字的詞彙加以控制表示，其作法為加上特定符號，如BT（broader term）及NT（narrower term）表示之。

3、控制詞彙工具

控制詞彙的執行，首先要制定一標準詞彙以為控制的工具，最常見的工具有分類表、標題表及索引典三種。

⑴分類表，如杜威十進分類表DDC（Dewey Decimal Classification）、國際十進分類表UDC（Universal Decimal Classification）、美國國會圖書館分類表LCC（Library of Congress Classification）及其他特定學科分類表，如醫學方面或法律方面的分類表。

⑵標題表，如公共圖書館採用的Sears List of Subject Heading ❾，大學圖書館採用的美國國會圖書館標題表LCSH（Library of Congress Subject Heading）❿，醫學標題表MeSH（Mediacl Subject Heading）。

⑶索引典，如ERIC Thesaurus 及Thesaurus of Engineering and Scientific Terms—TEST。以上三種控制詞彙工具以索引最廣

為線上檢索採用。有關索引典可參考第十章的介紹。

4、**控制詞彙的優缺點**

控制詞彙固然可以解自然語言索引法的許多問題，然這並不意謂著它本身是零缺點的完美設計。事實上它仍存在著不少缺點，茲就其優點、缺點列舉說明之。

優點：

⑴使用標準的控制詞彙，可以解決同義字、類同義字及同形異義字的問題。促成索引用語與檢索用語的一致性，使得索引作業及檢索作業時能以標準詞彙代表各種同義字，避免資料分散與不易查尋。

⑵採用前組合的方式編製索引，解決概念錯誤的連結的問題。

⑶控制詞彙有良好的結構，使用時可選擇最適當的用語，以提高檢索回現率與精確率（recall & precision ratio）。

⑷容易從事有階層附屬關係的檢索。

⑸用語明確一致、清楚固定。

⑹可利用參互見結構，得知相關的詞彙。

⑺採用控制詞彙方式編製索引，款目較自然語言索引法來得少，故具有高度密集的特性。

⑻檢索者負擔輕，不必研究作者可能使用的詞彙，尤其是同義字的選用。

缺點：

⑴必須由專業人員製作索引，花費較大。

⑵必須隨時檢查索引的品質及錯誤。

⑶索引人員可能因誤解而導致錯誤的索引，且易因索引者的不一致性產生問題。

⑷使用的標準詞彙易於老化過時，必須隨時更新，維護經費較大。

⑸無法隨時增添新的或複雜概念，更新較困難。

⑹索引人員須具備相當的學科背景與訓練，故製作較慢。

⑺使用者亦必須經過訓練，方會使用。

⑻用語受限於索引典，或其他控制詞彙工具，有時稍嫌僵化，不具彈性。

⑼用語的表示受到極大的限制。

⑽較不具詳盡性。

四、線上系統採行的方法

線上檢索系統中適於控制詞彙檢索的欄位為敘述語、標題及分類號。敘述語（descriptor）是指索引典所採用的款目。索引典最大功用可解決自然語言，同形異義字、同義字、階層附屬及錯誤連結等的問題。它可指示最適當可用的索引與檢索詞彙。當然這種決定可能相當武斷。然索引典無疑可作為線上資料庫採用控制詞彙製作索引，及線上檢索者制定檢索用語的合法依據。識別語（identifier）是指索引者自原始正文中摘取的關鍵字，屬自然語言，較適用於自然語言，亦可用於控制詞彙。ERIC（Educational Resources Information Center）資料庫，說明識別語的意義為「關鍵字或可作為索引的概念，為了加強主題索引的深度或完整性，以彌補採用敘述語的不足」。識別語無法在索引典中查到，因為他們大都為專有名詞，如地理名稱、法律文件、教育考試，或無法為已被認可的敘述語表示者，如索引典中未收錄的主題概念，大都為過於特定或最新出現或過於少用的詞彙⓫。故 Thesaurus of ERIC Descriptors 1984 年版並未收錄 Online Searching 與 Downloading 這二個敘述語。

自然語言與控制詞彙長短互見，孰優孰劣，不可妄下斷語，完全取決於使用者的需求而定。事實上兩者是相對且互相影響⓬。所有認知過程必會產生觀點（point of view），而認知是一種具有絶對主觀意識的行為⓭。是以索引者、編目者甚至於檢索者，不論受到多少標準或法則的限制與一致性的訓練，實際作業時，仍受制於個人主觀的認知的影響，所以才會有同一篇文獻不同的索引、分類及編目的結果⓮。

這些論述說明了一項事實，自然語言或控制詞彙對於線上資訊檢索不是必然的、絶對的，而是端賴檢索的欄位而定，有些適合自然語言，有些適合控制詞彙，有些兩者皆可用。

利用自然語言的統計、句法及語意分析進行自動化索引的編製，自 1950 年代始一直是一股研究的風氣，其中較為人熟知的有 Swanson ⓯、Cleverdon 與 Keen ⓰、Salton ⓱及 Salton 與 McGill ⓲等人所作的研究。這些研究雖有不少的創見，然自然語言仍不能完全取代控制詞彙，換言之，控制詞彙仍有其存在價值而不可抹滅。是以，現階段的線上檢索大都採用自然語言與控制詞彙兩種並用的模式。作為一個檢索者該如何取捨，則根據檢索專家 Tenopir 的看法，可視資料庫、索引品質、檢索項目與資訊需求者等四種情況而定⓳。

1、資料庫

有許多資料庫本身沒製作控制詞彙索引，書目資料庫則都有敘述語欄位且都根據索引典編製控制詞彙索引，例如：ERIC 根據 Thesaurus of ERIC Descriptor；COMPENDEX 採用 Subject Heading for Engineering — SHE；INSPEC 採用 INSPEC Thesaurus；MEDLINE 採用 Medical Subject Heading — MeSH；AGRICulture Online Access — AGRICOLA 採用 AGRIS Classification；Newspaper Index 則自行發展索引典，並依據使用者的建議增加敘述語；Magazine Index 採用根據 Library of Congress Subject Heading — LCSH 修改而成的 IAC（Information Access Corporation）Headings；NTIS 採用 COSATI / NTIS；CA Search 則參考　CA General Subject Index Heading List 及 Index Guide 二種工具替代標準的索引典；BIOSIS 則採用生物分類號及代碼（BioSystematic Codes）幫助檢索；Predicast 則利用公司名稱索引典與 Standard Industrial Classification — SIC 主題名詞互相配合使用。

這些敘述語欄位適合採用控制詞彙檢索，而其他欄位，如：題名（title）、摘要或識別語則可採用自然語言檢索。題名查尋的效果依學科性質而異，技術或研究性質的文獻比之通俗性文章的題名較長且具意義。同時每一個概念其語言的模糊程度與同義字的多少亦視學科而定。工程或純科學的學科，或稱為 hard 或 concrete 學科，用語較明確；而人文或社會方面學科，俗稱 soft 或 abstract 學科，用語較不具實質意義，故檢索人文或社會方面的主題時，應制定一完整的同義詞的檢索策略，並宜進行題名及摘要部份的自然語言檢索，如此則可獲取較高的回現率（recall ratio）。

然而回現率高的交換條件是過多語意的錯誤連結，這時則應考慮利用控制詞彙來挽救。故除非要獲得一完整的檢索結果，否則最佳的組合拍檔是：利用自然語言檢索題名欄位，控制詞彙檢索敘述語或識別語欄位。識別語通常是資料庫增加新主題用語，或控制與主題相關的專有名詞所用。

2、索引品質

控制詞彙檢索的成敗取決於索引典的品質與索引政策。索引人員決定索引品質的好壞。H. W. Wilson公司有經驗的專業索引人員，聲譽良好，有絕對的品質保證。但有些資料庫的索引人員是自願且位於各個不同的地點，致使索引品質的一致性難以控制。基於此項原因，制定檢索策略實應謹慎考慮所有可能的敘述語，及配合自然語言檢索，雙管齊下，方可奏效。

每篇文章給予制定索引用語的多少的索引政策，直接影響到檢索結果，例如：一個資料庫限制每篇文獻索引用語不得超過五個，如此則只有主要的大的概念被收入，而其他相關但較狹義的主題則被剔除；反之，指定的索引用語過多，則控制詞彙所具有的精確性就被否定了。因此，最好是採用ERIC 作法，制定主要敘述語與次要敘述語。

3、檢索主題

若主題層面過大，則採用控制詞彙的敘述語是最好的策略，例如：使用COMPENDEX 查尋各種工程方面的設計或測試。如果一個檢索問題的各主題概念皆一樣重要，並且每一個主題概念皆希望檢索到相同數量的資料，這時控制詞彙就較不適用，而改採用自然語言，將檢索到較多相關的資料。

若檢索新發現的理念或各行業的專用術語，則控制詞彙就無能為力了，這時就只有靠自然語言檢索才可成功。

4、**資訊需求者**

讀者的資訊需求模式亦為決定採用自然語言或控制詞彙的因素之一，若讀者需要的是較少但較相關的資料，亦即高的精確率、低的回現率（high precision, low recall）的檢索結果，則宜採敘述語控制查尋。控制詞彙檢索可以說是最合乎成本效率（costeffective）的檢索方法。若讀者要的是一個完整的結果，顯然地，只採用控制詞彙是不夠的。不當的索引政策，字彙的限制及語言的特性，均使得敘述語無法達到此項要求。

五、結　語

控制詞彙與自然語言的索引法各具特色，各有其長亦各有其短，作為一個成功的檢索者，在徹底了解其特性、功能與優缺點之後，更應進一步對各資料庫的結構與索引品質等各方面加以認識，再正確掌握讀者的檢索主題與資訊需求模式。如此全面審慎的考量，必是一次漂亮的檢索出擊。

附 註

❶ Coates, E.J., "Some Properties of Relationship in the Structure of Indexing Languages", Journal of Documentation 29:390-404, 1973.

❷ Lancaster, F.W., Information Retrieval Systems: Characteristics, Testing and Evaluation, 2nd ed., New York: John Wiley & Sons, 1979, pp.279-280.

❸ McGrath, William, "Relationships between Hard/Soft, Pure/Applied, and Life/Non-Life Disciplines and Subject Book Use in a University Library", Information Processing and Management 14:17-28, 1978.

❹ Wiberley, Stephen E., "Subject Access in the Humanities and the Precision of the Humanities Vocabulary", Library Quarterly 53(4):420-433, 1983.

❺ 牛正邦，「自然語言知多少」，微電腦時代，期98，民國76年11月，頁31-34。

❻ Williams, Martha E., "Experience of ZZT Research Institute in Operating a Computerized Retrieval System for Searching a Variety of Data Bases", Information Storage and Retrieval 8:57-75, 1972.

❼ Mandersloot, W.G.B. et al., "Thesaurus Control—The Selection, Grouping, and Cross-Referencing of Terms for Inclusion in a Coordinate Index Word List", Journal of the American Society for Information Science 21:49-57, 1970.

❽ 同❷，pp.179-181。

❾ Westby, Barbara M., Sears List of Subject Headings 12th ed., New York:

H.W. Wilson, 1982.

⑩ Subject Cataloging Division, Processing Services, Library of Congress, Library of Congress Subject Headings, 9th ed. Washington, D.C.: Library of Congress, 1980.

⑪ Thesaurus of ERIC Descriptor, Phoenix, AZ: Oryx Press, 1980, p.xv.

⑫ Shera, Jesse H., "Pattern, Structure and Conceptualization in Classification for Information Retrieval" in Advances in Documentation and Library Sciences, edited by J.H. Shera, A. Kent and J.W. Perry, New York: Interscience Publishers, Inc., 1957, pp.15-38.

⑬ Jones, Kevin P., "The Environment of Classification: The Concept of Mutual Exclusivity", Journal of the American Society for Information Science 24:157-163, March 1973.

⑭ Cooper, William S., "Is Interindexer Consistency a Hobgoblin?", American Documentation 20(3):268-278, July 1969.

⑮ Swanson, Don R., "Searching Natural Language Text by Computer", Science 132:1099-1104, October 21, 1960.

⑯ Cleverdon, Cyril W. and Keen, E.M., Factors Determining the Performance of Indexing Systems, vol.1, Design, vol.2, Results, Cranfield, England: Aslib Cranfield Research Project, 1966.

⑰ Salton, Gerard, "Automatic Text Analysis" Science 168:335-343, April 1970.

⑱ Salton, Gerard and McGill, Michael J., Introduction to Modern Information Retrieval, New York: McGraw-Hill, 1983.

⑲ Tenopir, Carol, "Searching by Free Text or Controlled Vocabulary?", Library Journal 112:58-59, November 1987.

第十章　索引典

一、導　言

本書「檢索語言」一章中曾述及索引典乃執行控制詞彙（controlled vocabulary）檢索之最主要的工具之一。然而，何謂索引典？其功能為何？其結構為何？如何維護與更新及其與其他控制詞彙工具，如標題表之異同何在。這些論題均將於此章一一加以闡述。

二、索引典定義

就資訊儲存與檢索的範疇而言，索引典乃收集足以表示知識概念的字或詞，並將之以特定的結構加以排列，這些字彙控制了同義字，區別了同形異義字，並顯現各相關詞彙間階層及語意互屬上的各種關係，以作為索引者在分析處理資料及讀者在檢索資料時能選用一致的、經過控制的詞彙。換言之，即提供資訊儲存與檢索標準化的用語❶、❷。

三、索引典結構

對一個索引典而言，除了配合資訊儲存與檢索系統的目的，選擇適合讀者資訊需求的設計模式外，尚應考慮的要素有：詞彙的選擇、詞彙間的關係、詞彙展現方式及詞彙的維持與更新等事項。

一般而言，索引典的詞彙分為標目（heading）及參照款目（cross reference entries）兩種。通常標目被認可為可以使用的詞彙，稱之為敘述語或述語（descriptors）；參照款目則為不可以使用的詞彙，稱為非敘述語（non-descriptors）或被替代語（use references），亦即圖書館書目資料處理時採用的參見（see）作法。不被認可的參照款目利用被替代（use）與認可述語連結起來，以便指引索引典的使用者參考以選用適切的敘述語。每一個敘述語之下列有各種關係的詞彙，這些詞彙以各種記號表明其間的關係，如圖一所示有範圍註（scope note）、替代（used for）、被替代（use）、較廣義字（broader terms）、較狹義字（narrower terms）及相關字（related terms）等。此外，有些索引典還記載有敘述語的分類號與敘述語啟用或停用的日期。每一個索引典記載內容及表現方式各有特色，然而為了達到控制詞彙的目的，各索引典對於詞彙的選擇、詞彙間關係的建立及其展現方式的講求與作法卻都大同小異。

1・**詞彙的選擇**

索引典中每一個述語代表一個概念，依照各種標準的記載❸，每個述語採下列規則加以控制其結構。

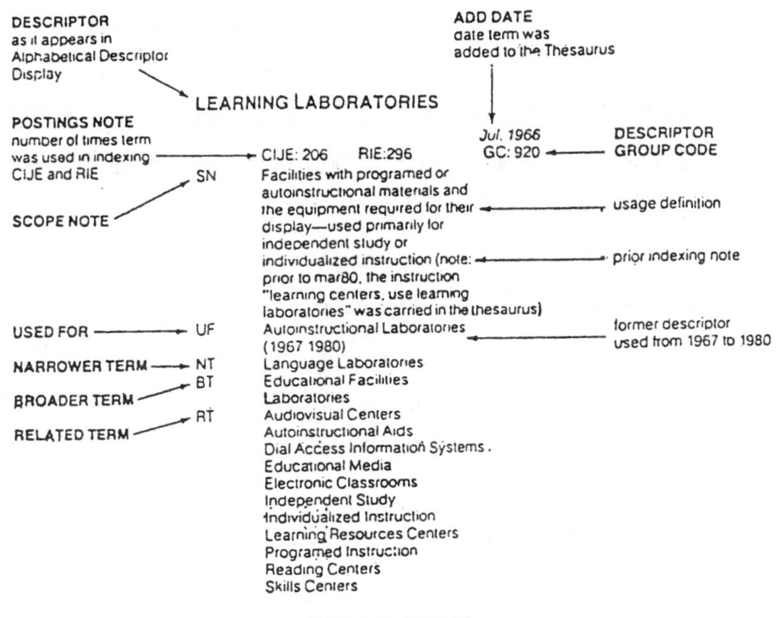

圖一：索引典款目說明

（資料來源：Thesaurus of ERIC Descriptor）

⑴採用名詞方式

述語最好以名詞方式表示，如單一名詞、名詞片語或名詞附加括號說明。避免採用動詞，例如：用evaporation而不用evaporate。非不得已則採動名詞替代之，例如：用pouring而不用pour。採名詞片語時應去除介詞，例如：用carbohydrate metabolism而不用metabolism of carbohydrate。

（a）複合名詞（multiword terms）

採用複合名詞時可以二種方式處理，一為將此述語概念視為一個複合名詞，此乃前組合式（precoordination）作法，例如：

diesel locomotive；一爲以現存的二個或二個以上的詞彙代替而組合，此乃後組合式（postcoordination）作法，例如：diesel engines AND locomotive，至於是否採前組合式則根據英國工程師聯合會建議：「經常使用的概念應用前組合詞彙代表之，其餘的則用後組合詞彙」❹。

（b）形容詞

少數的述語可採形容詞的形式，但必須與名詞連在一起使用，因爲形容詞可與名詞以前組合的方式形成複合名詞，例如：automated system。索引典述語採用形容詞時必須事先考慮其實用性及彈性，換言之，當一個形容詞與另一名詞必須經常一起出現時方考慮採用前組合形式。

（c）名詞的單數與複數

有些索引典完全採用單數形式，有些則全採複數形式，然均有缺失，極可能於字義的解釋有所偏失，一般採用的通則爲單數名詞一般適用於特定的過程、特性及唯一或不可數的事與物，例如：painting、conductivity、earth、water等；複數名詞則用於具實體可數的事與物的種類，例如：stars、teeth、records等。有些名詞單複數意義不同卻又必須同時存在時，則利用名詞之後附加括號的限定語（qualifier）來加以區別，例如：painting（process）指繪畫，表示一種處理方法；而painting（entity）指顏料、油漆，表示物質。

⑵選擇直接款目或間接款目

一個述語若含二個或二個以上的字，依語言文字的自然順序表達，則稱爲直接款目，例如：radar antenna，如此則造成同屬於antenna的款目四散各處。間接款目則將重點字置於前而將與其相關的專門特性的字置於後，例如：Antenna, radar如此則同屬於antenna的款目得以聚集一處，但卻又造成各述語字順的排序問題。索引典該採用何種款目為述語，各執說法，重要的是，另一款目必須視情況需要作成參照款目。

⑶統一特殊符號

儘量避免詞彙間有標點符號，除非是特殊的命名法，例如：物理、化學、音樂等方面採用的識別號，及被替代語中可使用逗號。為了解釋述語或附加為述語的一部份，可採用括號加以區別避免矛盾。當短線為專有名詞或商標的一部份，或少了短線會影響述語的意義時，則可採用。至於希臘字母或特殊符號等均給予音譯，例如：用Gamma rays而不用r rays。

⑷控制述語的縮寫或頭字語

除了已廣為人知的名詞縮寫外，例如：用COM而不用Computer Output Microform，應避免以詞彙的縮寫形或頭字語做為述語，尤其當縮寫不為人熟知或需視全文以決定其意義時更不可使用。縮寫字與完全拼寫法之間應作參照款目。

⑸釐定述語的不同拼法

英文一般可區分為美國英文及英國英文兩種不同拼法，例如：theater與theatre。具有不同拼法的述語，應擇其一而用，另一拼法則作為參照款目。

2·詞彙間關係的建立

索引典所收錄的詞彙間的參考關係有層屬的、相關的、同義的、同形異義及範圍註等五種，茲分述於下❺。

(1)層屬關係

索引典對於詞彙間具有層屬關係的詞彙，通常以Broader Term（BT）及Narrower Term（NT）兩種參照符號來表示。BT乃指示某詞彙的上層較廣義的詞彙，例如：oak tree BT tree。NT乃指某詞彙下層較狹義的詞彙，例如：tree NT oak tree。由上例可見BT與NT是兩個用來相互對應的參照符號（reciprocal cross of notation），換言之，每一BT必有一NT與之相對應，每一NT亦必有一BT與之相對應。

(2)同義關係

（a）同義字（synonyms）

同一概念可以用一種以上的詞彙表示時，索引典多選用較廣為使用或新穎的一種為述語，其他則作為參照款目，例如：storage batteries UF secondary batteries. UF（Used For）表示替代的意思，這個參照符號之前的詞彙為可使用的述語，而其相對的符號為USE，表示被替代的意思，例如：secondary batteries USE storage batteries，位於此符號之後的詞彙則為可使用的述語。

（b）半同義字（quasi-synonyms）

有時兩個反義字（antonyms）卻可代表一個概念一體之兩面，則擇其一為述語，另一為參照款目，例如：stability UF instability，相對應之參照款目為instability USE stability。

（c）近同義字（near-synonyms）

兩個詞彙所代表的概念相似而不完全相同時，索引典以相關關係來處理，而用RT（Related Terms）這個參照符號表示，例如：reading difficulty RT reading failures。

⑶同形異義關係（homographs）

當許多詞彙的拼法完全相同，但所代表的意義卻不同時，則以小括號加修飾語以區別之，例如：Mercury（metal）、Mercury（planet）、Mercury（methology）與Mercury（car），小括號內的修飾語亦為述語的一部份。值得注意的是，在範圍註（scope note）或解說註（explanatory note）中，小括號內的修飾語則不屬於述語的一部份。

⑷相關關係（affinitive relations）

這是指認可述語與認可述語間的關連，一般採用RT的參照符號來連結，例如：表示事或物的全部與部份的關係, windows RT houses；表示事或物與其處理作業的關係, skates RT skating；表示事或物與其應用的關係, railway construction RT railway及表示事或物與其特性的關係, seawater RT corrosion。

⑸範圍註及解說註

當一個述語無法說明清楚一個概念的適用範圍，則可於述語之後附加一簡潔的敘述，說明其涵蓋的意義，此稱之為範圍註。範圍註跟隨著述語卻不是述語的一部份。另一種解說註則在說明一個述語的增刪及其演變的情形，例如：為了澄清字義, hysteresis（magnetic, electrical, and mechanical）；提供製作索引及檢索資料時建議, dynamics（use of a more specific term is recommended；consult the terms listed below）及說明詞彙收錄年代, microsonics（entered Feb. 1970）。

總之，索引典中詞彙關係及其所採用的參照符號計有：表示層屬關係的BT與NT；沒有層屬關係卻相關而可取代的RT，語義相同、相近或字形相同字義不同的USE與UF，及界定述語意義範圍的SN等。每一個參照款目於索引典中必存在著另一款目與之相互對應。三對對應的參照款目分別為USE-UF，BT-NT及RT-RT。USE乃指示使用者從不使用的詞彙「見」使用的詞彙，較常發生於下列情況：(1)不常用見常用的同義字，如hallways USE corridors，feline USE cats；(2)特定字見一般字，如FORTRAN USE programming language或一般見特定字，如：programming language USE FORTRAN；(3)不常用的拚法見常用的拚法，如sulphur USE sulfur；(4)全名見縮寫，如United Nations Educational Scientific and Cultural Organization USE UNESCO；(5)縮寫見全名，如CAT USE Clean Air Turbulence；(6)反義字，如instability USE stability；(7)倒置次序見正常次序，如tables, mathematical USE mathematical tables；(8)罕用見常用，如spectacles USE eyeglasses；(9)採常用的專業用語，如whirlybird USE helicopters及(10)外國語文見英文等。

3·**詞彙展現的方式**

編製一個索引典一定要定明其包含的內容應有：目的、主題範圍、收錄的詞彙、詞彙間的關係、詞彙展現的方式、更新、編改、修正、重組、增減述語的作業程序及方法與最重要的訂定索引典規則。索引典的內容以所包含的詞彙為最大部份，詞彙展現方式則計有下列數種❻：

(1)依字母順序排列（alphabetic display）

將述語與參照款目依字母順序排列，如圖二所示。美國國家標準局建議，較狹義字（NT）中有更狹義字或相關字（RT）中尚有其他相關字時，則宜加一符號以區分，例如：短線❼。

Adhesives

UF Binders

Cements

Glues

BT Bonding materials

NT Adhesive Tapes

– Pressure –Sensitive Adhesives

Rubber adhesives

RT Cohesion

Epoxy resin

– Fastneers

Joints

– Sealers

圖二：字母順序排列

（資料來源：同❶）

⑵依層次排列（hierarchical display）

因為字順排列無法完整展示詞彙間的層次關係，故發展出此方式將從屬之間的關係由大至小以縮格加句點的形式由上而下一一列出細分的層次，如圖三所示。

Engineering

· Biomedical engineering

· Civil engineering

· Electrical engineering

・・High-voltages engineering

・・・High-voltages techniques

・Environmental engineering

・Maintenance engineering

・・Computer maintenance

圖三：層次排列

（資料來源：INSPEC Thesaurus 1981）

⑶依類別排列（categorized display）

將所有的述語分成許多類，每類之下依字母順序排列，如圖四所示。

0502

Information sciences

Abbreviations

Abstracting

Abstracts

Alphabets

Archives

Atlases

Authors

Automatic abstractings

Automatic indexing

Bibliographies

圖四：類別排列

（資料來源：Thesaurus of Engineering and Scientific Terms）

⑷交替式排列（permuted display）

將述語中的每一個字，依字母順序交替出現於某特定的位置，如KWIC（Key-Word-In-Context）索引的做法，使用者只要知道述語中的一個字，不論其前後順序皆可查到所要的款目，如圖五所示。

	Automatic indexing
Library	Automation
	⋮
	⋮
	Indexing
Automatic	Indexing
Coordinate	Indexing
	Indexing Theory

圖五：述語交替排列

（資料來源：Borko, Harold and Bernier, Charles, Indexing Concepts and Methods, New York: Academic Press, 1978 p. 105）

⑸圖形展示（graphic display）

用圖形來解說索引典中各有關的述語之間相關連的方式，依字順排列的展現方式只能做到線性關係的說明，例如：apple之前的款目為applause，而其後為appliance，至於同為水果種類的oranges及pears則依字順排在遙遠距離之後，故須採用「參照」中互見的功能指明 fruit為彼此的廣義字，而將彼此關係連結在一起。為了解決此一缺點，故有用圖形展示的設計出現。此方式乃屬於平面的二度空間的表現方式。述語與述語之間的關係可以藉由平面方式加以說明，如圖六以線條連結層次相屬的述語或其他相關的述語，線條的粗細代表彼此間關係的強弱。

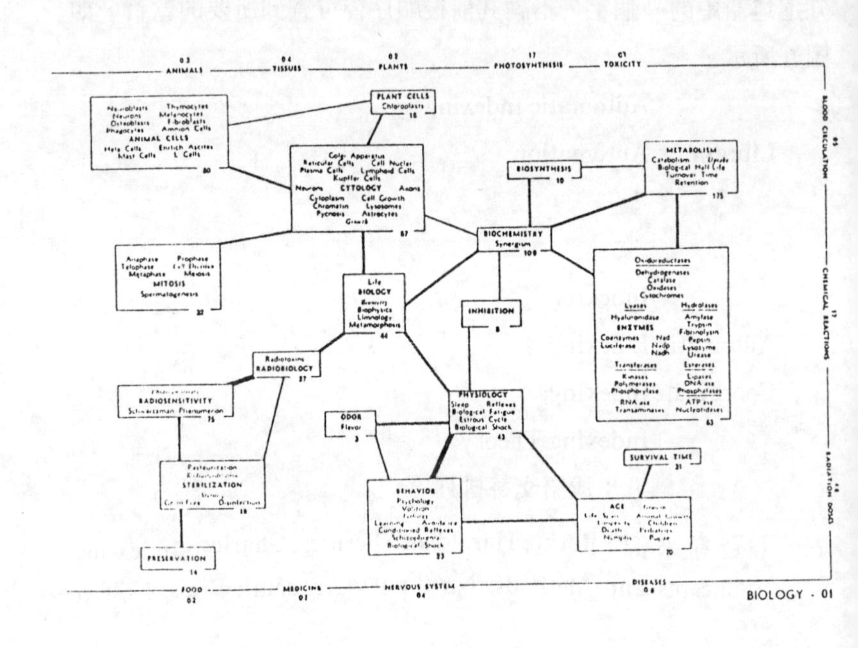

圖六：圖形展示
（資料來源：ERRATOM Thesaurus,1967）

四、索引典的維護與更新

任何語言都是動態的，新的概念不斷產生，需要加入新的詞彙，舊的詞彙也會改變為新的意義，而有些原本常用的字也會逐漸消失，因此作為資訊檢索系統控制詞彙工具的索引典，必須隨時加以維護與更新，以確保其時效性與正確性。再且沒有一個索引典在它編製完成時是決對完整的，因為資訊的變化瞬息萬變，索引典的編製永遠趕不上時間的變化。是以索引典編輯委員會應擁有一套更新與維護的作業方式，隨時注意，是否要將一個新詞彙加入？是否要變更原來兩個詞彙間的關係？或刪除淘汰老舊不適用的詞彙？完全以將來編製索引者或檢索資料者是否會利用為依歸。索引典的更新必須經過審慎的考量方可進行❽。

五、索引典與標題表之比較

索引典與標題表同為控制詞彙之標準工具，然二者仍各有特色，茲以表一說明彼此之異同❾～⓮。

表一：索引典與標題表之比較

比 較 項 目	標題表 Subject Heading (以LCSH為例)	索引典 Thesaurus
1.定義	1.圖書館編目和文獻指標，由工作人員根據圖書與文獻的主題給予標題，是尋找特定主題之主題範圍的有效工具，它多是由單字片語或名詞組成，使用者在尋找資料中某一款目時，可以直接從主題單字查尋。	1.是一套在展現一知識概念的辭典．對同義字或同形異義字皆加以控制，且將相關詞彙之間的層次及語義上的各種關係皆予顯示出來。
2.舉例	Source：Library of Congress Subject Heading. 12th. Washington, D. C.: LC, 1989.	Source: Thesaurus of ERIC Descriptors. 10th ed. Phoenix, AZ: Oryx Press, 1984.
3.來源	1895年Library of Congress為編目時，方便使用者檢索之需要而出版，從此之後有標題表的出現。	1950年開始，為資料之儲存與檢索而產生，發展時間比標題表晚。
4.功能	1.主題控制。 2.將資料做主題分析，使同主題的資料可藉由標題而連接，方便使用者查尋資料。	1.詞彙控制。 2.對資訊儲存與檢索提供標準化用語，對分析處理資料及檢索資料而言，對同一概念的主題，可使用一致的詞彙。
5.特性	1.控制詞彙。 2.由大類標題向下細分。	1.控制詞彙。 2.內容是放射性及連繫性。 3.用語內涵較標題表詳細深入。

比 較 項 目	標題表 Subject Heading（以LCSH為例）	索引典 Thesaurus
6.範圍	一般多包含全部的學科範圍。	4.以科技方面的較多。 多是專為某一學科而編製，其中科技方面的索引典為最多。
7.目的及其應用對象	用於圖書館資料之主題區別，多針對整本書所做之分析。	為資料檢索系統而設計的，多針對期刊中論文或報告所做的分析。
8.詞彙結構	1.標題表中是標題與標題之間的關係。 2.一個標題可能不只包含一個概念。例如：Children and TV 即涵蓋兩個概念。 3.故標題非分析詞彙。 4.內容結構： (1)標題（Heading）：其形式有單一名詞或動名詞，包含連接詞、介繫詞、修飾語及倒裝式的標題，其下可依需要有自由形式。分類、主題、形式、時代、地區等複分。 (2)範圍註(Scope Note)。 (3)分類號(Class Number)：不一定都有。 (4)參照款目：原先採see、	1.索引典是詞彙與詞彙的關係。 2.每一個詞彙可能為單字或片語，但只表示一個單一的概念。 3.其詞彙之間的關係說明上下層級或部份與全部的關係。 4.內容結構： (1)敘述語（descriptor）是可用的詞彙，其形式與標題類似，但無包含連接詞之敘述語，因一個敘述語只能代表一個概念。 (2)範圍註（Scope Note）。 (3)分類號（Class Number）。 (4)參照款目：有 BT、NT

比較項目	標題表 Subject Heading（以LCSH為例）	索引典 Thesaurus
	sa、x、xx為標記，現採用與索引典相同之標記，如: BT、NT、RT、USE、USED FOR，另有SA。 5.標題之用語不及索引典明確。 6.有直接或間接款目。 7.每一個標題都是有意義的。	、RT、Use、Used for。 5.術語比較明確化，且較狹義。 6.有直接或間接款目。 7.有些敘述語須與其他敘述語連用才能產生意義，如Effectiveness。
9.詞彙間的關係	1.以範圍註（Scope note）說明。 2.同義字以SEE或X表示。 3.層次關係以XX或SA表示。 4.非層次關係以XX或SA表示。 5.一般參考(General Reference) 以SA表示。(說明see also為參考款目)。	1.以範圍註（Scope note）說明。 2.同義字以USE或UF連接。 3.層次關係以BT、NT表示。 4.非層次關係以RT表示。
10.展示格式	多為字母順序排列。	見前文、詞彙展現方式的部份。
11.使用語言	各國多用該國的語文自行編製，故各種語文之標題表皆有。	大部份是英文編製，若為其他語文之索引典也多半先以英文編，而後譯製而成。
12.索引類型	多用於前組合索引。	為前組合索引，亦為後組合索引。

六、結　語

索引典無異是線上檢索系統採行控制詞彙索引法標準化的工具。索引人員分析資料的主題意識、擇定代表主題概念之索引用語，是以索引典所制訂的述語為標準。檢索人員分析檢索問題的主題意識，擇定代表主題概念之檢索用語，亦以索引典所制訂的述語為標準。如此一來，在同一標準的引導下，方能檢索到相關的資料，同時遺漏不相關的資料，達到正確無誤的檢索結果。職是之故，執行線上檢索之前，必先了解索引典的種種。「利其器」之後自可「善其事」。

附 註

❶ American National Standard, Guidelines for Thesaurus Structure, Construction, and Use , American National Standard Institute, Inc., , ANSI Z39.19, 1974, p.9.

❷ Soergel, Dagobert, Indexing Language and Thesauri: Construction and Maintenance, Los Angeles, CA: Melville Publishing, 1974, pp.3-4.

❸ UNESCO Guidelines for the Established Development of Monolingual Science & Technology Thesauri for Information Retrieval, Paris, UNESCO, 1981.

❹ Aitchison, Jean and Grichrist, Alan, Thesaurus Construction: A Practical Manual, London: Aslib, 1972, p.26.

❺ 李德竹，「ERIC索引典與索引典之結構」，教育資料研討會紀錄，民國69年5月，頁65-66。

❻ 李惠中。「淺談索引典的結構、編製與應用趨勢」，中國圖書館學會會報，期37，民國74年12月，頁119-123。

❼ 同❶，p.14。

❽ Borko, Harold and Bernier, Charles L., Indexing Concepts and Methods, New York: Academic Press, 1978, pp.106-111.

❾ Dykstra, Mary, "LC Subject Headings Disguised as a Thesaurus", Library Journal 113(4):42-46, March 1988；同❺。

❿ 同❺，頁60-71。

⓫ 同❻，頁115-127。

⑫ Library of Congress Subject Heading, 12th ed., Washington, D.C.: Library of Congress, 1989, p.vii-xvii.

⑬ Sears List of Subject Headings. 12th ed., edited by Bowbara M. Westby, New York: H.W. Wilson, 1982, pp.7-32.

⑭ Thesaurus of ERIC Descriptors, 10th ed. Phoenix, AZ: Oryx Press, 1984.

第十一章　檢索指令

一、導　　言

線上資訊檢索系統的操作方式主要有指令式（command language）選項式（menu driven）及指令與選項混合（mixed mode）三種。所謂選項式系統乃使用者連續被迫，由系統提供的各種列舉訊息中，以觸摸或按鍵的方式加以選擇所需的資訊，在整個檢索過程中檢索者完全處於被動的地位，聽命系統顯示訊息之後再給予動作，絲毫無自主控制之權。

一個選項式系統大都由許多層次的畫面以樹枝狀的結構組成，檢索者依照資訊需求，由主畫面選擇第一個需求，至第二畫面再至第三畫面，如此逐步進行選擇直到所要的那一個層次畫面滿足其資訊需求為止。茲以BRS/After Dark系統為例說明之。例如：利用MEDLARS資料庫檢索1979年以來有關Vitamin C與cancer主題的資料。圖一乃檢索實例，檢索者輸入的資料以劃底線標示之。

選項式系統最大優點是初學者或外行人易於學習與操作，缺點是任何一個層次畫面出錯，要逐步回到原畫面，頗耗費時間且易令檢索者產生挫敗感。再且因強迫檢索者只能以選項方式進行

```
*SIGN-ON    17.56.32                         04/21/84:

WELCOME TO BRS AFTER DARK

PLEASE TYPE IN SCREEN LINE LENGTH (20, 40, OR 80)   80

PLEASE TYPE IN THE NUMBER OF LINES ON YOUR
SCREEN (20, 21, 11, ETC.)   22

  CHECK MENU ITEM 6 FOR INFORMATION ON NEW
  AFTER DARK DATABASES AND SYSTEM ENHANCEMENTS.
  SIX NEW DATABASES HAVE BEEN ADDED TO THE SYSTEM
  SINCE MARCH 1, 1984!!!!

TONIGHT'S MENU IS:

NUMBER          ITEM
   1            LOOKING FOR INFORMATION?...SEARCH SERVICE
   2            WANT TO HEAR THE LATEST?...NEWSLETTER SERVICE
   3            NEED A PROGRAM?...SOFTWARE SERVICE
   4            KEEP IN TOUCH!...ELECTRONIC MAIL SERVICE
   5            LET'S MAKE A DEAL!...SWAP SHOP
   6            WHAT'S NEW?...NEW SYSTEM FEATURES
   7            WANT TO CHANGE YOUR SECURITY PASSWORD?...
                SECURITY

TYPE IN MENU ITEM NUMBER THEN HIT ENTER KEY FOR DESIRED SELECTION
   1
```

Format output to match your screen.

Select item 1 to enter search mode.

```
YOU ARE NOW CONNECTED TO THE BRS AFTER DARK SEARCH SERVICE.
THE FOLLOWING CATEGORIES OF DATABASES ARE AVAILABLE FOR
SEARCHING.

CATEGORY        DESCRIPTION

   1            SCIENCE AND MEDICINE DATABASES
   2            BUSINESS AND FINANCIAL DATABASES
   3            REFERENCE DATABASES
   4            EDUCATION DATABASES
   5            SOCIAL SCIENCE AND HUMANITIES DATABASES


TYPE IN CATEGORY NUMBER THEN HIT ENTER KEY FOR
CATEGORY OF DATABASES DESIRED.   1
```

Select database category.

```
SCIENCE AND MEDICINE DATABASES
*******************************
DATABASE NAME                                   LABEL

AGRICOLA                                        CAIN
ACS (AMERICAN CHEMICAL SOCIETY)                 CFTX
 JOURNALS ONLINE
BIOSIS PREVIEWS                                 BIOL(1978 TO DATE)
                                                BIOB(1970-1977)
CHEMICAL ABSTRACTS                              CHEM(1977 TO DATE)
                                                CHEB(1970-1976)
DISC                                            DISC
HEALTH PLANNING & ADMINISTRATION                HLTH
INTERNATIONAL PHARMACEUTICAL ABSTRACTS          IPAB
IRCS MEDICAL SCIENCE DATABASE                   IRCS
MATHEMATICAL REVIEWS                            MATH
MEDLARS                                         MESH(1979 TO DATE)
                                                MS78(1975-1978)
                                                MS74(1971-1974)
*                                               MS70(1966-1970)
```

```
HIT ENTER FOR NEXT SCREEN

NATIONAL TECHNICAL INFORMATION                 NTIS
 SERVICE
PRE-MED                                        PREM

TYPE IN LABEL FOR DATABASE DESIRED:   mesh
```
Select MEDLARS database.

```
ARE YOU A NEW AFTER DARK USER? PLEASE TYPE IN YES
OR NO:   yes
```
YES cues the system to display full menus.

```
WOULD YOU LIKE A DESCRIPTION OF THE DATABASE? (YES OR NO)   yes
```
Request description of the MEDLARS database.

```
The BRS/Medlars database is the single most important
research tool for physicians, nurses and allied health
personnel.  Produced by the National Library of Medicine,
```

≈

```
TYPE IN SEARCH TERMS
S1 -->    vitamin c and cancer
```
Enter search terms.

```
A1        60  DOCUMENTS FOUND
TYPE S TO CONTINUE SEARCHING, P TO PRINT ITEMS FOUND,
R TO REVIEW SEARCH QUESTIONS, M TO RETURN TO MASTER
MENU, D TO RETURN TO DATABASE MENU, OR O TO SIGN OFF.

     p
```
Print results.

```
ENTER A SEARCH QUESTION TO PRINT FROM (E.G. 1 OR 2, ETC.)
```
Identify set from which to print.

```
ENTER S FOR SHORT PRINT FORM, M FOR MEDIUM PRINT FORM,
OR HIT ENTER FOR LONG PRINT FORM.   s              Select short format.

ENTER CITATION NUMBER(S) TO BE PRINTED.  USE
A HYPHEN FOR SEQUENTIAL CITATIONS (X-X),
COMMAS FOR NON-SEQUENTIAL CITATIONS (X,X,X),
OR ENTER INDIVIDUAL NUMBER (X).  TYPE ALL TO
PRINT ALL CITATIONS OR HIT ENTER TO PRINT FIRST
CITATION.
    1-5                                 Select number of items to be printed.

 1
AU Hinds-M-W.  Kolonel-L-N.  Hankin-J-H., Lee-J.
TI Dietary vitamin A, carotene, vitamin C and risk of lung cancer in
   Hawaii.
SO Am-J-Epidemiol. 1984 Feb. 119(2). P 227-37.
 2
AU Sestili-M-A.
TI Possible adverse health effects of vitamin C and ascorbic acid.
SO Semin-Oncol. 1983 Sep. 10(3). P 299-304. (REVIEW).
```

圖一：BRS/After Dark MEDLARS 資料庫檢索實例
(資料來源：Newlin,Barbara,Answers Online:Your Guide to Information Databases,Berkeley,CA:Osborne McGraw-Hill,1985,pp.199-201.)

檢索，而限制了許多系統的功能與彈性。相對的，指令語言則可提供強而有力，具高度彈性的檢索，可解決使用者沈悶的選項式檢索動作，又可大大提高檢索者的成就感。指令式線上系統最大缺點是：檢索者必須非常熟悉各種指令語言，並能巧妙運用，如此才能發揮其檢索功效。各資料庫各線上系統使用的指令語言各不相同，亦各具特色，唯獨仍不出下列八種基本功能：⑴開機、連線、關機；⑵選擇資料庫、啟用資料庫或更換資料庫；⑶輸入檢索用語；⑷布林邏輯運算、相近運算元運算及截字法等；⑸線上索引用語查尋；⑹暫存檢索過程與檢索結果；⑺印出檢索結果與⑻其他各種線上服務如SDI、文獻訂購、電子郵件、文書處理等。目前最廣為利用的三大線上系統依序為：DIALOG、ORBIT及BRS。今將此三個系統對同一檢索功能的指令語言，舉例說明之；三個系統中又以DIALOG 居冠，故探討較詳盡。

二、各系統指令語言之介紹

㈠啟用資料庫

【DIALOG】

1、指令1（全稱與縮寫）：BEGIN（B）＊＊＊＊＊（＊＊＊＊代表資料庫的檔號或名稱）

2、說明與舉例：⑴DIALOG 系統中有許多資料庫因資料數量過大，故經常依據收錄年代的先後，分成若干個檔（file），每個檔有一個檔號（file number），例如： CA Search為File 399，又細分為File 308（1967-1971）、File 309（1972-1976）、File 310（1977-1981）、File 311（1982-1986）與File 312（1987-

）五個檔。未細分檔的資料庫，則只有一個檔號，例如：ERIC為File 1，檢索指令為BEGIN（或B）1。

⑵有些資料庫未採用DIALOG 系統的檢索用語，例如：Official Airline Guide（OAG）—Electronic Edition，該資料庫DIALOG系統僅提供一個轉接站（gateway）以便檢索，這時的指令為BEGIN 之後加該資料庫的名稱，或為全名或為簡稱，完全視資料庫使用手冊上的規定，例如：BEGIN OAG 。

⑶下完BEGIN 指令，系統會顯示系統檢索的計費方式。

3、注意事項：⑴檢索者可於檢索的任何時刻，利用BEGIN指令以更換資料庫,一旦使用BEGIN 指令，則前面所作的檢索結果全部取消，再次檢索的檢索集號（set number）則從1 開始計算。

1、指令2（全稱與縮寫）：FILE（無縮寫）⋇⋇⋇（⋇⋇⋇代表資料庫的檔號或名稱）

2、說明與舉例：⑴利用BEGIN 指令，則前次檢索結果全部清除，為了避免發生這種現象可改用FILE指令。

3、注意事項：⑴FILE 指令的利用在更換檢索各資料庫，而仍可保留前項各種檢索結果。經由FILE 指令可顯現各資料庫的檢索集號，然卻不能於下一個資料庫中繼續檢索使用。唯獨CLAIMS ™資料庫例外，該資料庫利用FILE 指令，不但可顯現各子資料庫的檢索集號，同時可據以作為另一個資料庫中繼續檢索之用。

(2)檢索者可於任何時候，利用FILE 指令查對不是正在進行檢索的其他資料庫，而對檢索中的資料庫不會有任何影響。利用DISPLAY SET 指令，可查核是否遺漏任何檢索要項。

(3)使用最多的是化學檢索，在進行書目資料查尋途中，可以換至化學物質字典檔去查核所需資料，比方說在檢索File 399，CA Search 中途，檢索者可利用FILE指令，換至File 301 CHEM NAME，去查證一個化學物質名稱或化學摘要服務所制定的註冊號（CAS Registry Number(RN)），再利用FILE 指令回到FILE 399 繼續前項的檢索，例如：利用File 399進行有關Tylenol 的檢索，結果只有五篇相關的資料，換至File 301 檢索有關Tylenol 的同義字，得知其化學摘要的註冊號（RN）為103-90-2 後，再回至 File 399，先用DIAPLAY SETS 指令查看先前的檢索結果，最後再將先前的集號1 與2（S1 與 S2），及新的RN 重新加以邏輯策略組合完成。特別值得注意的是S3 不能在File 399 中使用。有關其查尋過程請參考圖二之檢索實例。

(4)CLAIMS 的各檔，File 223-225及23-25，是系統中唯一的檢索集號可於同一家族的資料庫間利用FILE 指令互相檢索使用，其目的在檢索同一組性質相屬資料庫的資料，例如：取CLAIMS ™ ／UNITERM 索引查尋之長，佐以CLAIMS ™ ／U.S. PATENTS 收費低廉之利益，以收相輔相成之效。任何一個資料庫的檢索結果均可互相結合在一起，因為各資料庫的資料錄結構一致且有相屬關係，檢索結果亦可於任何檔中給予線上或線外印出。有關此個案之檢索實例如下，小括號部份為加註之說明。

Begin 225，（CLAIMS ™ ／UNITERM資料庫之檔號為225）

```
File 399:CA SEARCH 1967-1987 UD=10702
(Copr. 1987 by the Amer. Chem. Soc.)

      Set  Items  Description
      ---  -----  -----------
? select toxicity/df
      S1   69381  TOXICITY/DF (SEE ?GENERAL)
? select tylenol
      S2       5  TYLENOL
? file 301
       30jul87 15:32:47 User003229
    $1.99    0.019 Hrs File399
    $8.44  Estimated total session cost   0.051 Hrs.

File 301:CHEMNAME(TM) 1967-JUN87 1,802,460 SUBS
(Copr. Dialog Inf.Ser.Inc.1986)

      Set  Items  Description
      ---  -----  -----------
? s sy=tylenol
      S3       1  SY=TYLENOL
? type s3/6
```

```
  3/6/1
    103-90-2 C8H9N02
    Acetamide (9CI), N-(4-hydroxyphenyl)-
    Acetanilide (8CI), 4'-hydroxy-
? file 399
File 399:CA SEARCH 1967-1987 UD=10702
(Copr. 1987 by the Amer. Chem. Soc.)

      Set  Items  Description
      ---  -----  -----------
? display sets
Set   Items  Description
S1    69381  TOXICITY/DF (SEE ?GENERAL)
S2        5  TYLENOL
S3        1  SY=TYLENOL
? select sl and (s2 or rn=103-90-2)
           69381  S1
               5  S2
            3204  RN=103-90-2
      S4     433  S2 AND (S3 OR RN=103-90-2)
```

圖二：FILE指令之檢索實例
(資料來源：Search DIALOG : The Complete Guide, Palo Alto,CA:DIALOG Information Service,1987,Command "FILE".)

Select UT=Artifical Sweeteners（UT代表Uniterm）

S1...

FILE 25（利用FILE 指令，換至File 25，CLAIMS ™ ／U.S. PATENT資料庫，如此可節省連線費。）

Select S1 OR Artificial（W）Sweet？（先前集號S1 可加以使用）

S2...

Type 2／＊／＊（進一步加以印出檢索結果）

【BRS】

1、指令（全稱與縮寫）：..CHANGE（..C）／＊＊＊＊（＊＊＊＊代表四個字母的資料庫代號）。

2、說明與舉例：..CHANGE 或..C 乃告之檢索者系統可以提供檢索者選擇資料庫。例如..C

Enter Data Base Name ：INFO

【ORBIT】

1、指令（全稱與縮寫）：FILE ＊＊＊＊＊（＊＊＊＊＊代表資料庫全名或簡稱）。

2、說明與舉例：

⑴FILE ERIC

⑵若更換資料庫則可採用TFILE加上資料庫代號。

⑶欲回原來的資料庫則採用指令RETURN。

㈡展示索引用語亦即線上索引典的查尋

【DIALOG】

1、指令（全稱與縮寫）：EXPAND（E）⋇⋇⋇（⋇⋇⋇代表基本索引或附加索引）

2、說明與舉例：

⑴可分為基本索引及附加索引兩種展示。

⑵每一個EXPAND 指令可展示12 行依字順排列的索引用語，最左邊為依序的E 號碼，例如：E1、E2..，這些E 號碼不僅標示索引用語，且可作為檢索詞彙，供查尋之用。其右為資料筆數欄，列出每一個索引用語包含的資料筆數。再右則為索引語，而被展示的索引用語則列於第三行，且於左上角標示星號。不論是否有任何資料錄含有此索引用語，換言之，資料筆數為零，該索引用語均會出現在第三行。

例如：？Expand editor

Ref	Items	RT	Index-term
E1	2		Editit
E2	6		Editnet
E3	2033		*Editor
E4	1		Editorial
.	.		.
.	.		.
.	.		.
E9	1642	7	Editors
.	.		.
.	.		.

E12　　65　　Edits

(3)若要檢索展示的索引用語，可以索引用語查尋，亦可以E號碼查尋檢索。例如：? Select Editor 或 ? Select E3。

(4)E 號碼除了可作為檢索外，亦可再加以展示（expand）相關詞彙（related term），如上例Editors 有七筆相關詞彙（RT），則可進一步被展示，其作法為EXPAND加E 號碼或索引用語，例如：E E9或E editors，展示的形式與第一次展示的形式相同，僅E 號碼改為R 號碼，同時多了一欄類形（Type），此欄在說明相關詞彙與索引用語之間的階層結構關係，例如：F（Used For，表替代）, U（Use，表被替代）,N（Narrower term,表較狹義字）, B（Broader term ，表較廣義字），R（Related term，表相關字）。舉例說明如下：

? Expand E9

Ref	Items	Type	RT	Index-term
R1	1642		7	*Edtitors
R2	1829	B	21	System software
R3	44	N	1	Line editors
R4	129	N	1	Program editors
R5	30	N	1	Text editors

(5)R號碼亦可作為檢索之用，例如：Select R1:R5。

(6)展示代表各主題意義的基本索引，例如：Expand Editing，若確知展示的敘述語有相關詞彙，則可直接於該相關詞彙加上小括號給予展示，進而查得該相關詞彙之索引典結構，例如：Expand（Text Editors）。

(7)展示附加索引的作法為EXPAND加上檢索用語，其組成形式為附加索引檔的各欄位字首代號加等號（＝）再加檢索詞彙，例如：E AU＝Williams, M。如此則可查出姓相同，名縮寫相同的所有人名。

(8)欲查下一畫面的索引用語，其指令為PAGE或P。

(9)再回到前一畫面，指令為PAGE-或P-。

3、注意事項：

(1)不可將欄位字尾代號（field suffix code）、截字法、相近運算元（proximity operator）與EXPAND指令共同使用。

(2)EXPAND之後再進行SELECT時則可採用字尾代號限制進行檢索，例如：

Expand（diplomacy）

Ref	Items	Type	RT	Index-term
R1	246		3	Diplomacy
R2	9556	R	5	Foreign Relation

Select（R1 OR R2）／DE, ENG

(3)欲自展示的索引詞彙中以OR的運算子的方式選擇詞彙1、3、5進行檢索，其指令為Select E1, E3, E5。

(4)在作下一個展示指令之前，先前展示的結果應先加以Select查尋，否則無法再回去進行查尋。

【BRS】

1、指令（全稱與縮寫）：ROOT⋇⋇⋇（⋇⋇⋇代表索引用語）。

2、說明與舉例：

(1)ROOT指令類似於ORBIT 系統的截字法。

(2)利用此指令可展示約一百個左右以檢索用語起始的索引用語。

(3)每一個展示的索引詞彙均附隨一個編號，當檢索R 編號時，必須空一格，不可採用逗點，例如：r3 r4 r8-r11。

(4)欲查尋一百個以後的索引用語，其指令為root 加上原來的檢索用語加上展示出來的第100 個索引用語，再加小括號，例如：1-：root educ

1-：root educ（educational／comprehensive）

(5)再次展示的號碼又從1算起，故欲檢索前次展示的索引用語，必須在第二次展示之前著手。

(6)欄位代號可於檢索時加入，例如：r6. ti。

(7)欲查各種新詞彙之同義字、相似詞、反義字及各種變化字，可採用指令FT（Free-Text）。

(8)欲自展示的索引詞彙中以OR 運算子的方式選擇詞彙1、3、5 進行檢索其指令為 r1 r3 r5。

3、注意事項：

(1)不可於欲展示的詞彙之後加任何截字符號，否則該詞彙無法展示。

【ORBIT】

1、指令（全稱與縮寫）：NEIGHBOR（NBR）⋇⋇⋇（⋇⋇⋇代表檢索用語）。

2、說明與舉例：

⑴當一個檢索用語被展示時，系統只顯示五個索引詞彙，被展示的詞彙列於第三位。

⑵查上一頁的指令為UP，查下一頁的指令則要輸入欲查尋的詞彙的編號，例如：

NBR MAINSTREAM

USER：

8（查下一頁）

USER：

UP（查上一頁）

⑶當輸入第二次NERIGHBOR 指令時，前一次展示的索引詞彙的編號仍保留。

⑷展示出來的索引詞彙或編號可直接進行檢索，例如：編號1、3、5 詞彙，進行OR 檢索其指令為SEL 1，3，5。

⑸若欲展示的詞彙設定於某一欄位，則必須在詞彙之後加上斜線再加上欄位代號，例如：NBR MANAGE/OS。

⑹被展示的詞彙可以組成部份的檢索清單（SELECT LIST）。

⑺在檢索清單中顯示出來的詞彙均附有欄位代號。

⑻欲查看檢索清單中的詞彙，其指令為SHOSEL（SHOW SELECT）。

⑼採用PRT SEL （ PRINT SELECT ）指令可於檢索清單中加入新的詞彙，並將前述檢索清單中的各詞彙依序排列。

㈢選取有關資料亦即輸入檢索用語的指令

【DIALOG】

1、指令（全稱與縮寫）：SELECT（S）或　SELECT STEP（SS）＊＊＊（＊＊＊代表檢索用語）。

2、說明與舉例：

⑴基本查尋，SELECT或S，每次只作單一要素的查尋，執行完後系統會給予一集號，並顯示此用語相關的檢索資料筆數（posting），例如：

S　Editor?

S1　2033　Editor?（S1為集號，2033為資料筆數）

⑵逐次查尋，SELECT STEP 或SS，執行完後，每個檢索語均有檢索筆數與集號，便於再使用時參考，例如：

SS　Sun	OR	Solar
S1	2274	Sun
S2	24107	Solar
S3	25208	Sun　OR　Solar

⑶超級查尋（Super Select），基本查尋加上布林邏輯的運算，每次可作兩個以上要素的查尋。例如：

S（Moon OR Lunar）AND Eclipse

⑷當二個檢索用語利用相近運算元連用時，系統視其為一個檢索用語並只顯示一個檢索筆數，例如：

S　Gone（2W）Wind／TI

S1　5　Gone（2W）Wind

⑸集號之間欲進一步以布林邏輯運算元AND加以連接時，

可利用COMBINE（C）指令。執行完後系統會給予一個新的集號。其功能與超級查尋相同。例如：C 5 AND 6 AND 8 AND 10。

⑹集號亦可作為基本查尋或逐次查尋時檢索用語。

⑺除了LOGOFF外每個指令均可串連檢索，各指令之間以分號（；）方式分開，一次最多可以有98個集號。

3、注意事項：

⑴COMBINE指令只可用於集號之間的連結，不可用於檢索用語的連結，例如：C 1 AND 2 AND 3

⑵使用集號作為查尋用語時，必須注意集號之前加上S，例如：S S1 AND Moon

【BRS】

1、指令（全稱與縮寫）：..SEARCH（..S）

2、說明與舉例：

⑴BRS只要開機後系統隨時都在預備檢索畫面。

⑵若前次檢索結果都不印出，則必須鍵入..S 指令再回到預備檢索畫面。

⑶除非採用..SET DETAIL＝ON 指令，否則檢索用語不會顯示檢索筆數，該指令為暫時性，欲即時消除可採用..SET DETAIL＝ OFF 指令。檢索結果每個檢索用語，包括各種截字變化的檢索用語，均會顯示檢索筆數，但是集號只有一個。

⑷數字均為系統設定集號使用，故應避免與集號的數字混淆，應以數字加上單引號以區分之，例如：′5′。

⑸檢索用語含有小括號（（））時，應以短線（－）取代。

⑹除了..PG Qnnnn，所有指令均可串連檢索。

⑺執行串連檢索時，區分各指令的代號為斜線（／）。例如：Education／Comprehensive。

⑻當檢索本身含有斜線時，例如：Comprehensive／Library則可採..SET STACK＝SYMBOL的指令，其中SYMBOL為檢索者自訂的符號，例如：..SET STACK ＝ ⋈ 如此可將上例Comprehensive／Library改為Comprehensive ⋈Library。

【ORBIT】

1、指令（全稱與縮寫）：FIND（FD）。

2、說明與舉例：

⑴一如BRS,ORBIT系統隨時都在預備檢索畫面。

⑵檢索用語若與檢索指令相同，則將該檢索用語以單引號區分之，例如：FD 'FILE'。

⑶除非採用AUDIT指令，每個檢索用語都不顯示檢索筆數。該指令一旦使用之後，則持續執行直到再下AUDITOFF指令後才停止。AUDIT 指令只顯示檢索筆數，不產生個別的集號。

⑷檢索用語若含有相近運算元，使用AUDIT 指令之後，每個個別的檢索用語均有一個檢索筆數，但集號則只有一個。

⑸避免數字與集號混淆，檢索用語若含有數字則以數字加上單引號以區分之；例如：'5'。

⑹檢索用語本身含有小括號，則應加上單引號，以區別之，例如：'composition（literary）' 若該檢索用語有欄位設定檢索則於／字尾代號之前必須空一格。

⑺如同DIALOG 系統，執行串連檢索以分號（；）區分各指

令，一次最多可以有60 個檢索敘述。

㈣**布林邏輯運算元**（Boolean logic operator）

1、DIALOG、BRS 及ORBIT三個系統均有布林邏輯運算功能。檢索者可隨意組合問題。布林邏輯運算元有AND、OR、NOT三種。AND 結果，得到兩組要素的交集，使得找出的資料範圍縮小。OR 結果，得到兩組要素的聯集，使得找出的資料範圍加大。NOT 結果，將某些不需要的要素剔除，使得找出的結果更為精確。

2、當一串指令中有各種布林邏輯運算元混合使用時，則以小括號方式將各主題相關之檢索用語先行組合運算。例如：Nuclear AND （ Energy OR Power ）AND（ Weapon OR Warfare）。

3、小括號內的檢索用語先運算，再與括號外的檢索用語運算。

4、截字法檢索亦為一種OR 的關係。

5、三個系統中唯獨BRS略有不同。

6、BRS 多了一個XOR 的運算子，該運算子可以檢索 XOR 左邊或右邊的檢索用語，而不能檢索同時含XOR 左右兩邊檢索語的文獻。

7、BRS 系統設定檢索用語之間以空格取代OR 的關係。設若先前已有一布林邏輯運算子，則其後各檢索用語的關係就一如先前的運算子。例如：

1）Dog Puppy Cat Kitten，該檢索敘述各檢索用語之間為OR的關係。

2) Dog AND Puppy　Cat　Kitten，該檢索敘述各檢索用語之間為AND的關係。

㈤**位置運算元**(positional operator) **或稱相近運算元**(proximity operator)

【 DIALOG 】

1、指令：W、nW、N、L、S、F 等。

2、說明與舉例：

(1)相近運算元乃一種AND的應用，其目的在限制檢索用語之間的位置關係。

(2)W 為With 運算元，其功用在限定二個檢索用語必須連在一起，且前後次序不可顛倒，以避免找出不相關的資料，例如：Select Lunar (w) Eclipse 或Select Lunar (　) Eclipse，如此eclipse lunar的索引用語就不會被檢索出來。

(3)nW 在限制二個檢索用語中間可加入n 個字，然檢索用語的前後順序仍不可變換，此運算元最適用於一個含有停用字(stop word) 的檢索用語。例如：State of the Art，其檢索指令為Select State (2w) Art。

(4)N 為Near運算元，其功用在限制二個檢索用語必須相連，但前後順序可變換。例如：檢索economic recovery 或recovery of the economy，則可採用指令為Select Econom ? (2n) Recovery，此運算元適合檢索二個相同檢索用語，結合而成的複合檢索語，比方Door to Door 的指令為Select door (1n) door；又如Protein-Protein 的指令為Select Protein (n) Protein。

(5)L 為Link 運算元，其主要目的在限制檢索用語必須在敘述語（descriptor）欄位中出現，在許多資料庫中主要作為連接主標題與副標題之用，例如：檢索敘述語Gold 與其副標題Adverse Effects，指令為Select Gold（L）Adverse Effectss, 檢索結果為：

Descriptors ：*Gold --Adverse Effects.--AE。

(6)S 為 Subfield 運算元，其功用在限制檢索用語必須在同一次欄位出現。每個資料庫對於次欄位各有定義。宜參考各資料庫的使用手冊的規定。例如：檢索Color 與Pigment 在次題名（subtitle）欄位中出現，其指令為Select Color (S)Pigment。

(7)F 為Field 運算元，其功用在限制檢索用語必須在同一欄位中出現。例如：檢索pollution 與control 兩個檢索用語必須在同一欄位出現，不限其前後順序與位置，其指令為Select Pollution（F）Control。檢索結果的題名為Control and Management of Industrial Pollution。

【BRS】

1、指令：Adj、With 與Same。

2、說明與舉例：

(1)Adj 運算元表示檢索用語必須依一定的次序相連一起。

(2)With 運算元表示檢索用語必須在同一個句子，但次序不定。

(3)Same 運算元表示檢索用語必須在同一個欄位，但次序不定。

(4)BRS 系統規定的停用字多達70 個左右，包括有代名詞，介繫詞，連接詞以及一些動詞三態，這些停用字未收入在索引檔，故BRS較不需考慮這些停用字，換言之，不須像DIALOG有兩個檢索用語中間可插入一些停用字的設計，而直接將檢索用語連用即可，例如：檢索主題為Solar Heat 或Solar Energy，其指令為Solar adj (Heat Energy)。

【ORBIT】

1、指令：( )，Adj、N、F、L、S、C。

2、說明與舉例：

(1)Adj運算元表示各檢索用語之間必須以一特定次序相連。

(2)N運算元表示二個檢索用語中間可插入n個字，然次序不限制。

(3)F運算元表示檢索用語必須在同一個欄位，次序不限制。

(4)L運算元表示檢索用語必須在同一個次欄位，次序不限制。

(5)S運算元表示檢索用語必須在同一個句子，次序不限制。

(6)C運算元的作用相當於布林邏輯運算元AND。

(7)例如：檢索主題為Solar Heat 或Solar Energy，其指令為：Solar ( ) (Heat or Energy)。

(六)**截字法** (truncation)

若要檢索一個字的不同形式，如單複數、動詞的過去式與現在式，則可使用截字法。截字功能含OR的邏輯意義。

【DIALOG】

1、指令：問號 (?)。

2、說明與舉例：

⑴於所欲省略字母之位址加上一個或一個以上的問號（？）。

⑵截字法分為開放式（open truncation）與限制式（restricted truncation）二種。

⑶所謂開放式截字法為在字根之後加上一個問號，則可檢索出與此字根相同的所有的字。例如：？Select Librar？，將檢索出Library、Librarian、Librarians與Libraries等。

⑷所謂限制式截字法，為當欲省略n個字母則以n個問號表示，其後加一個空白，再以一問號表示省略字母數之終止；例如：？Select Cand??? ？，將檢索出Candies與Candied。

⑸檢索某一特定的單複數形式，例如：？Select Cat？ ？，將檢索到Cat與Cats。

⑹字中截字法，目的在檢索中間字母有變化的詞彙。例如：？ Select Wom？n，將檢索到woman與women。

3、注意事項：

⑴避免使用字根過短的截字法，否則將檢索到許多字首相同卻不相同的字。例如：？Select Cat？將檢索到Cat、Catalog、Catastrophe與Cathedral等字。

⑵同一個字有不同拼法，若字母數不同，例如：color與colour，則不可採用字中截字法（embedded truncation）。只可適用於字母數相同者，如theater與theatre。DIALOG系統頂多檢索二萬個索引款目，若超過二萬個，系統會顯示信息告之最後處理的索引用語，並根據前二千筆給予一個集號，換言之，該集號並不代表該檢索詞彙的完整檢索。

⑶利用EXPAND 指令所展示相關的索引用語，不可利用截字法來檢索。

⑷DIALOG 系統無左截法（left truncation）。

【ORBIT】

1、指令：冒號（：）與井號（#）。

2、說明與舉例：

⑴冒號（：）表示無限制的截字，可檢索字中變化或字右變化。例如：lab：r 將檢索到labor、loabour與laborer 等。

⑵左截法只有少數幾個資料庫可用。

⑶井號（#）適用於一個字的字尾變化，可同時採用多個#字符號，n 個 # 字符號表示字尾最多可變化n 個字母，例如：cher### 表示字尾可以有一個字母變化或二個字母變化或三個字母變化。#號亦適用於字中截字法，其目的在取代另一個字母。例如：wom # n。

⑷若有超過一個索引用語滿足截字指令的要求，則系統會顯示一個MM（Multi-meaning Message）信息，並顯示出這些索引用語，同時於索引用語左邊列出號碼，這些索引用語可全部採用、部份採用或不採用，被選擇採用的詞彙是以OR 的關係加以組合，例如：MM（wom#n）⑵

1. 13 Woman／BI

2. 19 Women／BI

⑸要停止MM該指令可以按Break鍵或輸入ALL（或NONE）指令，再按return鍵。

⑹若MM 列出詞彙超過30 個，系統會將符合截字指令的所有

詞彙的數目顯示出來，檢索者可以進一步選擇全部或停止。例如：

PROG：

MM（Cat:）　　（34）

All OR None　？

⑺若超過920個索引用語，則系統會出現一個「錯誤」的信息，告之檢索者該截字法太過於廣泛。

【BRS】

1、指令：$

2、說明與舉例：

⑴以錢記號（$）表示字尾可以無限制的變化。

⑵若超過100個索引用語，系統會告之檢索者最後處理的字以及全部合乎需求的資料筆數。例如：

1.----：educ $

E1417 More than 100 terms for educ $

Last term processed was education／comprehensive

⑶有限制的截字法，其指令為$加上欲變化的字母數目，例如：

------：Cat $ 1

⑷截字檢索結果會以類似於ROOT的形式加以展示出來。例如：

1.-----：Adjust $

Adjst　　3　　Document

Adjusted	3	Document
Adjusting	1	Document
Adjustment	45	Document

㈦查看檢索結果

【DIALOG】

1、指令（全稱或縮寫）：

⑴線上印出TYPE（T）

⑵線上展示DISPLAY 集號／印出格式代號／印出資料編號.

⑶線外印出PRINT（P）

2、說明與舉例：

⑴系統設定印出格式

⒜系統設定的印出格式，就書目資料庫而言有八種，名錄資料庫有九種，數字資料庫有十種。每一種格式包括的資料欄位均不相同，各資料庫印出格式亦有出入，檢索前宜先查閱各資料庫使用手冊的規定，同時每一種印出格式設計費亦不相同。茲以書目資料庫介紹如下。八種設定格式分別為：格式1，只印出資料的登錄號；格式2，除摘要外，資料錄所含各項資料均印出；格式3，書目資料，包括題名、作者、資料出處等；格式4，摘要及題名；格式5，完整的資料錄；格式6，題名；格式7，書目資料及摘要；格式8，題名及索引用語。

⒝若未指明印出資料錄的編號，例如：T　2／6，系統則印出第一筆資料錄，亦即最近入檔的那筆資料。

⒞若以格式1印出而未指明出資料的編號，系統自動印出

84個登錄號。

(d)若未指明印出資料的格式，系統會自動設定為格式2。

(2)讀者自行設定印出格式

(a)讀者可根據自己的需求重新設計印出的格式，此功能稱為UDF（User-Defined-Formats），有關此特性可查藍色說明書（Blue Sheet）中，選擇印出（Output-option）部分或利用? FIELD n, n 代表資料庫編號，指令由線上查知。再且亦可利用? UDF 指令由線上查知 DIALOG 系統中有此功能的資料庫有那些？其作法有二種：

①利用TYPE，DISPLAY 或PRINT 指令將欲印出的欄位代號，如TI 代表題名（title），PD代表出版日期（publication date），SH 代表段落標題（section heading）等，依次列出，位置可任意安排，以取代由系統設定印出格式的位置，各代號間以逗點隔開。其指令為? TYPE S2/TI, PD, SH/9。

②UDF可與系統設定的印出格式合併使用，例如：將敘述語欄位代號（descriptor）加在系統設定印出書目資料之格式3之後，其次序可任意安排。其指令為TYPE S2／3, DE／9

(b)每個資料庫所提供的印出欄位及各欄位的代號，各有不同，唯獨資料來源SO（Publication Source）、DIALOG 登錄號AN（accession number）、資料庫名稱與收錄資料年代FN（File Name）及出版日期PY（Publication Year）等四個欄位各資料庫均有。

(c)讀者欲獲知UDF的全部費用，輸入COST指令即可，其格式代號為82-89以便與系統設定的格式代號2-9相對應，並採最低的收費標準。換言之，格式82與格式2的收費相同。

(3)加註欄位代號印出結果—TAG功能

(a)DIALOG系統印出的資料錄是以段落形式敘述，類似於一般書目資料的注錄方式，許多較短的欄位，可能會合在一起印在同一行，故若採UDF的方法時，可於印出結果指令之後加限定語「TAG」以區別之，亦即每一個欄位另起新行，並印出欄位代號＋短橫線＋空白，其指令與格式如下所示：

? Type S1／5／1 TAG

1／5／1

AN-<DIALOG> 1817072

AU-Price ,N. ¬Flatley, J. |

SO-<JN> J.Inf. & Image Manage（USA）|

SO-<VO> vol.19, no.10 |

LA- ENGLISH |

CC-C5320E ¬C7130 ‖

每一個欄位結束時均附一條短直線，每一筆資料錄最後一個欄位則為雙條短直線表示一個資料錄的結束。一個欄位若有多個次欄位，例如：作者及敘述語，則每個次欄位以 ¬符號區分。有些欄位除了主要代號外尚有次代號，並以箭頭括號＜　＞區分之，例如：資料來源欄 SO，另有＜JN＞表示期刊名稱（Journal

Name)。

(b)TAG 指令只可於有UDF 功能的資料庫中與TYPE，DISPLAY 及PRINT 等指令合併使用。使用此指令印出結果時，必須輸入全部有關的斜線與系統設定檢索格式不同。例如：以格式2印出集號S4的第一筆資料時的指令可以簡單為TYPE S4，但若要印出TAG 則指令必須是TYPE S4//TAG。

(4)省略印出每一筆資料錄的標頭─NOHEADER

(a)另外一個可與印出結果指令共同使用的限定語為NOHEADER，此功能在於省略印出每一筆資料錄的標頭(HEADER)，標頭內容為集號、格式代號，印出資料筆數，同時可以除去每一筆資料錄之間的空行，最大好處是可以很快速的在一組印出的資料錄中檢閱某一特定的欄位。NOHEADER 可以單獨使用亦可與TAG同時使用，可用於系統設定的格式，亦可用於UDF，其作法為TYPE 等指令之後加上NOHEADER。舉例說明如下，小括號部份為加註說明。

? Type S1/CO, CD/1-2 TAG（UDF加上TAG之印出指令）

1/CO, CD/1（標頭）

CO-Japan Aircraft MFG CD LTD |（公司名稱）

CD-861101 ‖（合約日期）

1/CO, CD/2（標頭）

CO-Japan Aircraft MFG CD LTD |（公司名稱）

CD-861101 ‖

若印出資料欄位代號，但去除每一筆資料錄標頭（Noheader

with TAG）則印出形式如下：

? Type S1/TI / 1-2 TAG NOHEADER

TI-Separation of bovine.... ‖

TI-Feed supplemenct for lectating ‖

(5)顯現關鍵字功能—KWIC（Key-Word-In-Context）

第三個與印出結果共同使用的限定語為KWIC，其功用在於僅顯示資料錄中含有檢索用語或稱關鍵語的欄位，這些欄位大都為題名、敘述語或摘要，以提供檢索者加以判斷其相關性。在TYPE 的指令後加上KWIC 或K 系統會顯示以關鍵字為中心之前後30 個詞彙的區域的敘述，其餘部份則以省略符號（...）替代。目前 DIALOG 系統的KWIC 功能只可使用於 TYPE 及DISPLAY 兩種指令。例如：

? TYPE S1/KWIC/1 或　TYPE S1/K/1

1/KWIC/1

Situational social problem-solving skills and self-esteem of aggressive and nonaggressive boys...

KWIC 可與系統設定印出格式一併使用，例如：TYPE S1/3, K/1，如此不但可以書目資料的形式印出檢索結果，亦可查核資料錄相關欄位中是否有檢索用語出現。

另外KWIC 亦可與UDF 共同使用，例如：? TYPE S1/TI, PY, K/1-3 則可查看在題名、出版年兩個欄位是否含有關鍵字。

(6)重點強調功能—HIGHLIGHT，此特性專為全文資料庫而設計，其目的在顯現檢索用語於正文中出現的位置，以便迅速的檢索到。隨著各種終端機或個人電腦的特性，可以加強亮度，倒置檢索用語，或以星號包圍起來等方式將檢索用語給予特別強調。事實上highlight 的功能與KWIC 功能相若，故採用此指令則可不必使用KWIC 指令。Highlight 指令為 Set Highlight On或Set HI On，若想以特別符號加強檢索用語的部份則其指令為 Set HI ⋈，⋈乃符號形式，例如：

? Set Hi @

HIGHLIGHT Set on as '@'

? Type S1/K/6

1/K/6

Text：

...industry source, to oversee a planned drive to accdlarate reserach of @gene-splicing@products...

(7)排序檢索結果功能—SORT

(a)此功能可將某一特定欄位內的資料以某種順序加以排列後再行印出，例如：依作者、公司名稱、城市名稱、刊名等的字母順序，或依出版年代先後次序，或依銷售金額、專利號碼的大小等排列。若檢索結果未加以SORT指令作業，則完全依入檔的資料錄的先後次序排列出登錄號，例如：資料庫第一筆資料於1960年入檔其編號為00001 ， 1990 年12 月入檔的資料錄其編號為037814，換言之，完全依相反的次序印出結果，亦即先印出1990 年入檔的資料再印出1989 年入檔的資料,以下類推。

(b)排序方式主要分為由小到大（ascending order），及由大到小（descending order）二種。所謂由小到大就文字排列而言是指A 到Z，就數字而言是由1-9，反之即為由大到小的排列。其指令為SORT S3 / 1-3 / AU，TI。其中S3代表集號，1-3代表要排序的資料筆數，AU與TI為欄位代號，代表Author與Title。

(c)檢索時若未指明排列的順序，系統自動設定為由小到大的形式，如上面指令，印出結果乃依作者字母順序由A 到Z 排列。若要採由大到小的形式，則必須於AU之後加D 。

(d)可同時數個欄位一齊排序，各欄位代號以逗點區隔。

(8)以表格形式印出—REPORT

REPORT 功用在將檢索結果重新安排而以表格的形式印出，故可用來製作各種表格清單，例如：依銷售量的多少列印各公司的清單，欲查知那些資料庫具有此項功能可使用?REPORT 指令。通常每一筆資料錄的各個欄位幾乎都可作為REPORT 的對象，例如：公司名稱、工業標準分類號、城鎮、都市、州、國、電話號碼、郵遞區號、銷售金額、員工人數、執行者或股票交易金額等。REPORT指令較常使用於名錄與數字資料庫，使用REPORT功能時應先決定欲採用的欄位及其代號，再將資料加以排序（SORT），最後給予制定指令。其指令為　REPORT S2/ CO,CY,ST,TE/ALL.

印出結果如下：

COMPANY	CITY	STATE	TEL NUMBER
Alexander & Baldwin Inc.	Puunene	HI	808-877-0081
American Sweeteners Inc.	Malvern	PA	215-644-0880
Beatrice Foods Co.	Clyman	WI	414-696-3331
Caire & Graugnard	Edgard	LA	504-497-3351

.

.

.

【ORBIT】

1、指令名稱：PRT

2、說明與舉例：

⑴ORBIT 系統提供三種標準的印出格式，此乃線上系統中最具彈性的作法。

⑵標準格式為:

(a)PRT（PRINT）：系統主動設定給最後一個檢索集組（SET）印出內容計有集號、檢索資料筆數及五筆書目資料。

(b)PRT TR（TRIAL）：系統主動設定給最後一個集組，印出內容只有兩筆資料的主題欄位，該印出格式通常是免費的。

(c)PRT FU（FULL）：系統主動設定給最後一個檢索集組，印出內容只有一筆完整資料錄。

⑶可於此三種標準格式指令加入include字樣以印出特定的欄位，例如：PRT include IT則印出包含索引用語的五筆書目資料。

⑷亦可於此三種標準格式刪除某特定欄位，其作法為加入exclude 字樣，例如：PRT FU exclude CC 則印出除了類別代號欄位外之完整資料錄。

⑸若欲印出前面的檢索集組，則必須加上集號，例如：

PRT　SS6（PRT之後必須空一格，S6為集號）。

⑹若欲印出指定的資料則必須於集號後加一短橫線，再加上

資料錄編號。例如：PRT　SS6 —7（SS6之後必須空一格，再加一短橫線，7為第7筆資料）。

⑺若欲指定資料欄位印出，必須加上欄位代號，例如：

PRT　SS6　TI　10（SS6之後必須空一格，TI為欄位代號，代表Title, TI之後再空一格，10為前十筆資料）

⑻可指定多個欄位同時印出，欄位代號之間以逗點區隔。例如：PRT SS6　TI, IT　10（TI與IT均為欄位代號，TI代表Title，IT代表Index Term;TI與IT之間以逗點區隔，IT之後必須空一格；10為前十筆資料）。

⑼若欲印出欄位代號則可加入indented字樣。例如：

PRT indented

Accession Number　　　82-008023

Title　　　.........

Authors　　　.........

【BRS】

1、指令：..P（Print）

2、說明與舉例：

⑴可於任何檢索過程中輸入print指令，系統自動設定為最後一個檢索集組。

⑵若欲節省時間或印出前一個集組則可將print指令一次輸入。例如：

..　P　集號　欄位代號／資料筆數。

⑶若該集組所含的資料筆數較要求印出的多，則可採return

鍵，系統就會顯示下一筆資料。

㈧儲存檢索過程

【DIALOG】

1、指令：⑴SAVE，永久儲存；

⑵SAVETEMP，暫時儲存；

⑶SAVESDI，提供SDI服務。

2、說明與舉例：

⑴儲存檢索過程以備檢索另一個資料庫，或其他時間再次檢索同一資料庫使用，任何資料庫均具此功能。

⑵在建立最後的檢索集號之後，採用SAVE TEMP指令，如此系統將所有的檢索指令指定一個編號（serial number）並免費儲存七天，serial number以字母T開始。

⑶七天之內如欲再執行儲存的檢索過程則使用指令：

(a)Execute（.EX）加上serial number

(b)Execute Steps（.EXS）加上serial number該指令一如select steps乃逐步執行每一個檢索過程，每一個執行步驟產生一個集號。

⑷若欲永久儲存檢索過程則採用SAVE指令，這時的serial number以字母S起首。當資料庫更新資料時，系統自動將已儲存的檢索過程即時執行一次。

⑸利用SAVE SDI指令提供專題資訊選粹服務（Selective Dissemination of Information－SDI），並將結果即時送出，檢索

者可於當天收到結果。執行SAVE SDI指令，系統亦會指定一個以字母D起首的serial number。

⑹若欲檢查以前儲存的檢索過程則採用RECALL指令，再加上serial number即可，其方式有下列數種：

(a).RECALL TEMPS（展示暫存的Serial number），

(b).RECALL SAVES（展示永久儲存的Serial number），

(c).RECALL TEMPS DETAIL（展示暫存的各項檢索過程），

(d).RECALL SAVES DETAIL（展示永久儲存的各項檢索過程）。

⑺消除儲存的檢索過程

(a)暫時儲存的檢索過程，系統於七天後自動消除，

(b)永久儲存的檢索過程，必須先輸入.RECALL指令，再下達.RELEASE指令，方可消除。

⑻舉例說明如下，小括號部份為加註說明。

? Begin 154（啟用MEDLINE資料庫，檔號為154）

? SAVE TEMP（暫存檢索過程指令）

Temp Search-Save "TC048" stored（TC048乃系統指定的Serial number，以字母T起始）

? SAVE（永久儲存檢索過程）

Search-Save "SA036" stored（SA036乃系統指定的 Serial number，以字母S起始）

? Begin 151（更換檢索Health Planning and Adminstration資料庫，檔號為151）

? Execute TC048（執行暫存的前一個資料庫之檢索過程）

? Execute STEPS SA036（逐步執行永久儲存的每一個檢索過程）

? SAVE SDI（儲存SDI服務的檢索過程）

SDI Search-Save ”DC013” stored（DC013乃系統指定的Serial number，以字母D起始）。

【ORBIT】

1、指令：⑴SAVE＋代號（暫時儲存）

⑵STORE＋代號（永久儲存）

2、說明與舉例：

⑴暫時儲存者，系統會於一定時間內消除；永久儲存者，必須由檢索者給予消除。

⑵代號由檢索者自行設定，最多不得超過26個字母。

⑶任何一個資料庫均具有此功能。

⑷再執行時的指令為：

ⓐRECALL＋代號（執行並消除前項儲存的檢索過程）

ⓑ代號／SS（系統會指定最後一個檢索敘述的集號及檢索資料庫筆數；可利用此方法將前項儲存的檢索過程給予再連結運算，例如：代號／SS　AND　代號／SS。

⑸檢索前項儲存的檢索過程

ⓐSHO（SHOW SEARCH）（列出前項儲存之檢索過程的代號）

ⓑSHO HIS（SHOW SEARCH HISTORY）（逐步列出前項儲存之檢索過程）

⑹消除儲存的檢索過程

(a)暫時儲存的檢索過程由系統自動消除，

(b)永久儲存的檢索過程消除的指令為PURGE＋代號。

【BRS】

1、指令：⑴..SV＋代號（暫時儲存），

⑵ ..SV ＋ PS（ 代 號）（ 永 久 儲 存， PS 表 示 permanent store）。

2、說明與舉例：

⑴代號由檢索者指定，由四個文數字組成，其中至少有一個字母，若代號已被採用，系統會顯示一錯誤訊息。

⑵任何一個資料庫均具有此功能，唯再次執行時必須重新輸入第一個檢索敘述。

⑶再執行指令為..E, E代表Execute。

(a)..E＋代號（暫時儲存），

(b)..E＋PS（代號）（永久儲存）。

⑷檢查前項檢索結果之指令為..D, D代表Display。

(a)查看使用的代號

①..D＋Type（TS）（暫時儲存），

②..D＋Type（PS）（永久儲存）。

(b)查看使用的檢索敘述：

①..D＋代號（暫時儲存），

②..D PS（代號）（永久儲存）。

⑸消除儲存的檢索過程

(a)暫時儲存由系統自動消除，

(b)永久儲存的指令為..PG，PG代表purge。

(九)設定欄位檢索

【DIALOG】

1、指令：(1)基本索引檔，檢索用語／欄位代號

(2)附加索引檔，欄位代號＝檢索用語

2、說明與舉例：

(1)基本索引

(a)若檢索之主題用語未設定欄位檢索，則系統檢索基本索引檔。

(b)基本索引檔中的欄位代號是由二個字母組成，例如：TI代表Title，DE代表Descriptor。每一個資料庫製定的欄位代號各不相同，使用前務必詳閱資料庫使用手冊的說明。

(c)最主要代表主題意識的欄位為敘述語，該欄位大都採控制詞彙的方式編製索引用語，有些資料庫如ERIC，則有另一組索引用語，稱為識別語（identifier—ID），識別語則採自然語言的索引法，除此之外尚有完全敘述語（full descriptor—DF）及完全識別語（full identifier—IF）。

(d)基本索引欄位的設定檢索可與截字法及相近運算元一起使用，系統視二個連結在一起的字為一個字，例如：S Automobile（w）Tire／TI。

(e)基本索引檔可分單一字彙索引法、複合語索引法及單一字彙與複合語混合索引法三種。單一字彙索引法可適用於各種基

本索引檔的欄位，如題名、摘要、敘述語及識別語。複合語索引法則只適用於敘述語與識別語二個欄位而已。通常在此情況下往往不限制索引用語是在那一個欄位出現。換言之，該二個欄位均進行檢索。

(f)敘述語欄位一般包括單一字彙與複合語二種索引法，故每一個單一字彙將被做成索引用語，同時每一個複合語（二個以上單一字彙組成）也將被做成索引用語，如此則可能一個單一字彙被索引二次，一次是單一字彙索引，一次是複合語索引。故有些資料庫將欄位代號加以進一步區分，比方將敘述語再分為完全敘述語。例如：要檢索children這個敘述語，應以完全敘述語欄位設定檢索，其指令為S Children／DF。若只以敘述語欄位設定檢索，其指令為S Children／DE則會檢索到children及 autistic children二個索引用語，換言之，即檢索到所有含有children這個字的全部敘述語。

(g)基本索引可同時多個欄位限制檢索，其指令為：檢索用語／欄位代號, 欄位代號, 欄位代號。逗點代表OR的意思，該檢索指令包括逗點, 最多不得超過40個字母，例如：

S Thesaurus／TI, DE, ID。

(h)基本索引可將二個以上檢索用語以邏輯運算連結，再進行欄位限制檢索，例如：

S（Online and Thesaurus）／TI, DE

(i)基本索引亦可以先前檢索所建立的集號,進行欄位限制檢索，例如：S S1／TI, DE

(2)附加索引

(a)若檢索非主題索引，亦即附加索引，則檢索指令為欄位代號＝檢索用語，例如：

S JN＝Health,（JN乃刊名代號）。

(b)附加索引若屬單一字彙索引法,則其欄位設定檢索的方法為：可同時輸入一個以上的檢索用語，這些檢索用語可以布林邏輯運算元或相近運算元相連結，而欄位代號只要一個就可以，但必須以括號區別各獨立的概念,或不加括號但在每個字之前加欄位代號，例如：

S CS＝（General（w）Electric and Potland）

或S CS＝General（w）CS＝Electric and CS＝Potland

(c)附加索引若屬複合語索引法，則輸入的檢索用語必須與資料庫資料的注錄形式完全相同，包括標點符號與空格,才可檢索到。例如：S CS＝Potland General Electric Company

(d)附加索引可同時多個欄位限制檢索，但最多不得超過七個，各欄位代號之間以逗點分開。逗點代表OR的意思，例如：

S SC，PC＝7337，SC（Standard Industrial Classification Code）,PC（Product Code）代表產品號　代表標準工業分類號。

(3)檢索敘述字尾限制檢索

(a)此功能可用於基本索引與附加索引欄位限制檢索外，再加上其他的限制加以檢索。有關此類的限制檢索可查每個資料庫的 Blue Sheet 的‘Limiting’專欄部份的說明。例如：查尋Thesaurus這個檢索用語出現在title與descriptor兩欄位，且查得的資料必須限英文撰寫，其指令為：S Thesaurus／TI, DE, ENG該檢索敘述包括逗點最多不得超過40個字母，其中限制檢索代號

eng與ti及de之間的關係為AND。

⒝除語言限制，另外還有其他多種限制，例如：年代、登錄號範圍與資料類型等。

【ORBIT】

1、若檢索用語未設定，系統僅檢索基本索引。

2、不管資料庫製作者提供的索引用語有幾組，ORBIT僅提供一組索引用語作檢索，稱為索引詞彙欄。

3、有第二組索引用語的資料庫，可利用展示（display）指令，列出輔助索引語的記號。

4、複合語索引可分成若干單一詞彙，檢索時必須以欄位代號IT（index term）加以限制檢索。

5、非主題索引必須使用欄位代號限制檢索，可多個欄位同時檢索，各欄位代號以逗點區隔。

6、可於各種檢索指令之前先限制，其指令為SUBS（Sub headings）＋欄位代號。例如：

USER：

Subs Au（限制作者欄位檢索）

USER：

All Smith, John M（所有Smith, John M的作者）

1.　　8（PSTN）（集號1檢索到8筆資料）

USER：

Subs Add, JC（另加期刊刊名限制檢索）

USER：

1　AND Scientific American

（於Scientific American期刊上發表文章的作者Smith，John M）

2　2（PSTN）（集號2，檢索到2筆資料）

7、消除SUBS之指令為SUB Cancel。

【BRS】

1、指令：索引用語.欄位代號.

2、說明與舉例：

⑴所有索引用語，包括主題與非主題索引，例如：作者檔，均收錄在一個字典檔，每個欄位都可限制檢索。

⑵限制檢索欄位若超過一個，欄位代號之間加上逗點，最後一個欄位代號之後加上句點。例如：Thesaurus. TI, DE.（其中thesaurus為索引用語，索引用語之後必須加上句點，TI與DE分別為Title與Deseriptor的欄位代號，兩者之間以逗點區隔，DE之後遇必須加句點）。

⑶作為主題檢索的索引用語欄位代號為DE（descriptor）與ID（identifier）。

⑷若為複合語索引則將複合語拆開以單一字彙處理，檢索時於字與字之間加上短線（-）。

⑸集號亦可加以限制檢索，例如：

1_：Cat or Dog

Result 20

2_：1. TI　.（1為集號，1之後加上句點，TI為Title之欄位

代號, TI之後再加句點）

⑹若檢索用語以小括號加以OR運算，亦可進行欄位限制檢索，例如：

（Cat Dog）. TI.（Cat 與Dog為檢索用語，小括號之後加句點，TI為欄位代號，TI之後再加句點）。

⑺BRS提供反限制檢索，指令為欄位代號前加上兩個句點，例如：

1_：Dog .. TI.（Dog為檢索用語，TI為欄位代號，TI之前加二個句點，TI之後加一個句點）

如此將檢索到所有與dog有關的資料，但限制‘dog’該檢索用語不得於title欄位出現。

三、結　　語

檢索指令乃檢索者與線上系統溝通之語言。各線上系統為了發揮其強大的檢索功能，莫不使出渾身解數，設計出複雜多變的檢索指令，檢索世界頓成一片混亂，致使檢索者無所適從。所幸「萬變不離其宗」，線上檢索之基本功能，各大系統均大同小異，指令代號雖不同，然其代表的實質意義卻相彷。故檢索者在熟悉DIALOG，BRS及ORBIT三大系統之檢索指令後，必可舉一反三，再進行其他線上系統的檢索，自是駕輕就熟。

參考書目

1. DIALOG Information Services, Searching DIALOG: The Complete Guide, Part 8: DIALOG Commands, Palo Alto, CA: DIALOG Information Services, 1987.
2. Klingensmith, Patricia J., and Duncan, Elizabeth E., Easy Access to DIALOG, ORBIT, and BRS, New York: Marcel Dekker, 1984.
3. ORBIT Search Service, ORBIT Search Service: User Guide, McLean, Maxwell Online, Inc., 1989.
4. Palmer, Roger C., Online Reference and Information Retrieval, 2nd ed., Littleton, CO: Libraries Unlimited, 1987, chapter 9, pp.62–73.

第十二章　檢索策略

一、導　言

檢索策略在資訊檢索領域中有各種不同的解釋。有人認為制定檢索指令是檢索策略；有人認為檢索進行中系統的某些動作反應是檢索策略；亦有人認為檢索策略是線上檢索的一種戰術應用，實指達成線上檢索目的的全盤計劃，其中包括參考晤談；制定檢索目標符合高回現率、高精確率或二者兼顧；確認問題各主題層面、各層面間的關係以及代表各主題層面的全部概念用語；選定單一字彙、複合語、敘述語、識別語或其他欄位以進行控制詞彙或自然語言的檢索；將各主題層面檢索到的集號以AND、OR、NOT邏輯關係作可能的組合運算；修訂上面的檢索模式；以線上系統規定的指令語言撰寫檢索敘述；開機並輸入各檢索敘述；評估初步獲得結果；再重複修正等項工作❶、❷。本章只針對如何分析檢索問題所具有的各種特性、臆測其應屬的主題層面以及各主題層面之間的關係加以探討。通常此檢索策略的擬定在制訂檢索敘述（search statement），該檢索敘述可以擴大亦可以縮小，通常較保守的作法是採取階層結構法，例如下圖所示：

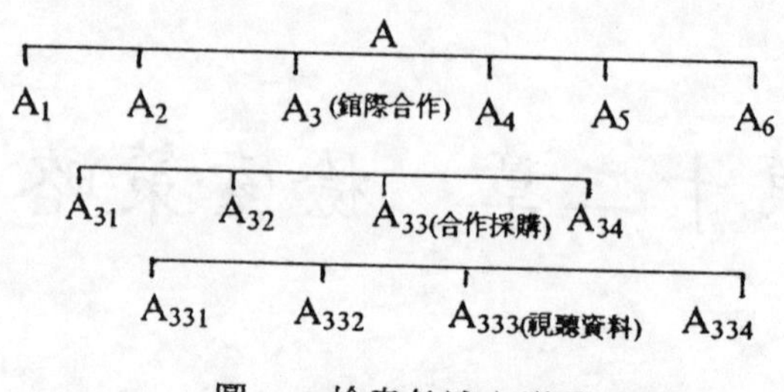

圖一：檢索敘述之階層結構

若要取得高的回現率則須將檢索層面從A33的合作採購往上擴大到A3的館際合作；相對的往下限制則縮小檢索層面。以此階層結構的理念為基礎，根據Harter的分析研究可歸納為下列十種檢索策略的模式：⑴簡易檢索；⑵分區組合檢索；⑶主題層面連續檢索；⑷非主題層面的連續檢索；⑸主題層面配對檢索；⑹引用文檢索；⑺相互掃瞄大範圍檢索；⑻非主題檢索；⑼事實檢索與⑽多資料庫檢索等❸、❹。

二、簡易檢索（Brief Search）

此乃最簡單、快速、直接且便宜的檢索模式，只由一個簡單的檢索式子組成，其目的只在獲得少許大略相關的資料即可，例如：只查尋有關太陽能的資料，故其回現率一般較低，檢索者與系統之間幾乎無任何交互溝通的動作存在。若欲提高其回現率可以採用相近運算元(proximity operator)或截字法（truncation）等方法來擴大檢索。簡易檢索最常與引用文檢索配合使用。

三、分區組合檢索（Building Block Strategy）

此乃最有用且最常用的線上檢索模式，如圖二所示每一個檢索敘述包含若干等值的主題層面，通常不超過三至四個，每一個主題層面則由若干個等值的概念用語組成，這些概念用語可多達十幾個，包括各種可能的相關字、同義字、狹義字、半同義字、類同義字等；概念用語可為單一字彙、複合語或分類號等形式。每一個概念用語具有相等的重要性，他們之間是以OR的關係相連結，如圖二之一威恩圖形（Vann Diagram）所示。大多數線上系統每一個概念用語可以產生一個集號且配有資料筆數的記錄，同時可以OR運算將這些概念加以連結產生另一個含資料筆數更多的集號。例如：檢索有關荷蘭貿易的資料，其檢索問題可分為二個主題層面，假設主題層面A為荷蘭，主題層面B為貿易，該二個主題層面之間的邏輯關係為AND，如圖二之二威恩圖形所示。

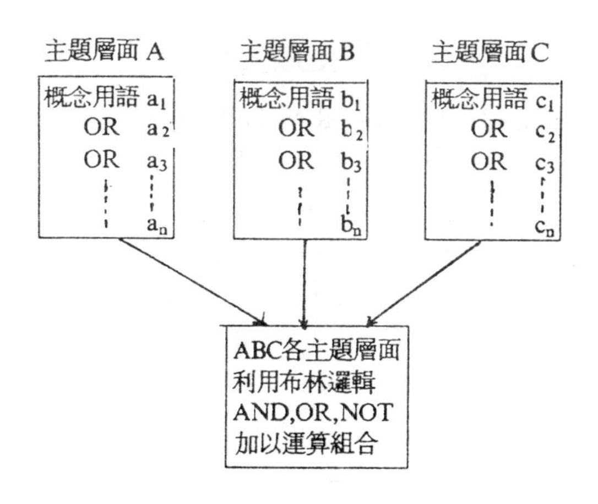

圖二：分區組合檢索

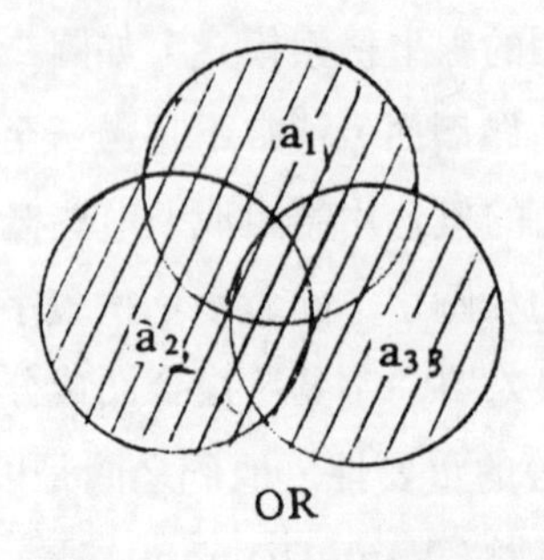

圖二之一：OR的威恩圖形

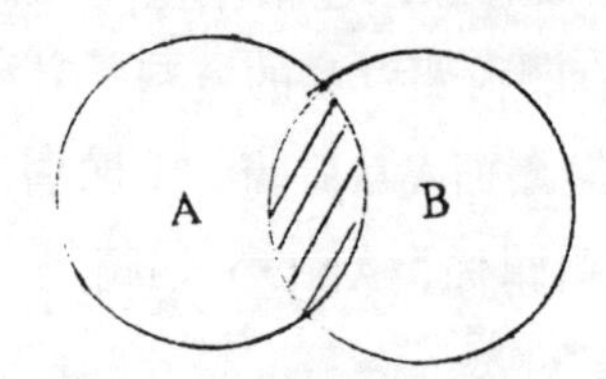

圖二之二：AND的威恩圖形

SS (Holland OR Dutch OR Natherland)
AND (Trade OR Export OR Import)

S1	674	Holland
S2	83	Dutch
S3	341	Netherland
S4	995	Holland OR Dutch OR Netherland
S5	234	Trade
S6	158	Export
S7	198	Import
S8	967	Trade OR Export OR Import
S9	56	S4 AND S8

每一個主題層面包含許多概念用語，如荷蘭可以Holland、Dutch及Netherland三個概念用語，而貿易則可以Trade、Export及Import等概念用語表示。DIALOG系統之檢索指令如上。

四、主題層面連續檢索（Successive Facet Strategy）

此模式乃作為修正分區組合檢索之用。許多分區組合檢索結果有回現率偏低的現象，故採刪除某一主題層面以為補救，然而要將好不容易才形成的概念用語捨去不用，實在是一種浪費。因此，若能事先臆測所有主題層面的交集運算可能獲得很少甚至沒有資料的結果；以及某些主題層面之間有語意混淆模糊的現象時，則應適時修改檢索策略，最適宜的方法為主題層面連續檢索❺。圖三說明主題層面連續檢索策略的作法。

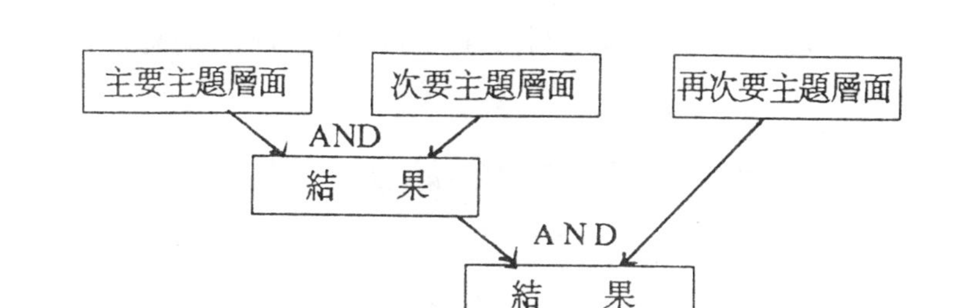

圖三：主題層面連續檢索

採用主題層面連續檢索策略須掌握一個原理，那就是首先檢索最為特定或檢索結果數量最少的概念用語。因為檢索結果數量不多，則不必再與其他主題層面運算。其作法為各主題層面依需要逐次一個個連續建立，先依主題層面的特定性，決定其層次為首要主題層面、次要主題層面或再次要主題層面，檢索首要主題層面後，再視情況與次要主題層面運算，依據獲得結果再判斷是否與再次要主題層面運算，依此類推直到檢索結果不論就回現率或精確率都令人滿意為止。例如：檢索題目為「利用Suzuki教學法學習小提琴的兒童其感情、生理及智慧的特性」。顯而易見地該檢索題目之首要主題層面為「以Suzuki方法學習小提琴」，故應先選定此主題層面進行檢索，接下來評估初步檢索結果，若資訊需求者滿意則停止，若結果過多而要求更精確的效果時，再與另一主題層面運算，例如：感情。當然，不可避免的，利用此種方法可能因過分特定的檢索而遺漏某些相關的資料或獲得某些不相關的資料。然而，印出全部檢索結果比起再與次要主題層面運算所花的連線時間費用要來得便宜；再且可獲得較原題意來得廣的結果。

五、非主題層面連續檢索（Successive Fraction）

此檢索策略與主題層面連續檢索意義雷同，唯一不同之處在於，一開始檢索的檢索項目為非主題意識的欄位，例如：資料形態、語言或出版年代❻。此方法尤其適用於當檢索論題過於廣義或模糊不清時，則可採取一些有用但非絕對必要的限制，例如：限制資料形態或限制檢索用語只出現於摘要或題名等欄位❼，比方檢索近年來線上資訊檢索在圖書館讀者服務的應用，因線上資訊檢索（online information retrieval）及讀者服務（public services）二個主題層面的語意過於廣泛，故宜採非主題層面連續檢索策略。首先就online information retrieval、online searching與online reference等概念用語形成online information retrieval這個主題層面，並限制這些概念用語於最近五年期刊論文之篇名中檢索，換言之，為三個非主題層面的連續檢索。最後輔以library這個主題層面即可，為恐public services過於特定，該主題層面則由library取代。

以上四種檢索策略均建立於相同的基本理論，亦即首先獲得一檢索結果，求取高的回現率後再以AND邏輯與其他主題層面或非主題層面運算，進一步加以限制，減少檢索結果以求得高的精確率❽。

六、主題層面配對檢索（Pairwise Facets）

此檢索策略與分區組合檢索策略之基本立足點相同，亦即含有等值的主題層面，每個主題層面所包含等值的概念用語。唯其不同處在於主題層面是以兩兩配對逐次檢索之。其作法可以圖四表示之。

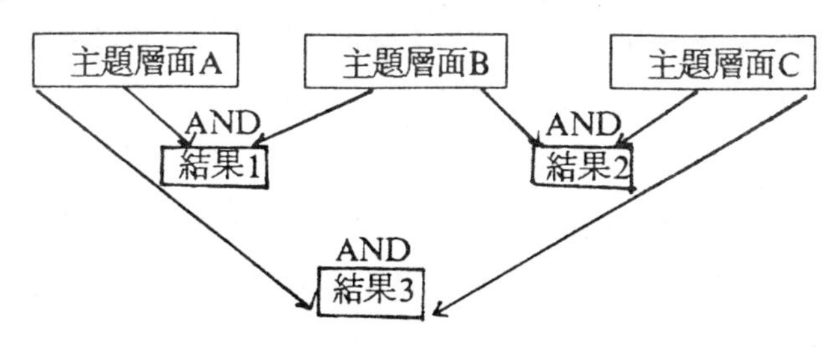

圖四：主題層面配對檢索

該檢索策略以布林邏輯運算表示為(A AND B）OR（A AND C）OR（B AND C）如圖四之一威恩圖形所示。

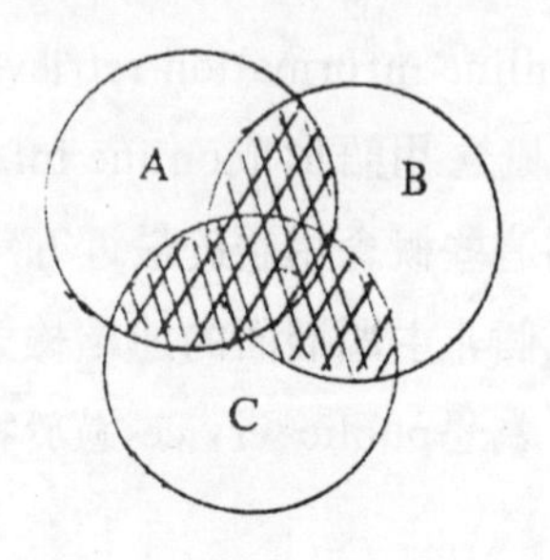

圖四之一

例如：欲查尋有關自然語言、控制詞彙與索引語言三者之間的關係。該檢索論題涉及三個主題層面，分別是自然語言、控制詞彙及索引語言。當讀者不知道有任何一篇文獻同時包含這三個主題層面時，最安全的作法是採用主題層面兩兩配對檢索，設定自然語言為主題A，控制詞彙為主題B，索引語言為主題C；A與B利用AND配對，查得結果為1，B與C配對查得結果為2，A與C配對查得結果為3；結果1、結果2及結果3互為獨立，再以OR運算連結獲得最後結果。

在制定各種主題檢索策略時為了簡化檢索敘述，可將所有概念用語以各種代號取代，例如：檢索有關利用可體松治療脈胳膜與視網膜的病變，以M1、M2、M3與M4代表主題層面可體松（Cortisone）的所有概念用語，而該主題層面的代號為M10；依此類推，M11、M12與M13代表主題層面（Choroid）（M20）的所有概念用語；M21與M22代表主題層面視網膜（Retina）（M30）的所有概念用語，以圖解說明如下：

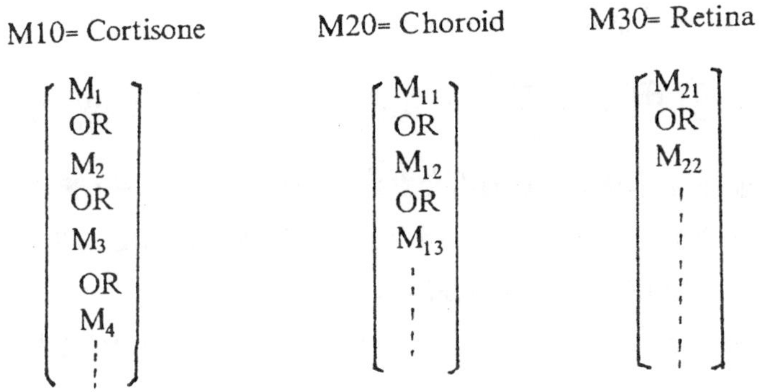

M10= Cortisone　　M20= Choroid　　M30= Retina

$$\begin{bmatrix} M_1 \\ OR \\ M_2 \\ OR \\ M_3 \\ OR \\ M_4 \\ \vdots \end{bmatrix} \qquad \begin{bmatrix} M_{11} \\ OR \\ M_{12} \\ OR \\ M_{13} \\ \vdots \end{bmatrix} \qquad \begin{bmatrix} M_{21} \\ OR \\ M_{22} \\ \vdots \end{bmatrix}$$

布林邏輯運算子AND、OR、NOT 相對應之數學符號為（⋇），（＋）及（－）。故上面例子的檢索公式為（M1 OR M2 OR M3 OR M4）AND（M11 OR M12 OR M13）AND（M21 OR M22）或（M1＋M2＋M3＋M4）⋇（M11＋M12＋M13）⋇（M21＋M22）或 M10⋇M20⋇M30。設若檢索問題改為利用可體松治療脈胳膜或視網膜，該檢索策略公式為 M10⋇（M20＋M30）＝M10⋇M20＋M10⋇M30≠M10⋇M20＋M30，換言之，即（M10 AND M20）OR（M10 AND M30）不是M10 AND M20 OR M30。設若檢索問題為利用可體松治療視網膜病變但不包括視網膜剝離，此檢索問題牽涉到另一主題層面（M40），亦即視網膜剝離，則該檢索策略公式為M10 AND M30 NOT M40 或M10⋇M30－M40 ❾。綜而言之，制定檢索敘述時必須格外小心注意各線上系統對各種邏輯運算子執行運作的先後次序，例如：DIALOG系統的運算順序依次為先括號，次相近運算元，再為NOT，AND，OR。大部份系統的作法均為括號內先運算，再運算括號外的檢索敘述。

七、引用文檢索（Citation Pearl Growing）

前面五種檢索策略的出發點均是先求取高回現率，再以各種方法配合趨向於高精確率。引用文檢索策略正好相反，亦即自高精確率開始再漸趨向高的回現率。

此檢索策略的作法為先檢索少數已知與主題相關的文獻，這些已知文獻的書目資料大都由資訊需求者提供，根據這些書目資料的作者、篇名、刊名或主題進行簡易檢索，以獲得一些資料錄，再以這些資料錄作為已知文獻而自其中的題名、摘要、敘述語、識別語等欄位選取概念用語。引用文檢索策略的理念乃建立在敘述語、識別語或採用自然語言的題名及摘要等欄位所使用的詞彙均取自於文獻本身，該文獻有如珍珠般可自身不斷產生概念用語，故除其他資料外，已知文獻定會被檢索出來，被檢索到的文獻可以簡單的形式印出評估。同時，這些文獻所包含的索引用語又可再一次檢查再產生新的概念用語，如此一來，這些程序可以週而復始的進行著，直到無新的索引用語出現或檢索結果滿足回現率的要求時即告停止。此作法宛如珍珠的形成般是由一粒沙加上各種物質層層包裹長大而成，故稱為citation pearl growing search。引用文檢索最適合於資料庫未提供索引典或索引用語，抑或檢索論題非常新穎而索引工具尚未來得及制訂的情況下採用。

引用文索引可以說明引用文與被引用文之間的主題關係，乃線上資訊檢索一項特殊且有力的新檢索策略。該檢索模式之檢索基礎為引用參考資料而不是概念詞彙，故可以免除選擇資料庫的各種困擾，亦可以解決利用詞彙表示主題概念容易產生語意錯誤的問題，同時又可提供多科際的檢索並可進以了解某一主題歷年來研究的成果，進而預測其未來的趨勢⑩。

引用文索引主要為Institute for Scientific Information—ISI所製作，其產品計有Science Citation Index，資料庫名稱為SCISEARCH；Social Science Citation Index，資料庫名稱為Social SCISEARCH；Arts and Humanities Citation Index，資料庫名稱為Arts and Humanities Search。有關各資料庫之線上檢索可參考ISI出版的使用手冊⑪。

引用文檢索主要有引用作品、被引用作者及被引用合作者三種方式。

1.引用作品檢索

利用引用文進行線上檢索最簡單的策略是先找出一篇與檢索問題極度相關且經常被人引用的文獻，尤其是屬權威之作的文獻更佳，以此文獻作為基礎，檢索者繼而據以檢索引用該文獻的全部資料。例如：查尋引用Vannevar Bush所著"As We MayThink"一文所有文獻資料，毫無疑義的，首先必須知道該文章於1945年首度發表於Atlantic Monthly期刊第176期 101－108頁。此文乃資訊科學的經典之作⑫。除非作者引用的參考書目注錄有錯，如作者姓拚錯或出版年、卷期、頁數等印刷錯誤，否則所有引用此作品的資料均可檢索到。當然，與該作品相關但未被引用的資料自然就遺漏了，這也是引用文檢索最大弊端。

2.被引用作者檢索

利用被引用作者查引用該作者作品的所有文獻資料，這種被引用作者檢索大都採用截字法。例如：利用DIALOG系統查引用Eugene Garfield著作的全部文獻資料，其檢索指令為S CR＝Garfield E,？然而，此作法將產生二個問題，一為姓與名的縮寫相同的情況非常多，而造成檢索的失敗，故須小心使用；另一問題是，利用被引用作者檢索，不論學科主題是什麼，只要是Eugene Garfield所著的全部作品均會檢索到，因而造成混亂的現象。使用此檢索策略應特別注意索引用語若為複合語形式，則輸入的檢索用語必須與系統規定的記錄方式完全相同，包括空格與標點符號，否則將無法檢索到資料。其補救方法為採用截字法檢索，或利用展示索引用語的指令功能，如DIALOG的EXPAND指令,先查核所有可能的索引用語。

3.被引用合作者檢索

此方法亦可解決前述被引用作者檢索過多姓名縮寫相同的問題。二個被引用作者同時檢索可大大減少一篇文章作者同姓名的機率。此檢索策略與被引用作者檢索相同，唯利用AND運算將兩個被引用作者連結而已。例如：DIALOG系統的指令為S CR＝Garfield E？AND CR＝Swanson D？⑬。被引用合作者檢索亦可擴大至三或四個合作者檢索⑭。

八、大範圍檢索（Interactive Scanning）

此檢索策略之目的在求取高的回現率。首先利用控制詞彙、分類號或自然語言等足以定義某一大範圍主題的概念用語進行檢索以便檢索到無數的結果。經過評估篩選後選出對整個主題領域，包括主要作者、研究方法及理論等各方面提供一完整清楚的認識的資料錄，再利用這些資料錄提供的主題訊息加入同義字或刪除無價值的概念用語以制訂新的檢索敘述。新的檢索敘述再輸入資料庫或更換資料庫，以檢索新的資料。如此生生不息，直到檢索結果滿意為止。職是之故，檢索者必須不斷與系統溝通運作，故其工程浩大檢索最為耗時且昂貴⑮。

九、非主題檢索（Non－Subject Search）

前述各種檢索策略均屬於主題查尋，乃較重要且複雜的資料查尋模式，至於非主題檢索則較為簡單，通常適用於下列情況：

1.已知文獻檢索（known item search），例如：查作者姓名。

2.唯一、快速又正確的檢索，例如：利用ISBN、合約號碼、技術報告號碼或專利號碼，作為檢索該筆資料唯一的識別號，使得檢索既快且準。

3.提高正確的檢索，例如：著者姓名相同混淆不清時，可以配合其服務機構的名稱共同檢索，又多種語言資料庫為避免不同語意相同拼法的問題時，可利用語言設限的檢索方式給予解決。

4.作為減少檢索結果的依據，例如：檢索結果不論就回現率或精確率均合乎讀者要求，但受限於檢索經費，則可以資料形態、出版年或語言等檢索項同時加以限制，此方式稱為雙重限制⑯。將最精華的部份由系統印出完整的資料錄，次要的部份則可以最便宜的方式，如只印出登錄號，再配合紙本工具書作詳細的人工檢索。某些資料庫每一筆資料的登錄號與印刷式出版品之每一個款目的登錄號相對應，換言之乃號碼相同。資料庫CA Search與紙本的化學摘要（Chemical Abstract－CA）就是典型的例子。

非主題欄位在書目資料錄中最常見的有：資料形態、出版年代、語言、作者及其服務機構等。資料形態，如：期刊論文、會議文獻、研究報告、專利等；出版年代乃指資料的出版時間；語言，作者及其服務機構等項。通常線上系統將這些非主題檢索之各種欄位建立附加索引檔以供獨立檢索或與主題檢索配合使用。每一個資料庫使用的欄位代號及檢索方式均不相同，必須詳細參考使用手冊。

十、事實檢索（Fact Search）

此檢索策略大都應用於數據、名錄及全文式資料庫的檢索，在書目資料庫的檢索則主要在查證書目資料，亦即前面所述的已知文獻的查尋。在事實檢索策略中，普遍高的回現率與精確率被認為是必然的檢索結果。故從事事實檢索應選用各種最特定且確定的概念用語，避免使用較廣義或控制詞彙的概念用語。

十一、多資料庫檢索（Multiple Databases Search）

有許多線上系統有暫存檢索過程及結果的功能，並作為同一資料庫下一次檢索或檢索同一系統其他資料庫之用。近年來，微電腦廣為應用更使得此項功能大為可行。執行多資料庫檢索的大前題是必須確定所有準備的檢索敘述均正確無誤，以求能適用於各個欲檢索之資料庫的規定。其中注意事項計有：⑴每個資料庫所採用的規則，例如：欄位代號、作者欄位的空格與標點符號的問題；⑵每個資料庫採用的控制詞彙，例如：information retrieval在某個資料庫可能是一個敘述語，在另一個資料庫則未必是；⑶資料庫敘述語的索引法是採單一字彙索引法或複合語索引法或二者混合的索引法，例如：敘述語是採複合語索引法則應避免使用多資料庫檢索策略；反之，敘述語若採單一字彙索引法或單一字彙與複合語混合的索引法則可利用相近運算元方式，如information（w）retrieval，進行多資料庫檢索；(4)字彙本身的特性，例如：美國英文與英國英文在拼法上略有不同，如Catalog與Catalogue，可利用截字法或OR運算元給予解決；⑸同形異義字與同義字等問題亦較單一資料庫來得複雜，檢索者亦應謹慎行之。

十二、結　語

本章所介紹的各種檢索策略的目的不外乎在於檢索到相關資料，避免檢索到不相關資料，避免檢索到過多、過少或完全沒有檢索到資料的結果。欲達此完美境界，幾乎是「緣木求魚」。即便如是，檢索者仍應不斷自我修習與線上檢索有關之種種條件，並巧妙運用上述之適當檢索策略，務期盡力求取最佳檢索效果。

附　註

❶ Bates, Marcia, "Information Search Tactics", Journal of the American Society for Information Science 30:205-214, July 1979.

❷ Bates, Marcia, "Idea Tactics", Journal of the American Society for Information Science 30:280-289, September 1979.

❸ Meadow, Charles T. and Pauline Cochrane, Basics of Online Searching, New York: John Wiley & Sons, 1981, pp.136-141.

❹ Harter, Stephen P., Online Information Retrieval: Concepts, Principles, and Techniques, New Yok: Academic Press, 1986, pp.170-188.

❺ 同❸，p.137。

❻ 同❸，pp.140-141。

❼ Hawkins, Donald T. and Wagners, Robert, "Online Bibliographic Search Strategy Development", Online 6:12-19, May 1982.

❽ Salomon, Kristine, "The Mechanics of Online Searching" in Online Searching Technique and Management, edited by James J. Maloney, Chicago: ALA, 1983, p.67.

❾ Lancaster, F.W., Information Retrieval System: Characteristics, Testing and Evaluation, 2nd ed., New York: John Wiley & Sons, 1979, pp.56-57.

❿ Weinstock, Melvin, "Citation Indexes" in Encyclopedia of Library and Information Science vol.5, New York: Marcel Dekker, 1971, p.34.

⓫ Institute for Scientific Information, User's Guide to Online Searching of SCISEARCH and Social SCISEARCH, Philadelphia, PA: Institute for

Scientific Information, 1980.

⑫ Bush, Vannevar, "As We May Think", Atlantic Monthly, 176:101-108, 1945.

⑬ Chapman, Janet and Subramanyan, K., "Cocitation Search Strategy" in Proceedings of the National Online Meeting, edited by Martha E. Williams and Thomas H. Hogan, Medford, NJ: Learned Information Inc., 1981, pp.97-102.

⑭ Knapp, Sara D., "Cocitation Searching: Some Useful Strategies", Online 8:43-48, July 1984.

⑮ 同❼，p.13。

⑯ 同❹, pp.190-191.

第十三章　檢索晤談

一、導　言

一個線上系統是無法反應每個人的資訊需求，但可以解答經由每個人表達出來的需求，換言之資訊服務只能以已被表明的要求為基礎時方可運作，而無法對不了解的需求有所反應。Lancaster曾指稱讀者的潛在需求（latent need）為資訊需求（information need），表達出來的需求（expressed need）則為資訊要求（information demand）❶。資訊的需求乃因既有的知識無法解決眼前的問題或為了追求新知而產生，這種需求以各種不同的認知層次呈現。換言之，在某種情況之下，一個人可能無法完全確知他的需求，故從資訊檢索系統的立場來看，讀者的要求往往不能代表他眞正的需求。職是之故，檢索結果當然不令人滿意❷。

根據Lancaster分析，影響資訊服務的資訊需求的因素計有：⑴某學科或某些學科文獻的成長狀況；⑵某學科或某些學科文獻的成本；⑶服務讀者人數的多少；⑷讀者的教育程度；⑸資訊服務可完成的程度；⑹資訊服務的成本；⑺使用該項資訊服務的難易程度，亦即讀者需花費多少時間；⑻讀者對該資訊服務的使用經驗;(9)該資訊服務的服務速度;(10)對一個資訊問題的解決能力;(11)文獻可以解決問題的機率❸。這十一項困素,主要可分為四大類:第一大類與文獻特性有關;第二大類與讀者特性有關;第三大類與資訊服務的組織與效果有關;第四大類與讀者的評價,亦即使用該系統的成功率有關。茲敘述其理由如下:(1)當出版文獻增加,文獻成本亦隨之增加,則一個資訊服務系統的資訊需求必然提高,因為出版品的費用增加,致使讀者減少自購的意念,紛紛利用圖書館或資訊中心的資料;(2)當服務的讀者群增加,加上讀者教育程度提高,則對資訊服務的需求亦相對會提高;(3)當該服務的使用難易、反應速度及其品質等各項都可讓讀者信賴,則讀者的資訊需求自然會增加;(4)一個資訊需求是否眞正轉換成資訊要求,端賴資訊服務是否能解決資訊問題而定。

二、讀者與系統交互作用

讀者與系統之間的交互溝通是整個資訊檢索過程中一個非常重要的因素。僅管系統的控制詞彙可以非常正確的代表問題的概念,檢索策略亦能與問題配合無誤,且資料庫的索引亦製作的非常完美,設若讀者表達出來的要求並不能代表他眞正的需求,則前面所提及的各種優點都將化為烏有而毫無存在的意義。讀者所表達的要求與他眞正的資訊需求越接近,則檢索出來的結果越好,也就是成功率越高。遺憾的是,要讀者把自己眞正的需求完整而正確地加以表達出來並不是一件容易的事。在從事線上檢索的過程中,讀者往往透過與檢索人員進行檢索晤談的方式,將其需求表達出來。有關檢索晤談的探討,事實上是對人類追求資訊行為的研究，這是一個複雜而牽涉範圍廣大的題目，其中涉及管理資訊系統、決策理論、人工智慧、資訊科學、管理科學、心理學、語言學及圖書館學等方面的研究，此外尚囊括認知形態學、人類追求資訊的模式及資訊需求分析、晤談方式與技巧及各種調查的研究方法等的探討❹。由此可見，欲做好檢索晤談是技術與藝術的雙重講究。

三、檢索晤談

「時間就是金錢」乃線上檢索面臨最大的精神壓力，只要一開機就開始計價，舉凡電腦主機處理、使用者終端機與線上系統之間的通訊及線上或線外印出檢索結果均需收費。而影響計費的最大因素不外乎是檢索時所造成的錯誤，為了將錯誤減少到最低程度，就必須講求檢索前的晤談工作，往往檢索晤談的好壞會影響到檢索結果的品質，故作為一個資訊檢索人員首先必須徹底了解讀者眞正的資訊需求。

檢索晤談乃檢索過程中舉足輕重的一環，它是人與人溝通的方式，是人與知識的橋樑，更是檢索者工作上的指引，其重要性不可言喻，其成敗亦深深影響檢索結果。茲針對檢索晤談的目的、類型、準則、步驟、影響因素及技巧等事項加以探討。

四、晤談目的

一個資訊專家最主要的功能是去釐清使用者需求的性質與範圍，然後根據其需求去選擇資訊來源以輔助使用者，使其檢索結果更有效率與效益❺。欲達此目的，必須透過晤談的途徑了解讀者的資訊需求，進而制定有效的檢索策略。正如Katz聲稱檢索晤談的目的在了解讀者(1)需要什麼資訊；(2)需要多少資訊；(3)如何使用這些資訊；(4)需要資訊的複雜程度如何，亦即回現率與精確率的要求如何；(5)與檢索主題相關的資訊之已知程度如何(6)預定多少時間查尋資料❻？

五、晤談類型

線上檢索晤談與傳統式參考晤談類似，唯有三大不同之處：(1)檢索晤談乃線上檢索絕對的必要條件，有些時候讀者會將資訊需求寫下來；(2)晤談時若無法成功的掌握讀者需求，則將增加連線檢索的花費；(3)晤談的環境亦較傳統的參考諮詢處來得重要，檢索成功與否取決於檢索現場是否能順利進行交談，故必須注意機器所可能造成的干擾❼。

至於晤談時間可短至數分鐘亦可長達一小時，完全視檢索問題的類型而定，平均以十五至二十分鐘為最適宜，例如：有關書目查證或名錄型參考問題的查尋所需晤談時間較短；而主題查尋則需較長的時間，當然其中更受讀者對檢索需求滿足程度是高回現率或高精確率的影響❽。最後，晤談時間的長短亦受晤談場所影響，例如：在參考諮詢台或公共區域較易受干擾，因而晤談時間較短。一般而言，晤談類型有四種，亦即讀者與檢索者面對面進行晤談、電話連絡、書面提出檢索問題與需求、混合式等。

1.讀者與檢索者面對面進行晤談

此種方式可令雙方立即獲得一來一往的回饋，各種假設可當場給予澄清，各種定義或檢索細節亦可馬上加以討論。讀者最好能實際參與檢索，進而提供建議以修正檢索。如此一來則演變成晤談的延伸❾；該類型晤談直到檢索結束才告完畢。

2.電話連絡

此種方法固然能達到前述面對面晤談的效果，但完全失去非語言上溝通的特色，如肢體語言，且連線檢索時讀者無法立即給予修正檢索結果。

3.書面提出檢索問題與需求

此方法完全沒有語言上的溝通，且無法由讀者與系統的溝通以修正檢索過程。

4.混合式

有些檢索晤談乃上述三種方法或三種中的二種一齊使用。例如：先以電話連絡，取得初步簡單的檢索結果後，再約定時間進行面對面晤談。

六、晤談準則

進行晤談的目的在於了解讀者的各項問題，其中包括⑴讀者需要的資訊是什麼；⑵為什麼需要這些資訊；⑶需要多少資訊；⑷檢索問題與資料庫之間的相互關係與⑸讀者的背景❿。具研究性的主題查尋固然對這五項問題均須注意了解，然而簡易型的已知文獻或事實資料的檢索則只須考慮第一與第三項問題就足夠了。

為了能將上述與檢索問題有關的五大要素於晤談時徹底掌握，最好設計檢索申請表供讀者於晤談前預先填寫。填寫申請表可以減少晤談的時間，並且可使讀者對檢索問題有充分的考慮，檢索申請表可供面對面、電話連絡或書面連絡等方式的晤談使用。

一個理想的檢索晤談往往依據檢索申請表的各項敘述，以書目資料為例，必須逐步注意下列準則：(1)讀者需要回溯性檢索服務或新知通告服務；(2)資料語言是否有限制。限英文或可接受其他語文。有些資料之原始文獻的語言是非英文，然而書目資料本身及摘要則為英文編撰；(3)資料的時間範圍。多少年前的資料？因資料庫收錄年限不一，必須事先了解讀者需求；(4)資料類型的限制。是否只限期刊論文或專利、會議文獻、博碩士論文、技術報告、報紙等；(5)資料的地理區域限制。以美國或某些國家或全世界為檢索範圍；(6)讀者的檢索結果需求。是要求廣泛完整的檢索以獲得高回現率，但可以接受與主題不相關的資料；抑或是要求特定精確的檢索以獲得高精確率，可以接受數量較少的檢索結果，但必須是絕對相關的資料；(7)讀者擬花用的檢索費；(8)讀者是否提供已知的與檢索主題相關之書目資料。相關的書目資料可幫助檢索者確認讀者需求，萬一於檢索過程中遇上困難亦可作為更換適當檢索用語之用。

以上所列各項晤談準則並不完全適用於每個資料庫。作為一個檢索者最好能多加研究以熟悉所使用資料庫的特性。檢索者本身除了要注意上列各準則外，尚須讓讀者認識線上資料庫檢索的觀念與其限制，例如：各資料庫檢索策略、資料庫結構、檢索軟體特性，以及其他各種缺點，以便讀者能依檢索問題的適用性決定以人工檢索或線上檢索⓫。

七、晤談步驟

進行檢索晤談時一般包括下列數個步驟：填寫檢索申請表、判斷檢索主題的概念、選擇適當的資料庫與線上系統、將檢索用語轉換成系統採用的索引用語、選擇最適當的資料欄、執行線上檢索、評估初步檢索結果、印出檢索結果與評估整體檢索結果⓬～⓯。

1.填寫檢索申請表

首先由讀者填寫檢索申請表，配合檢索申請表的內容，如表一所示，與讀者逐項討論，進而判斷線上檢索是否為解決問題的最佳途徑。例如：有些檢索主題可能受限於無適當的資料庫，或該檢索主題可利用館藏既有隨手可得的工具書，方便且經濟的給予解答，或其他讀者已做過類似的查尋可供引介參考等種種因素的影響而取消了線上檢索的意圖。除此之外，尚須簡單介紹線上檢索的特性及各種限制，讓讀者了解各種檢索指令與策略的概貌。

2.判斷檢索主題的概念

決定進行線上檢索之後，檢索者必須根據讀者提供的主題用語配合各種參考工具書，如百科全書、手冊、或其他相關的論文敘述，合理分析檢索問題，判斷可以代表檢索主題的重要概念，並確定各概念彼此間的相關性進而與讀者共同決定初步的檢索用語。

3.選擇適當的資料庫與線上系統

許多學科主題均為多種資料庫收入，亦有不少學科主題未為

表一：線上檢索申請表

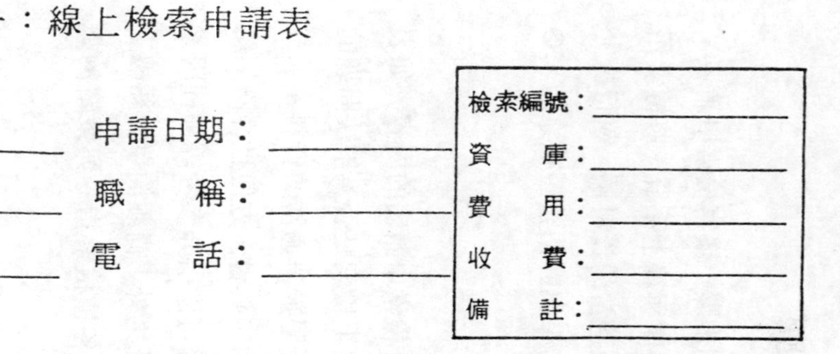
檢索編號：＿＿＿＿＿＿
資　　庫：＿＿＿＿＿＿
費　　用：＿＿＿＿＿＿
收　　費：＿＿＿＿＿＿
備　　註：＿＿＿＿＿＿

申 請 人：＿＿＿＿＿＿＿＿　申請日期：＿＿＿＿＿＿

服務單位：＿＿＿＿＿＿＿＿　職　　稱：＿＿＿＿＿＿

通 訊 處：＿＿＿＿＿＿＿＿　電　　話：＿＿＿＿＿＿

1.檢索主題與主要詞彙：

(1)

(2)

(3)

(4)

2.是否限定某特定作者？作者：______________________________

3.文獻刊行年代範圍：　___不限；　___年至　___年；其他______________

4.語文限制：　___不限　___英文：其他______________________

5.文獻類別：　___不限；　___期刊論文；　___圖書；　___博碩士論文；

　___會議論文；　___專利；　___研究報告；　___其他

6.印出資料項目：您希望獲得每篇文獻的：　___書名；　___作者；　___出處；

　___語文類別；　___文獻標題；　___摘要；　___全文

7.希望獲得資料的篇數：__________篇

8.預期最高檢索費用：__________元

9.資料印出的方式：　___線外複印；　___線上檢索後立即印出。

（資料來源：國立中央圖書館國際百科資訊檢索申請表）

任何的資料庫採用。換言之，各資料庫間收錄的內容有某種程度的重複，亦有某種程度的遺漏。作為一個線上資訊檢索人員最重要的工作之一，是對資料庫必須有一透澈的了解，了解事項計有包含主題範圍、資料形態、記錄內容、索引特性、使用費用及可獲性等。這不是一件容易的事，尤其近二十年來由於資料庫的大量成長，使得該項工作更加困難，故作為一個線上檢索人員必須不斷從事在職訓練，以便了解新資料庫的種種，進而評估其品質的好壞及其適用性；或進一步研究現有資料庫各種改變的情形。

資料庫製作者及線上檢索系統均製作有各個資料庫的說明書（database documentation），提供檢索者作為認識資料庫的工具，例如：DIALOG Database Chapter；此外各線上檢索系統，亦提供有線上資料庫索引的功能，可以顯示某一主題適用的資料庫，幫助檢索者選擇適當的資料庫，例如：DIALOG 的 DIALINDEX，BRS／CROSS及ORBIT的Database Index；除此之外，尚可參考各種資料庫名錄的工具書，例如：The Directory of Online Databases、Computer Readable Databases：A Directory and Data Sourcebook與Database Directory 等。至於有關這些名錄型工具書的評論則可查Online、Database及RQ等期刊的專欄介紹。關於檢索系統方面則應注意：收錄資料庫範圍為何？一個系統是否可滿足全部的使用者需求？相關資料庫的處理方式為何？檢索特性為何？查尋設備需求為何？執行運作情形如何？印出格式、費用與獲取率為何等事項。

4.將檢索用語轉換成系統採用的索引用語

索引用語大都為控制詞彙的形式。有些資料庫利用代碼或數字來代表各主題或概念的類別，例如：CA Search 的註冊號（registry number）及BIOSIS的概念代碼（concept code）。查尋控制詞彙的工具有各學科的索引典、分類表、標題表或線上系統展示的索引典檔；另外還可參考發表於專業期刊的文章或印刷式工具書等所採用的索引用語。

5. **選擇最適當的資料欄進行檢索，並使用線上系統規定的指令列出正式的檢索敘述。**

6.**執行線上檢索**

實際線上檢索時應迅速、敏捷有彈性，並能視情況決定連瑣指令或逐次指令。至於現場執行是否有效，則視檢索者對檢索系統的經驗及檢索設備的功能而定。

7.**評估初步檢索結果**

檢索進行中隨時機動評估檢索結果是否符合所需。

8.**印出檢索結果**

根據檢索結果的多少，需要資料的迫切性以及檢索預算的多少等因素決定線上印出（online type）或線外印出（offline print）。大多數系統提供各種排序及印出形式功能。例如：依作者姓名、報告號碼或期刊刊名排序，只簡單的印出登錄號或印出完整的資料。若急須資料則可採用線上印出。線外印出較有組織但獲得資料較晚。自從微電腦廣為圖書館應用之後，許多檢索者均將檢索結果大批轉錄至微電腦的硬式磁碟機或軟式磁碟片上，進而加以編輯處理供作更多的用途。

9. **與讀者共同評估總檢索結果。**

八、影響晤談因素

影響檢索晤談的因素計有：讀者定義他自己的需求的能力；讀者將他的需求表達出來的能力；讀者對檢索系統功能的期待心理；讀者所在的位置；系統能給予多少幫助與檢索者對檢索主題、資料庫及線上系統的認識等六項⑯。

一般讀者最常發生的可能是所提出的要求較眞正的資訊需求來得廣義，因為讀者往往會有一種奇妙的心理因素作祟，猜測系統會提供較廣義層次的檢索而不是較特定層次的檢索。例如：有一位讀者想查有關斯堪的那維亞半島的社會制度；很明顯的，與這個題目有關的資料非常多，線上系統亦可以檢索到很多相關的資料，但大部份這些都與他眞正的資訊需求不相關，因為他眞正想查的題目是瑞典的社會福利制度。這是所提的要求較實際的資訊需求來得廣義的一個很明顯的例子。這種資訊要求較資訊需求來得廣義則大部份檢索到的資料都不相關。

一般而言，讀者所提的問題較眞正的資訊需求來得特定的情形很少發生，若眞如此，則大部份有關的資料就檢索不到。這種資訊要求較資訊需求來得狹義而特定，則造成許多相關的資料卻未檢索到的後果。

由此可見在一個由資訊服務人員代為檢索的資訊服務系統中，檢索失敗的最大原因之一往往起源於讀者與檢索人員之間交互溝通的不當，換言之，讀者如何適切的定義其問題，並將眞正的資訊需求正確而清楚的加以表達，是操縱線上檢索成敗的第一道關卡。

前述檢索晤談方式亦可分為靜態及動態二種。靜態的方式乃讀者將檢索需求以書信的方式投遞給檢索人員，本人未直接與檢索人員及系統接觸，如此則無法達到一來一往交互溝通，深入了解初步檢索結果的效果。然美國國家醫學圖書館曾針對MEDLARS做過一項評估，卻意外的發現，採靜態方式將檢索需求表達出來的效果比面對面交談的方式來得好，究其原因為：(1)以書信的方式必須強迫讀者認眞仔細的分析思考其眞正的資訊需求，並將之清楚的加以記載。(2)因遠離系統，故能不受系統設計的種種因素，舉凡索引詞彙，系統檢索能力等的干擾，能客觀且超然的提出問題，以此方式表現的資訊要求更能切確代表讀者眞正的資訊需求⑰。反觀，採動態方式以面對面的檢索晤談時，大部份的讀者都不會將檢索問題經過仔細思考而記錄下來。一般而言，以文字書寫的內容較之晤談當場口講的語言來得有組織與邏輯。因此，一旦與檢索人員面對面討論時，往往在無意識中受其影響而改變了原始的本意。換言之，在這種情況之下，讀者往往於不知不覺中受系統的影響而提出他認為系統可能給予他的資訊，而不是他眞正想要的資訊。因此，一個檢索人員常會在無形中影響一個讀者對他的問題的敘述，尤其當讀者對檢索問題沒有想得非常清楚或沒有將問題寫下來時，只要稍不堅定，馬上被左右而更改初衷。當討論檢索問題該用的控制詞彙時，其出入就更大了，在這種情況下，讀者的資訊需求極易被迫牽就於檢索系統的索引詞彙中，而將他眞正的資訊需求設限的較不完整且不精確。是故，在一個線上檢索過程中的第一要務是讀者將資訊需求以自己的語言寫下來，儘量避免以系統採用的索引語言來表示。

這種作法還有一個好處，就是可以作為評估該系統對該學科所用的詞彙是否足夠或適當的依據。

如上所述靜、動態的檢索晤談各有優缺點，為尋覓一理想作法，專家們建議將此二方式兼容並蓄，各取其長而去其短，保留靜態晤談的中心精神，製作檢索申請表供讀者填寫其資訊需求，再配合動態晤談與讀者面對面的溝通。除了進一步了解讀者資訊需求，更應利用系統使用手冊介紹系統的功能與特性，避免讀者對系統產生一種偏差的依賴心理。設計良好的檢索表格，如表一所示，其內容記載要項應計有讀者個人資料、題目、關鍵字、相似詞及同義字等、資料的時間範圍、完整性或選擇性的檢索、檢索目的、詳細的引證書目資料、語言、資料類型、檢索數量、價錢及資料庫總數等限制。總之，經由此方式進行的檢索晤談既可免除讀者資訊需求受扭曲變形之缺點，又可兼得讀者與檢索人員一來一往交互溝通以收深入了解之益處，不失為一可行的辦法。

以上討論檢索晤談均限於開機檢索前的準備工作，一旦正式連線檢索，讀者是否實際身處檢索現場，亦即終端機或個人電腦前，參與檢索，對檢索結果亦深具影響。讀者親身面臨線上檢索時，部份的晤談可以繼續下去，其優點為：⑴讀者可以當場判斷初步檢索結果是否合乎自己的資訊需求，尤其對所選擇資料庫不甚熟悉時與檢索主題複雜不易確定時更須有此考慮。⑵讀者可以當場修正檢索策略，決定限制的項目與印出的資料筆數等。⑶讀者可經由一來一往的檢索步驟更加了解線上檢索的過程，助於讀者對資訊服務的進一步認識。當然，伴隨著優點而來的必是不可少的缺點：⑴檢索時讀者在旁喋喋不休而迫使檢索時間加長；讀者在旁干擾，意見相左，難下決斷，耽誤時間且浪費金錢。⑵檢索者因讀者在旁倍感壓迫，神情緊張，影響檢索效果。⑶有些人認為佔用讀者的時間是不合乎經濟效益。

有關線上檢索全面作業的晤談過程對檢索結果影響深鉅，其中資訊需求者本身固然扮演著主要角色，然其它的週邊要素，如檢索者及線上系統與資料庫亦具有舉足輕重的地位。檢索者進行檢索晤談的技巧、檢索者本身的學科背景、對檢索主題的了解程度、對檢索系統及資料庫的認識及對機器的使用熟練與否等在在都影響著檢索晤談的成效。

九、晤談技巧

不論採用面對面或電話方式進行晤談，較適宜的晤談技巧有下列數種：

1.**採用開放式問題**（open question）

避免採用封閉式問題（closed question），所謂封閉式問題乃指所問的問題只有是或不是，這個或那個，兩個極端的回答，如此則偏限了讀者的陳述的範圍，無異指定讀者該走的方向，毫無充分發展的空間。換言之，在此兩個極端之外，無充分餘地供選擇，進而加以充分發揮，為了使讀者多說話，為了使檢索者多了解實際問題，應採開放式問題⑱。

2.**擴展讀者所提封閉式問題**

以鼓勵的方式，將讀者所提的問題加以擴展以便打開一條延續晤談的通道。

3.**仔細的聽**

專心且耐心的聽取讀者的問題，直到讀者完全表達其意思為止，不可中途打斷使讀者心生沮喪而裹足不前⑲。

4.多問「爲什麼」

為了使問題更清楚而助於資料的檢索，宜多問為什麼。但也有人認為問了太多為什麼可能會侵害到讀者個人的隱私權；亦有人認為如此作法顯得檢索人員過於魯莽。總之，欲正確的使用此技巧，端賴應用得宜與否。

5.改正問題

讀者可能對檢索問題不甚了解而提出錯誤的需求，例如：對作者名字拼法錯誤或參考書目不正確等，檢索者須小心判斷而有禮貌的給予正確的修正⑳。

6.讓讀者身感自在

晤談時必須營造輕鬆自然的氣氛，使讀者能自由自在，無拘無束的暢談自己的問題與需求。有些專家建議最好雙方之間不要有參考書或服務台相隔，因為如此無異在讀者與檢索者間樹立一道藩籬，然亦有人認為此設置反而增加讀者的安全感㉑。

除了語言上的溝通，晤談時檢索者與讀者雙方亦同時在進行非語言的溝通，欲達到最理想的回應，檢索者應該透過各種肢體語言做好積極、友善及鼓勵的溝通。檢索者應禮貌地以目光直視讀者，以一種放鬆但有精神，安定而穩健的神態，不斷點頭給予確定，聲音和語調必須溫暖和善、專心面對讀者。同時配合整潔、清爽、安靜、舒適的檢索設備與檢索環境，如此才能使晤談順利完成㉒。

十、結　語

理論性的晤談技巧往往因為檢索者的能力及學科背景有限，加上讀者本身在心態上的歧異，而迫使成效受限且未必對每位讀者都能達到相同層次的回饋；在時間上也因個別讀者的情況不同，未必能成正比的收效。實際上檢索晤談並沒有一定的模式可茲遵行，畢竟晤談者面對的讀者太多，在變數過多的情況下，實在很難用一套公式或理論去侷限技巧的層面，唯有靠檢索者的洞察力、經驗與創造力的運用，方能對不同的讀者施以不同的技巧，進而掌握問題的重點㉓。

附　註

❶ Lancaster, F.W., Information Retrieval Systems: Characteristics, Testing and Evaluation, 2nd ed., New York: John Wiley & Sons, 1979, p.140.

❷ Crawford, S., "Information Needs and Uses", Annual Review of Information Science and Technology, edited by Matha Williams, 13:61-81, Washington, D. C: Knowledge Industry Publications, Inc., 1978.

❸ 同❶, p.143.

❹ White, Marilyn Domas, "The Dimensions of the Reference Interview". RQ 20:373-381, Summer 1981.

❺ Debons, Anthony, "Information Counseling: Theory and Practice", Proceedings of the 46th ASIS Annual Meeting, 20:88, 1983.

❻ Katz, William A., Introduction to Reference Work II: Reference Services and Reference Processes, 5th ed., New York: McGraw-Hill, 1987, pp.40-41.

❼ 同❻，p.90。

❽ Lamprecht, Sandra J., "Online Searching and the Patron: Some Communication Challenges", Reference Librarian 16:180. Winter 1987.

❾ Knapp, Sarah D., "The Reference Interview in the Computer-Based Setting", RQ 17:320, Summer 1978.

❿ King, Geraldine B., "The Reference Interview", RQ 12:157, Winter 1972.

⓫ Somerville, Arleen N., "The Pre-Search Reference Interview——A Step by Step Guide", Database 5:34-35, February 1982.

⑫ 同⑪，pp.32-38。

⑬ Kolner, S.J., "Improving the MEDLARS Search Interview: A Checklist Approach", Bulletin of the Medical Library Association 69(1):26-33, January 1981.

⑭ Meadow, C.T. and Cochrane, P.A., "The Presearch Interview" in Basics of Online Searching, 1981, pp.25-38.

⑮ Dommer, J.M. and McCaghy, M.D., "Techniques for Conducting Search Interviews with Thesis and Dissertation Candidates" Online 6(2):44-47, March 1982.

⑯ 同③。

⑰ Lancaster, F.W., Evaluation of the MEDLARS Demand Search Service, Bethesda, MD: National Library of Medicine, 1968.

⑱ Anstert, Ethel and Lawton, Stephen B., "Search Interview Techniques and Information Gain as Antecedents of User Satisfaction with Online Bibliographic Retrieval", Journal of the American Society for Information Science, March 1984, pp.90-103.

⑲ Smith, Nathan and Fitt, Stephen, "Active Listening at the Reference Desk", RQ, Spring 1982, p.248.

⑳ Williamson, Nancy J., "Subject Access in the Online Environment" in Advances in Librarianship, New York: Academic Press, 1984, vol.13, p.62.

㉑ 同⑥, PP. 44-46.

㉒ Taylor, Robert S., "Question Negotiation and Information Seeking in Libraries", College and Research Libraries 29:183, May 1968.

㉓ Ross, Catherine Sheldrick and Dewdney, Patricia, "Reference Interview Skills: Twelve Common Questions", Public Libraries 25:7-9, Spring 1986.

第十四章　檢索人員

一、導　　言

近二十年來由於線上工業急遽起飛，欲定出線上檢索者的特色實屬難上加難。在早期電腦化資訊檢索時代，欲辨認一位檢索者是一件簡單的事，因為當時以書目資料庫為主流，主要檢索者為圖書館員。時至今日，幾乎全世界的索引摘要均已製成資料庫供線上檢索，且全球資料庫已超過四千個，其中又以非書目資料庫成長最為快速，大量增殖的結果，造成各式各樣的檢索者，他們各具學科背景、教育程度及工作職位，從這些多變的檢索者可以窺得：資訊需求者自行檢索快速增加、檢索中間人的工作增加、線上檢索是工作不是職業乃現階段線上使用者群的三大特色❶。

1. 資訊需求者（end-user）自行檢索快速增加

近年來由於非書目資料庫大量成長，加上檢索技術的改善，資訊需求者，或稱讀者，自己檢索已蔚然成風。非書目資料庫中又以查尋簡易事實的資料庫，如百科全書、年鑑曆書、手冊、雜誌或報紙等，最受讀者青睞。檢索這些資料庫設備極簡單，只需要一部個人電腦加上一個數據轉換機就可進行，因此許多讀者紛紛自行上機檢索有關運動、新聞、股票、天氣、飛機航程等較生活化的資訊。當然，圖書館讀者亦有此趨勢。

2. 檢索中間人的工作增加

所謂檢索中間人，乃接受讀者委託，代為從事線上檢索工作的人，通常為圖書館員或資訊專家，或直接稱為檢索者。由於讀者檢索造成一股風潮，加上線上系統較之早期越來越容易檢索，且一次同時檢索多個資料庫也變得可行，如WILSONLINE及DIALOG的ONESEARCH。因此圖書館員均憂心忡忡，唯恐他們將被趨逐出線上檢索的國度。如此說來讀者眞的不再需要檢索中間人的幫忙嗎？事實不然，檢索中間人不但仍有存在的必要，其重要性絕不遜於早期的地位，且他們的工作更為增加，究其原因不外：(1)雖然線上檢索已走入家庭，但大多數讀者不願花時間去學習檢索指令，那怕是非常簡單的指令，而偏好委託值得信賴且較有效率的檢索中間人；尤其當檢索偏重於複雜的具研究性質而非簡單的事實性質的資訊；(2)檢索中間人檢索經驗豐富，對於資料庫及檢索技巧均較為純熟，讀者固然也可以達到此地步，但必須付出足夠的時間與精力，才能獲得有效的檢索結果；(3)線上系統仍然需要發展，除非有一天完全不需要任何解說員，或檢索費用可降到讀者可以毫不在意的情況下，讀者才可能變成主要的檢索者，而操縱全部的線上檢索市場；(4)各線上系統所收錄的資料庫未盡相同，檢索中間人較能掌握這些資料庫的動向。因此，讀者往往不會認為他們是專業的線上檢索者。會將自己定位為專業檢索者大都為檢索中間人，這些檢索中間人通常具有圖書館學或資訊檢索背景者。

3. 線上檢索是工作不是職業

大多數從事線上檢索的人，並不認為線上檢索是他們職業的全部，而只是他們每天固定工作中的一項業務罷了。線上查尋的結果，不過是幫助他們獲得資訊，以輔助他們工作的一種工具，至於其中所花的時間，則視檢索者專業程度與職位的高低而定。有些線上檢索只佔檢索者工作的小部份，有些則幾乎佔了全部的工作時間。即便如此，這些線上檢索者不認定此項工作為終身不變的職業，因為線上工業成長快速且瞬息萬變，很少有檢索者能隨時追得上與這些變化有關的一切知識。線上檢索是一門十足強調「新」的知識與技術，即使一位只有幾年檢索經驗，但學習認真的檢索者，亦可與資深的資訊專家相抗衡，故大量學科背景人員均可加入此行列。欲永遠保有此「職業」則必須不斷學習、自我充實才能面對各種變化的挑戰。再且，提供線上檢索的單位亦應加強檢索人員的管理俾便此項服務能臻於至善。

二、檢索人員的訓練

專業檢索人員對於線上系統與資料庫必須有一透徹的了解，尤其應注意最新知識與技術的發展。一般而言，檢索人員通常由圖書館學或資訊科學系所，及資料庫製作者或線上檢索服務處給予培養，並配合館內訓練及自我練習等方式給予加強。

1. 圖書館學或資訊科學系所

早在1970年代中期，美國大多數圖書館學校均開授線上資訊檢索的課程。此種養成途徑，往往對於資訊科學與電腦化資訊檢索方面的理論與實務兩者並重❷。其探討的論題不外有：線上系統或資料庫的結構及其程式設計；檢索指令的操作；硬體、軟體及通訊傳輸的了解；線上檢索之優缺點；檢索晤談的理論與應用；各種檢索策略的認識；線上檢索的歷史與發展及控制詞彙與自然語言的概念等。

2. **資料庫製作者與線上檢索服務處**

線上檢索服務處與資料庫製作者，乃提供正式且深入訓練的首要來源。此種訓練途徑的方法計有：提供檢索指南或系統與資料庫使用說明書；提供免費電話詢問；供應線上練習檔，例如：DIALOG 系統的ONTAP 計劃；定期舉辦使用者團體（user group）會議，例如BRS的annual user meeting；發行與訓練主題或檢索技術有關的新聞快訊或消息通告；出售學習檢索的軟體或影片；舉辦講習會或座談會，可分基礎班或特種主題班，如專利資訊或醫學與生物資訊等，這種訓練方式可派人員至指定地點受訓，若受訓人員多，亦可要求線上檢索服務處至圖書館給予訓練；新的資料庫或特殊資料庫提供免費或減價檢索❸。

此訓練方式，檢索者可熟悉系統的來籠去脈，掌握最新資訊，受訓者可以獲得工作手冊、索引典及各種使用說明書等他處不易取得的資料。線上檢索服務處提供最專精且最詳細的線上檢索知識，其訓練的論題不外有：特定的檢索語言；特定的檢索技術，如相近運算元及截字法等；詳細的資料錄結構；特定檢索問題的分析；印出或轉錄資料的方法及如何因應不滿意的檢索結果等。

通常檢索人員的專業養成途徑，開始時大多來自於圖書館學校正式的課程教育，繼之以資料庫製作者或線上檢索服務處的加強訓練。然而這些訓練終究只可作為日後持續性學習的開端罷了，學習是無止盡的，不斷的複習與更新是檢索人員不可少的要求。

3. 館內訓練

一機構若從事線上檢索的人員很多的話，則採自行訓練的方式較合經濟效益。首先選派代表參加資料庫製作者或線上檢索服務處舉辦的訓練課程，再由此人負責訓練其他人員，至於受訓事宜則由行政主管負責。館內訓練必須自製訓練講義，必須自己負擔線上練習時間的費用，因此可能較花錢；同時這些主持訓練的人必須具有良好的教學能力，否則效果不彰❹；因此必須了解學習理論及檢索者心理，因為大多數學習者，於檢索技術層面都能獲得不錯的成績，較難控制的是檢索者的決策意識。通常檢索行為有二種類型，一種純屬作業員式的檢索方式，亦即想盡方法，使用系統各種的檢索功能，例如：以年代或資料形態的限制方法，來修飾檢索策略而不改變任何主題概念；另一種則屬於以主題概念為導向的檢索，亦即以改變檢索主題的基本概念的方式來修正檢索策略，例如：擴大或縮小敘述語來取代原來的檢索用語❺，故檢索人員訓練對這項應多加注意。

4. **自我練習**

檢索人員亦可利用線上檢索服務處所提供的使用手冊、教學錄影帶及線上個別練習等方式自我訓練。採用此方式，學習者在完全自我摸索且請教無門的情況下，易產生誤解而犯錯，故在時間及金錢上花費較大。自我訓練亦可閱讀與線上檢索有關的教科書來學習，教科書就正確性與詳細性不若經常更新資料內容的資料庫或系統使用手冊，但就一般性的線上檢索觀念，如資料庫結構，邏輯運算及檢索策略等方面的介紹則較完整有用❻。較理想的作法是雙管齊下，也就是利用教科書奠定基礎，了解背景資料，再輔以正式或非正式的訓練課程。除了閱讀教科書外，另外可自專業文獻，或線上檢索服務處定期發行的消息報導之刊物獲得最新的知識。至於圖書館學專業期刊，如Library Hi Tech、RQ與Choice等之專欄，可獲知有關各種資料庫之評論。與線上檢索有關的主題則大都刊載於Online、Database、Online Review及The Laserdisk Professional等期刊，其中The Laserdisk Professional偏重CD-ROM的報導。與線上檢索的現況或未來展望相關的論題則可參考Information Today、Link-up及Info World等期刊❼。出版的資料媒體時效性較為遲緩，故自我訓練最好能參加由專業學會，或區域性資訊網路所舉辦的會議，例如：由Online Review所舉辦的The National Online Meeting。

三、檢索人員管理

許多線上檢索服務採取計價收費政策，亦有不少讀者支持此種作法❽。因之，資訊有價的觀念，恆常奠基於資訊需求者對線上檢索服務的價值意識，為滿足其價值需求，必先提昇該項檢索服務臻於高度智慧形的資訊服務境界，主事者面對此等壓力自應不斷加強檢索人員的管理。

人員管理必須嚴密週詳的規劃與執行，其步驟與方法主要有撰寫管理手冊、提供訓練與定期集會三種。

1.撰寫管理手冊

檢索人員管理之首要工作必先編寫管理手冊，設定管理的政策與作業細則，以作為未來訓練與發展的依規。線上檢索無異傳統參考服務的延伸，是否整個參考服務部的成員都是線上檢索者？設若不是，則其餘參考人員對線上檢索這項業務將做些什麼工作？究竟檢索者必須具備什麼條件？雖然，並不是每個人都適合此項工作，但也並非每個人都有意願從事此項工作。總之，唯有加強訓練妥為安排才是上策❾。線上檢索的工作要項不是單純的只有連線執行檢索而已，它是一項多功能的業務，這些功能計有檢索晤談、執行檢索、保持各種記錄、會計、評估、訓練及宣傳推廣等。有些功能必須全體工作成員，包括事務員、檢索者及行政主管等通力合作執行，有些功能則專屬某特定工作人員為之。例如：事務員掌管會計、保持各種記錄及宣傳推廣的工作；檢索人員負責檢索晤談、執行檢索與宣傳推廣等事務；行政主管則綜理除了會計與保持記錄外之各項業務❿。各工作人員雖有專屬之工作要項，但對於線上檢索之作業程序仍必須有一通盤的了解。例如：讀者是否須預約檢索時間？檢索問題應以何種詞彙表示？讀者必須親自到館或可以電話方式提出問題？若必須填寫檢索申請表，那些項目一定要填？付費辦法為何？職是之故，工作人員應深刻體悟，不斷接受訓練與自我教育才能對整體線上檢索工作充分掌握，而將線上檢索服務的功能發揮到極致⓫。

管理手冊應針對上述各項功能，詳述其人員與職掌，就工作的原則、範圍及作業方法，逐條列舉詳細說明，務必做到只要依照手冊所述就可施行的地步，因此最好能配合各種表格附件，例如：檢索申請表、晤談記錄單、檢索策略工作單、檢索日誌錄（search log）、發票、檢索結果報表、月統計報表及讀者評估表等。該管理手冊應隨著服務的成長，不斷的增加內容並更新資料。

2. 提供訓練

全體工作人員都應接受線上檢索日常作業的訓練，換言之，即對線上檢索服務的各項功能及作業過程均必須有所了解，如此方可與讀者建立良好的關係。與日常作業有關的事務計有：檢索時間、檢索費用、付費方式、檢索申請表、如何進行檢索及線上檢索與整體參考服務如何結合等。總之，首先必須培養工作人員的興趣並獲得他們的支持。至於純屬專業的線上檢索技術，大都由線上檢索服務處或資料庫製作者提供訓練，這種訓練均偏重於機器操作方面，而眞正的複雜面卻是「人」的問題，包括讀者與工作人員。例如：檢索者如何調適因機器造成檢索障礙，所產生的挫敗感，檢索者如何面對讀者去解釋檢索失敗的原因，及檢索者如何適當的處理「資訊有價」的問題等。凡此種種均屬人為因素，如何加強這方面的訓練亦為一大課題。除了接受線上檢索服務處提供的訓練外，亦可由機構內部自行訓練。由有經驗的檢索者帶領新的檢索者，檢索策略由二人共同討論擬定，或由新檢索者制定再由有經驗之檢索者給予確認或修正⑫。雖然，此方式在小型圖書館不易施行，但可透過檢索使用者團體獲得一些有價值的知識；亦可多多閱讀最近有關的文獻資料，並與別人討論或查尋書目工具書亦不失為一有效的方法⑬。

3. 定期集會

為了保持檢索人員的工作品質與提供最新知識，最好定期集會，如每星期一次，報告新的技術發展及分享彼此的工作心得。會中每個人簡短報告一星期來的檢索作業，互相就檢索內容及檢索感想交換意見；或由檢索者輪流選擇一主題，草擬並實際進行一項檢索策略，並出示檢索結果，大家就錯誤提出討論，以避免再次發生相同的錯誤。定期集會亦可縮短檢索人員彼此間的距離，促進感情交流⑭。

四、檢索人員必備條件

檢索人員學養和素養的優劣直接影響到檢索結果。一個優秀的檢索人員應在個人品德素養及檢索技術與能力方面，不斷自我期許以達到下面的條件要求。

1. 個人品德素養

(1)敏銳的判斷力，在晤談的過程中能拿捏適當的尺度，知道什麼時候該向讀者問更多問題，什麼時候停止，什麼時候再繼續。(2)堅忍不拔的毅力，鍥而不捨的精神，絕不因暫時的查尋失敗而輕言放棄。(3)長足的耐性，不厭其煩的幫助讀者檢索到適用的資料。⑷積極、主動與熱心服務的精神，做到不等讀者開口，就主動協助的地步。⑸當機立斷的勇氣與魄力，能於線上檢索現場下定決心改變檢索策略。⑹具豐富的想像力，能以各種不同層面去了解問題。⑺神奇的創造力，嚐試以各種不同方向解決問題。⑻強烈的自信心，能以無比的信心操作機件，並決定檢索結果是否適當。⑼超強的記憶力，對於資料庫結構，檢索指令及其他相關事項均能牢記於胸且能巧妙應用。⑽樂觀合群的人生觀，樂意與其他檢索人員共同分享線上檢索的知識與經驗。⑾高度的智慧，能臨場做各種判斷與決策。⑿無盡的好奇心，善於發掘問題，對檢索系統以及自己，皆勇於批評及質疑⓯、⓰。

2.檢索技術與能力

⑴良好的溝通技巧，以順利進行檢索晤談。⑵邏輯思考能力，以正確分析主題概念，洞察問題細微處。⑶英文文法、字彙及拼字能力，以避免選用錯誤的詞彙。⑷打字技巧，以節省線上檢索時間。⑸組織能力，對讀者提出問題與參考資料給予有系統的組織、分類並綜合歸納。⑹高度學習意願，以了解線上系統或資料庫最新知識，進而改良檢索技術。⑺具專業的學科背景，以利整體線上檢索的運作。⑻線上檢索經檢，一般而言，檢索經驗越豐富檢索效果越好。事實上較有經驗的檢索者因較重視成本效率（cost-effective）的檢索結果，通常檢索回現率很高，但精確率卻未及初學者⓱。⑼線上檢索通盤的認識，舉凡資料庫結構、各資料庫的特性、系統的指令及語言，如：控制詞彙或自然語言、檢索概念與規則且善於利用各種使用手冊。⑽熟悉電子機器

的操作，例如：終端機、印表機、個人電腦、數據轉換機或電腦工作站及各式磁碟片等各種電子機器的認識以獲完整了解[18]、[19]。

五、結　語

近年來，由於CD-ROM的大量問世及各種讀者自行檢索的線上系統，如DIALOG的Knowledge Index及BRS的BRS／After Dark紛紛開發，致使訓練讀者自己進行線上檢索，雖然已成一股熱門的潮流，然而許多人對於提昇檢索專家的檢索技術仍趣味泱然，因為從事讀者服務的人員，在面臨更多的檢索變數時，更應熟悉每一個系統複雜多變的檢索策略與檢索語言，以便應付讀者所可能提出的種種問題，因此專業的檢索者，經常扮演既是受訓者又是訓練者的雙重角色。

隨著資料庫及線上系統的迅速成長，規模較大的圖書館開始重視精密分工以講求專業化。通常於編制上將參考部門分成若干個主題專責，以便對相關的系統或資料庫，能透澈了解並掌握其特性，同時此種作法亦可滿足訓練的需求。例如：有些圖書館指定某人負責某個或某些個CD-ROM資料庫的檢索服務，該館員必須熟悉其檢索並製作讀者使用手冊，進而訓練其他館員或讀者。如此一來則成為一個絕對權威的專家[20]。

附　註

❶ Grossman, David, ″Personnel: The Searchers″ in Online Searching: The Basics, Settings and Management, edited by Joann H. Lee, 2nd ed., Englewood, CO: Libraries Unlimited, Inc., 1989, pp.4-5.

❷ Harter, Stephen P., ″Instruction Provided by Library Schools in Machine-Readable Bibliography Databases″, Proceedings of the 40th Annual Meeting of the ASIS, White Plains, N.Y.: Knowledge Industry Publications, 1977, microfiche.

❸ American Library Association, Reference and Adult Services Division, Machine-Assisted Reference Section, Education and Training of Search Analyst Committee, ″Online Training Sessions: Suggested Guidelines″, RQ 20(4):353-357, Summer 1981.

❹ Retting, James, ″Options in Training and Continuing Education″ in Online Searching, Techniques and Management, edited by James J. Maloney, Chicago: ALA, 1983, p.153.

❺ Fidel, Raya, ″Online Searching Styles: A Case-Study-Based Model of Searching Behavior″, Journal of the American Society for Information Science 35(4):211-221, 1984.

❻ Vigil, Peter J., Online Retrieval: Analysis and Strategy, New York: John Wiley & Sons, 1988.

❼ Friend, Linda, ″Training″ in Online Searching: The Basics, Settings and Management, edited by Joann H.Lee, 2nd ed., Englewood, CO: Libraries

Unlimited, Inc., 1989, p.14.

❽ Lynch, Mary Jo, "Libraries Embrace Online Search Fees", American Libraries 14:174, March 1982.

❾ Jackson, William J., "Staff Selection and Training for Quality Online Searching", RQ 22:48-54, Fall 1982.

❿ Mader, Sharon, "Personnel Management" in Online Searching: The Basics, Settings, and Management, edited by Joann H. Lee, 2nd ed., Englewood, CO: Libraries Unlimited, Inc., 1989, p.8.

⓫ Bourne, Charles P. and Robinson, Jo., "Education and Training for Computer-Based Reference Services: Review of Training Efforts to Date", Journal of the American Society for Information Science 31:31, January 1980.

⓬ Jackson, William J., "Staff Selection and Training for Quality Online Searching", RQ 22:53, Fall 1982.

⓭ Shroder, Emelie J., "Online Reference Service——How to Begin: A Selected Bibliography", RQ 22:70-75, Fall 1982.

⓮ Robinson, Jo, "Education and Training for Computer-Based Reference Services: A Case Study", Journal of the American Society for Information Science, 31:103, March 1980.

⓯ Harter, Stephen P., Online Information Retrieval: Concepts, Principles, and Techniques, New York: Academic Press, 1986, p.126.

⓰ Tenopir. Carol, "What Makes a Good Online Searcher?", Library Journal 112:62-63, March 15, 1987.

⓱ Fenichel, Carol, "Online Searching: Measures that Discriminate Among

Users with Different Types of Experience", Journal of the American Society for Information Science, January 1981, pp.23-32.

⑱ Dolan, Donna R., "The Quality Control of Search Analysts", Online 3:8-16, April 1979.

⑲ Van Camp, Ann., "Effective Search Analysts", Online 3:18-20, April, 1979.

⑳ Tucker, Sandra L., et al., "How to Manage an Extensive Laserdisk Installation: The Texas A & M Experience", Online 12(3):34-40, May 1988.

第十五章　檢索評估

一、導　言

評估的主要目的之一在找出導至活動不具效率或失敗的原因，作為日後改進或提昇績效的參考，套一句醫學上的術語即針對症狀加以治療❶。線上檢索評估主要涉及效果（effectiveness）成本效率（cost-effectiveness）及成本效益（cost-benefit）三大準則。1．效果準則乃針對檢索的花費、檢索時間及檢索品質加以探究。檢索花費計有進行一次線上檢索或獲得每一篇原始文獻的價錢，此外尚包括初學時實際操作及原文檢索時所花費的心力。檢索時間計有線上檢索連線時間、從提出檢索至獲得書目資料所花的時間以及從提出檢索至獲得原文資料所花的時間。檢索品質則計有檢索結果的回現率（recall ratio）精確率（precision ratio）及資料庫的完整性（coverage）。2．成本效率準則主要在探究每檢索出一篇相關文獻之書目資料或原文資料的成本。3．成本效益則在研究整個線上系統的運作與其所產生價值之評估❷。以金錢和時間作為評估的準則乃一種較為明顯且較具一致性的作法，而檢索品質的評估則較為複雜，事實上大部份讀者對線上檢索的要求均著眼於是否檢索到相關資料，換言之即檢索結果是否滿足檢索需求，達成檢索目的❸？至於成本效率評估除了要評估檢索到相關資料的數量外，還要加上成本的考慮，換言之即評估檢索目的是否有效率的完成。成本效益評估牽涉範圍更廣，它必須以整個系統運作的成本與運作後所獲得的利益全盤加以評估。本章只針對讀者所最迫切關心的檢索結果品質論述之。

檢索品質可從成功的檢索到相關資料的比率，又稱為回現率或檢出率；沒有檢索到不相關文獻的比率，又稱為精確率；與資料庫主題範圍的完整性等三方面來探討。

二、回現率與精確率

有關回現率與精確率的定義可利用下表所示之檢索情況加以說明：

	相關	不相關	總數
檢索到	a	b	a＋b
未檢索到	c	d	c＋d
總數	a＋c	b＋d	a＋b＋c＋d

a. 代表相關且被檢索到的資料數目，表示檢索策略與索引用語相吻合，此檢索行為稱為命中（hit）。

b. 代表不相關但被檢索到的資料數目，表示索引用語制定不當而產生用語之間錯誤的連結（false coordination）造成檢索上的干擾。

c.代表相關但未被檢索到的資料數目，表示檢索策略制定不當因而遺漏掉相關資料。

d.不相關且未被檢索到的資料數目，表示系統正確剔除的資料。

$$\frac{a}{a+c}=\frac{\text{檢索到相關資料的數目}}{\text{資料庫內所有相關資料的總數，包括檢索到與未檢索到}}$$

$\frac{a}{a+c}\times 100$ 則為回現率，若全部相關資料都檢索到，則c=0，此時 $\frac{a}{a+c}=\frac{a}{a+0}=1$，表示回現率為100％，若c值越大，即相關未檢索到的資料數量越多，則回現率越低。回現率這名稱乃Kent首先提出❹。

$$\frac{c}{a+c}=\frac{\text{未檢索到相關資料的數目}}{\text{資料庫內所有相關資料的總數}}$$

代表遺漏掉相關資料的比率，又稱為回現率的補充（complement of recall）❺。

$$\frac{a}{a+b}=\frac{\text{檢索到相關資料的數目}}{\text{檢索到資料的總數，包括相關與不相關}}$$

$\frac{a}{a+b}\times 100$ 則為精確率，若沒有檢索到不相關的資料，則b=0，此時 $\frac{a}{a+b}=\frac{a}{a+0}=1$，表示精確率為100％，若b值越大，即檢索到不相關資料數量越多，則精確越低。精確率亦由Kent於1955年提出，亦可稱為相關率（relevance ratio）❻。

$$\frac{b}{a+b}=\frac{\text{檢索到不相關資料的數目}}{\text{檢索到資料的總數}}$$

代表檢索到錯誤資料的比率亦即對檢索干擾的程度，又稱為精確率的補充。

$$\frac{b}{b+d}=\frac{\text{檢索到不相關資料的數目}}{\text{不相關資料的總數包括檢索到或未檢索到}}$$

b＋d是不相關的資料，本來不希望檢索到的資料，但卻找到的比率。

$$\frac{d}{b+d}=\frac{\text{未檢索到不相關資料的數目}}{\text{不相關資料的總數}}$$

換言之乃不希望找到不相關的資料而正好沒找到的比率❼。

評估線上資訊檢索結果雖然以回現率與精確率為主流，但其它四種方式亦可作為輔助之說明。

如前所述，最完美的檢索結果是b與c都沒有發生，亦即b＝0，c＝0的情況、換言之，所制定的檢索策略將執行到遺漏不相關並且不檢索到不相關的資料的結果，而只有相關的資料檢索到。很遺憾的是，這種情況極少發生，甚至於不可能發生。實際上，最典型的檢索結果是檢索到大部份相關的資料，而遺漏一些相關的資料，也可能檢索到一些不相關的資料。在學理與實際檢索評估之後，根據文獻上的記載，較常見的檢索結果如下圖所示：

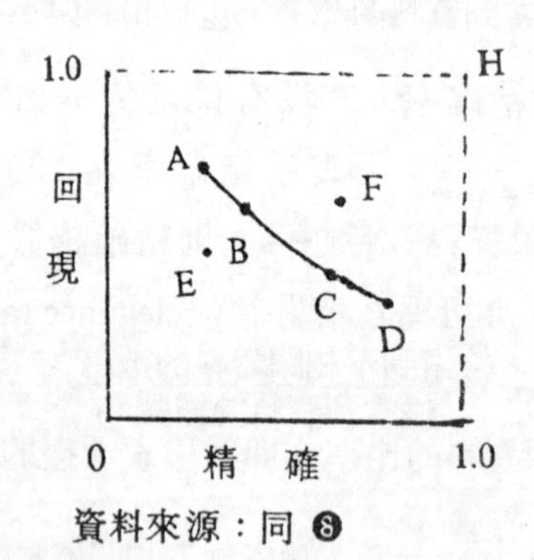

資料來源：同❽

H代表最完美的檢索結果，其中回現率與精確率均為100％但根據理論與實驗雙重證明均發現不可能有這種十全十美的結果。A代表高的回現率及低的精確率。E代表相同於A的精確率，但回現率較A差，由此可見E所制定的檢索策略較A不具效果。圖形走向越往右代表回現率越來越低而精確率卻越來越高，D則代表所有檢索中精確率最高，卻也是回現率最低的檢索。由此可得一結論，回現率與精確率往往是呈反比現象相對存在。就理論上而言，只要將資料庫的全部資料逐一查尋，一定可以獲得百分之百的回現率，然而，如此一來同時也會檢索到許多不相關的資料，此時b值勢必增加，b值增加，精確率就相對的降低，檢索到不相關的資料，對時間、金錢和精力而言都是一種浪費，甚至干擾到相關的檢索結果❽。

欲提高回現率的方法之一是擴大檢索主題的層面，例如：查尋有關圖書館合作採購的主題可以擴大到圖書館館際合作主題層面進行檢索，如此必可大大提高檢索的回現率，但亦可能檢索到合作編目方面不相關的資料。另一種提高回現率的方法是使用較多個檢索用語，例如檢索有關「利用登山設備做沙漠露營」的主題，採用了登山、設備、沙漠、露營四個檢索用語，固然能提高檢索的回現率，設若這些檢索用語於制定檢索策略時未將其彼此之間的關係正確連結，則可能造成「沙漠設備與登山露營」的錯誤連結。總之，回現率越高，精確率勢必降低；相對地，檢索結果越精確越特定，回現程度自然越少。

在回現率與精確率的評估中最重要的觀念是「相關」的界定❾。「相關」有各種不同的意義，相關與否的決定權控制在讀者之手，亦即讀者感覺系統滿足他資訊需求的程度❿。因此在讀者的主觀判斷下常有許多變數發生，例如：有時完全不同的論題也具有相關性；有時明明是篇相關的文獻，但因讀者已對它非常熟悉，或因為讀者有興趣的是該論題另一方面的探討，在無法滿足讀者資訊需求的情況下被批判為「不相關」。由是觀之，不論檢索的執行多麼的正確，檢索的目的在滿足讀者而不是在尋求問題與主題的相符合。因此在進行回現率與精確率評估時尚須注意到讀者的判斷因素。

回現率與精確率既然是相對存在，那麼檢索結果到底是高的回現率好呢？還是高的精確率好呢？其中取決尺度完全以讀者的資訊需求為依據。例如：有一位讀者欲從事一項長期的研究計劃或撰寫一篇評論性的論文，他需要的是一個非常完整的檢索，也就是說，不可遺漏任何相關的資料，但可以接受檢索到某種程度不相關的資料，換言之，他對檢索結果要求的是高的回現率。反之，有一位讀者他需要一些與某一主題相關的最新資料，如最近的研究動向或解答實驗工作的特殊分析方法且這些資料他馬上要用，這時他最迫切希望的是絕對高的精確率而不需要高的回現率；當然也有讀者會要求合理適當的回現率與精確率的檢索組合⓫。

一個缺乏經驗的檢索者遭遇到最大的問題是低的回現率⓬。故較保守而安全的檢索模式是先求高回現率再限制到高的精確率，如此則一個有效的檢索生命可透過將一大範圍的論題給予縮小或利用各種不同的主題概念加以限制等方式而給予延續下去⓭。

誠如導言所述，回現率與精確率只屬於效果評估，檢索評估尚須考慮其他效率方面的因素，如金錢、時間、精力等各方面的花費⑭。例如：連線使用的時間就是一種客觀可靠且可計量的一種評估方法，可作為讀者滿意程度評估的一種補充，因為使用時間越短表示對於檢索指令使用純熟、檢索晤談準備週全及臨場應變的能力強能即時修正檢索策略⑮。因此，精確率高的檢索，讀者可以花較少的時間和精力去篩選「相關」的資料，故較適於評估委託式，即委託檢索者代為檢索的檢索而不適用於讀者自己檢索的檢索模式，因為讀者自己親自檢索可於檢索中途或現場做適當的修正。

三、資料庫主題範圍的完整性

資料庫主題範圍的完整性可解釋為一資料庫在某一主題而言它所包含的資料數量。事實上，無異是「回現」的擴大。有關此項評估主要在探討各資料庫之間對相同主題的收錄範圍及彼此間之重複性與遺漏性有多少。至於評估的作法，可依下列步驟實施⑯～⑱。

1．製作一參考書目清單，該書目清單必須具備收錄資料類型、語言及時間三方面均非常完整的條件。其方法為自專門性的書目工具中找一特定的主題，例如：圖書館自動化，將其書目資料摘錄下來。利用此方法收集的資料，完整有餘品質則稍嫌不足。除此之外，亦可從某一篇非常完整的評論性文章（review paper），例如：於Annual Review of Information Science and Technology－ARIST刊登的論文，所列的參考書目加以摘錄。所謂評論性文章多為具權威的學者專家對某方面的論題有深入的研究後而完成的完整的傑作，故其引用文獻往往多達一二百個之多。總之，最好二者一併採用以提高質與量雙方面的評估效果。

2．將書目清單所列的書目資料與欲評估的資料庫利用作者或題名逐一查對，並計算出被收錄的資料筆數，例如：書目清單中的書目資料有300個，其中有240個可在資料庫中查獲，如此則可求得其完整性為$\frac{240}{300}=80\%$。

3．除對一個資料庫進行評估外，亦可同時針對許多主題相近的資料庫，例如：與生化有關的主題，可就SciSearch、CA Search、BIOSIS，MEDLINE與Food Science and Technology Abstract等數個資料庫一齊評估各資料庫收錄主題範圍的重複性與遺漏性。為求客觀結果，應多做幾個主題的比較。

四、評估調查

線上檢索評估主要是利用問卷，針對檢索結果的相關性是否符合讀者的資訊需求，及作者或期刊的信譽如何等項進行調查。調查的結果可以反應讀者的滿意程度。例如：有些系統明顯地無法滿足讀者的資訊需求，但調查的結果卻發現讀者認為系統還滿有幫助的，因為在檢索的過程上節省了許多時間和精力。反之，有些檢索結果雖獲得許多相關的資料，但讀者卻認為系統的幫助很少，因為各人對資訊的需求有程度上的差異，因而對查尋結果會產生不同的滿意程度，由此可見問卷內容的設計對調查評估具有主觀的影響力。一般而言，設計問卷務必簡潔扼要以不浪費被調查者時間為要，同時應注意包含下列問題：是否第一次進行線上檢索？讀者如何習之此項服務？讀者檢索的主要目的為何？系統是否容易使用？檢索主題的範圍如何？檢索到的資料是否容易使用？檢索到的資料有多少相關？部份相關、或不相關？已知相關的資料是否檢索到？檢索到的資訊是否可即時獲得？與人工檢索比較價錢是否合理？檢索者是否樂意幫忙？讀者是否願意再使用？讀者是否願意向其他人推焉該項檢索服務？整體而言，讀者是否滿意該次線上檢索？為什麼？讀者的意見、批評與建議等。有關檢索評估之問卷可參考表一之設計。

經由讀者問卷調查的建議可獲得一些問卷中未提及的資訊，有時這些批評可以反應出潛在的問題，進而擬定解決的途徑。調查結果若發現一個資料庫之回現率經常很低則表示其索引品質很差或檢索者檢索該資料庫的技術有待加強。調查結果亦可進一步了解讀者的需求⓳。調查評估對檢索結果具有回饋作用，它不能只憑讀者的意見作為絶對肯定的定論，最好能由讀者與檢索者共同來評估較為客觀以免失之偏頗⓴。

五、檢索者評估

檢索者在檢索過程中深受壓力有下列六種情況：⑴與讀者進行檢索晤談；⑵選擇線上系統與資料庫；⑶設計檢索策略；⑷檢索者評估初步檢索結果；⑸檢索者評估最後檢索結果；⑹讀者評估最後結果。一個優秀的檢索者必能引導一個有效的檢索晤談，選擇正確或適當的線上系統及資料庫，制定合乎成本效率的檢索策略並能成功的執行檢索結果評估工作。檢索者若對整體線上檢索及特定資料庫有深入的了解，必可獲得高的回現率㉑。低的精確率是導至讀者不滿意的原因，因為過多不相關的資料則顯出檢索到資料不適用或過於廣泛且缺乏特定性，故在選擇資料庫時應注意到該學科的核心期刊有那些？這些期刊被那些資料庫收錄及各資料庫之間的重複性與遺漏性如何？雖然有許多線上系統提供有選擇資料庫的功能，但相同的主題詞彙在不同的資料庫可能有不同的意思，故此功能的效果不能完全信任，最好讀者能親自參與實際檢索以補其缺失㉒。總之，檢索者對檢索結果的優劣具舉足輕重的地位，故如何評估檢索者亦成一大課題，其評估要項計有整體檢索經驗、教育背景、工作態度、自信心的程度、制定檢索用語的情況、初次檢查檢索結果所用的書目有多少及使用印出的格式為何等。

六、結　語

在所有客觀條件，如線上系統、資料庫及各種電腦設備，都相等的情況下，人是檢索結果的主宰。一個好的檢索者必可執行有效率的檢索而獲至良好結果；一個好的檢索者更應隨時檢視檢索結果是否滿足讀者需求以作為改進的依據。具體而完整的評估調查可以直接了解讀者的滿意程度，滿意的準則主要取決於檢索到「相關」資料的完整性與正確性。「回現率」與「精確率」則是測量完整性與精確性最科學的模式，它反應出檢索結果品質的成敗。

表一：線上檢索服務評鑑表

檢索編號：＿＿＿＿＿＿＿＿＿＿＿＿

使 用 人：＿＿＿＿＿＿＿＿＿＿＿＿　　使用資料庫：＿＿＿＿＿＿＿＿＿＿＿＿

單　　位：＿＿＿＿＿＿＿＿＿＿＿＿　　檢 索 時 間：＿＿＿＿＿＿＿＿＿＿＿＿

主　　題：＿＿＿＿＿＿＿＿＿＿＿＿　　檢　索　費：＿＿＿＿＿＿＿＿＿＿＿＿

：您好！

爲了提高本館國際百科檢索服務的效能，以下各項煩請您費時塡寫，希望由於您的合作與建議，使得將來再度爲您服務時能更令您滿意。

1.您來使用國際百科的目的是 ：＿＿＿＿ 撰寫論文 ；＿＿＿＿ 研究發展 ；其他＿＿＿＿＿＿＿＿

2.本次檢索您共取得＿＿＿＿篇資料，其中編號
＿＿＿＿＿＿＿＿＿＿＿＿＿＿＿＿＿＿＿＿＿＿＿＿＿＿＿＿極適用；
＿＿＿＿＿＿＿＿＿＿＿＿＿＿＿＿＿＿＿＿＿＿雖然相關，內容却不够深入；
＿＿＿＿＿＿＿＿＿＿＿＿＿＿＿＿＿＿＿＿＿＿完全不相關。

3.您是否自行找過與主題相關的資料＿＿＿＿（是／否），如果有，您是依據＿＿＿＿＿＿＿＿＿＿＿＿＿＿＿＿＿＿＿＿＿＿查得，（請塡資料來源），查到＿＿＿＿篇，花費＿＿＿＿時（日），其中有＿＿＿＿篇本次檢索未找出，它們的篇名是：

①＿＿＿＿＿＿＿＿＿＿＿＿＿＿＿＿＿＿＿＿＿＿＿＿＿＿＿＿

②＿＿＿＿＿＿＿＿＿＿＿＿＿＿＿＿＿＿＿＿＿＿＿＿＿＿＿＿

③＿＿＿＿＿＿＿＿＿＿＿＿＿＿＿＿＿＿＿＿＿＿＿＿＿＿＿＿

④＿＿＿＿＿＿＿＿＿＿＿＿＿＿＿＿＿＿＿＿＿＿＿＿＿＿＿＿

⑤＿＿＿＿＿＿＿＿＿＿＿＿＿＿＿＿＿＿＿＿＿＿＿＿＿＿＿＿

4 經由檢索得到的書目資料中，您得到資料的原文共＿＿＿＿篇，其中在本校圖書館內尋得＿＿＿＿篇；透過館際合作獲得＿＿＿＿篇，請人由國外代購＿＿＿＿篇；經由本館代購＿＿＿＿篇；其他＿＿＿＿＿＿＿＿＿＿

5.對本館所提供的檢索服務，您的意見如何，請詳述，以爲本館改進的參考。

再次謝謝您！

（資料來源：淡江大學覺生紀念圖書館國際百科檢索服務評鑑表）

附註

❶ Lancaster, F.W., If You Want to Evaluate Your Library..., University of Illinois, Graduate School of Library and Information Science, 1988, p.7.

❷ Lancaster, F.W., Information Retrieval Systems: Characteristics, Testing and Evaluation, 2nd ed., New York: John Wiley & Sons, 1979, p.109.

❸ Herner, Saul and Snapper, Kurt J., "The Application of Multiple Criteria Utility Theory to the Evaluation of Information Systems", Journal of the American Society for Information Science 29:289-296, November, 1978.

❹ Kent, A., et al., "Relevance Predictability in Information Retrieval Systems", Methods of Information in Medicine 6:45-51, 1967.

❺ Hitchingham, Eileen, "Selecting Measures Applicable to Evaluation of Online Literature Searching", Drexel Library Quarterly 13(3):52-67, July 1977.

❻ 同❹。

❼ Robertson, S.E., "The Parametric Description of Retrieval Tests", Journal of Documentation 25(1):1-27, March 1969.

❽ Harter, Stephen P., Online Information Retrieval: Concepts, Principles, and Techniques, New York: Academic Press, 1986, p.159.

❾ McGill, Michael J. and Huitfeldt, Jennifer, "Experimental Techniques of Information Retrieval", Annual Review of Information Science and Technology, v.15, edited by Martha E. Williams, White Plain, N.Y.:

Knowledge, Industry Publications, Inc., for ASIS 1979, pp.112-113.

⑩ Bookstein, Abraham, "Relevance", Journal of the American Society for Information Science 30:269-273, September 1979.

⑪ Lancaster, F.W. and Fayen, E.G., Information Retrieval Online, Los Angeles: Melville Publishing Company, 1973, p.125.

⑫ Standera, O.R., "Some Thoughts on Online Systems: The Searcher's Part and Plight" in Proceedings of the ASIS Annual Meeting, v.15, White Plains, N.Y.: Knowledge Industry Publications, Inc., 1978, pp.322-325.

⑬ Monsen, Gordon L. Jr., "Case Study in Business/Management Information" in Proceedings of the ASIS Annual Meeting, V.15, White Plains, N.Y.: Knowledge Industry Publications, Inc., 1978, pp.233-235.

⑭ McCarn, Davis B., "Online Systems——Techniques and Services", Annual Review of Information Science and Technology, v.13, edited by Martha E. Williams, White Plains, N.Y.: Knowledge Industry Publications, Inc., 1978, pp.85-124.

⑮ Bourg, James W., "Beyond Descriptive Statistics: A Methodology for Evaluating Online Searcher Performance" in Proceedings of the ASIS Annual Meeting, v.17, White Plains, N.Y.: Knowledge Industry Publications, Inc., 1980, pp.403-405.

⑯ Martyn, John and Slater, M., "Tests on Abstracts Journalism", Journal of Documentation 20;212-235, December 1964.

⑰ Martyn, John, "Tests on Abstracts Journals: Coverage, Overlap and Indexing", Journal of Documentation 23:45-70, March 1967.

⑱ Tenopir, Carol, "Evaluation of Database Coverage: A Comparison of Two

Methodologies", Online Review 6:423-441, October 1982.

⑲ Addison, Paul H. and Woods, Lawrence A., "Evaluating a Computer-Based Information Service" in Proceedings of the ASIS Annual Meeting, v.17, White Plains, N.Y.: Knowledge Index Publications, Inc., 1980, pp.86-89.

⑳ Horne, Ester E., "The User's Role in Evaluating Information" in Proceedings of the ASIS Annual Meeting, v.19, White Plains, N.Y.: Knowledge Index Publications, Inc., 1982, p.365.

㉑ Fenichel, Carol, "Online Searching: Measures That Discriminate Among Users with Different Types of Experience", Journal of the American Society for Information Science 32:23-32, January 1981.

㉒ Krentz, David M., "Online Searching-Specialist Required", Journal of Chemical Information and Computer Science 18:4-9, January 1978.

第十六章　微電腦與線上檢索

一、導　言

1980年代初期，由於微電腦大行其道且廣為線上檢索運用，而在資訊檢索界引起強烈的衝擊，其原因主要歸之於微電腦多樣化的功能。微電腦除了具有早期終端機、體積小易於攜帶且能執行電信通訊諸功能外，尚可執行文字處理、行政管理及檔案保管等工作，對未整天執行線上檢索作業的小型圖書館而言，這種具多用途的微電腦最受歡迎，只要能配合適當的檢索軟體，微電腦能做到下列功能：(1)檢索者利用微電腦的磁碟檔建立一個檢索檔，再一次整批傳送（upload）至線上系統的電腦主機處理，如此可避免字母拼寫上的明顯錯誤，及檢索邏輯上的不符，且可大量節省線上作業時間，獲得較多利益❶。(2)可透過通訊協定（protocols）自動與電信通訊網路及線上系統連線，大大簡化連線的作業程序。(3)能將檢索結果整批轉錄（download）至軟式磁碟片（floppy disc）或硬式磁碟機（hard disc），以供日後建立內部資料庫（local system）使用。(4)轉錄的資料可依讀者需求任意給予增刪整理或重新編輯以提高使用價值。(5)活潑多變的檢索軟體可提供強有力的檢索，達到僅使用一組指令就可同時檢索多個線上系統的理想。

除了檢索者與讀者深深感受到微電腦的衝擊外，資料庫製作者與線上系統亦受其震撼。資料庫製作者憂慮的是：廣泛的轉錄結果將扭曲資料的原樣而影響到資料庫的品質。至於線上系統則為其收益的損失而驚惶。隨著微電腦容量及速度等功能日益增強，致使資料轉錄的趨勢更為普及。遺憾的是，有關此方面的立法腳步卻遲緩未定，再加上資料庫製作者尚未研擬出最佳應對的策略，致使檢索者在缺乏引導方針，無所依循的情況下，茫茫然無所適從❷。本章擬就利用微電腦進行線上檢索之配備、檢索軟體及轉錄資料等有關事項一一加以探討。

二、設 備

利用微電腦進行線上檢索應具有下列設備：(1)微電腦及磁碟機（disc drive），有些微電腦機種，例如；IBM PC 及Apples，則必須另外配合一介面卡；(2)數據轉換機（modem），有些微電腦附有數據轉換機，稱之為嵌入式、固定式的內部數據轉換機。另一種是檢索單位原先已有的個別的數據轉換機，若是這種情況，則須購置一RS232C電纜線與微電腦連接❸；(3)軟體程式，以控制硬體及資料的運作；(4)高速印表機，以便快速且正確的列印檢索過程與結果。

三、檢索軟體

適用於線上查尋的檢索軟體種類衆多各具特色，於功能、價格及複雜性上各自不同，其中不乏效果奇佳且可免費提供者❹。

做為一個現代的線上檢索者，如何評估能輔助並強化線上檢索的微電腦套裝軟體，已成為一必須的課題。許多檢索者目前均致力於新套裝軟體特性的研究與比較，以作為向上級主管、同事或讀者建議採用這項措施的有力後盾。通常較廣為使用的套裝軟體有Searchware、 Pro-search 、及Biblio-Link & PBS等三個。以下針對此三個系統加以介紹，兼論述評估準則。

1. **軟體系統介紹**

(1)Searchware

Searchware為查尋DIALOG單一系統一貫檢索（front-end）的套裝軟體名稱，主要以對線上檢索毫無認識的初學者為訴求對象。使用者向Searchware公司購買軟體時，即可取得檢索密碼（password），所有連線的費用均直接付給Searchware公司，如此一來軟體的取得與付費問題均為同一公司所負責，可以減少許多麻煩，尤其對偶而使用線上檢索的讀者而言更為方便。

Searchware公司提供五十多種學科的套裝軟體，每一種要個別購買。例如：一個使用者購買有關心理學主題的套裝軟體，Searchware提供DIALOG系統中與心理學相關的八個資料庫供檢索，且使用手册中會包括這八個資料庫之簡短說明，這些說明類似於DIALOG系統的藍頁說明書（bluesheet）。

Searchware的檢索層次有二種。第一層為簡易檢索，每一個邏輯運算只限五個檢索用語，檢索用語不能成群處理，必須是單一指令的檢索模式，布林邏輯運算的順序依次為先AND，次OR，最後為NOT，此層次檢索只適合單一主題或單一事實性資料的查尋。第二層次則為DIALOG系統原來的檢索模式，檢索者先將所有相關的DIALOG指令，字首與字尾限制代碼及檢索策略制定好，利用Searchware套裝軟體加以儲存，並整批傳送至線上系統的電腦主機加以處理❺。

(2)Pro-Search

與Searchware相對立的是Pro-Search軟體系統。Searchware只限於單一系統檢索，Pro -Search則可同時檢索多個系統，其設計的使用對象為檢索專家而不是一般讀者。Pro- Search套裝軟體具有下列數種特性：(a)提供一個簡單的檢索介面，以一種合乎邏輯的方式，引導使用者逐步完成資料庫的選擇、檢索策略的制定、上機及實際檢索等各步驟，進而有效的完成檢索。(b)軟體中包括資料庫的說明，Pro-Search可提供DIALOG與BRS兩系統原來的檢索模式，但增加了自動上機及轉錄資料的功能。(c)提供許多功能鍵及選項式畫面供檢索。(d)以嶄新的形式與色彩設計清晰的螢幕畫面。(e)可經由同一簡單的檢索介面，同時檢索DIALOG及BRS兩個系統中的所有資料庫。(f)能將每次檢索費用加以保留並定期給予追蹤，同時製作發票並印出會計報表。

為了達成上述各項特性，利用Pro-Search進行檢索時其方法為：(a)就選擇資料庫的步驟而言，首先選擇一主題用語，則DIALOG與BRS系統中凡與該主題相關的資料，立即依字母順序排列顯示出來；(b)就制定檢索策略而言，DIALOG與BRS的指令均可採用，Pro-Search軟體會將輸入的指令轉換成適當的檢索語言，只要啟用一個功能鍵，即可自動進入DIALOG或BRS系統進行檢索；(c)就連線檢索而言，Pro-Search可將檢索策略先行儲存後，再整批傳送至線上系統之電腦主機處理，以減少連線作業的時間❻。

(3)Biblio-Link & PBS（Personal Bibliographic System）

一旦檢索者利用一貫檢索的套裝軟體進行線上查尋，且將檢索結果轉錄至微電腦的磁碟片，接下來則須利用Biblio-Link與PBS二種套裝軟體，將這些轉錄下來的資料加以重組編輯，再以最適合讀者需求的格式印出。首先由Biblio-Link將轉錄的資料轉換成PBS的格式。利用Biblio-Link抓取自DIALOG、BRS、MEDLARS、OCLC或RLIN等系統中，轉錄下來的書目資料錄資料欄內的資料，再將PBS所需要的具一致性的資料欄代號加入每一筆書目資料錄中。

資料錄抓取完成後，繼之以轉錄。配合Biblio-Link將欄位代號設定完成之後，再利用PBS軟體去製作合乎讀者需求的書目形式。PBS軟體具各種編輯功能，例如；刪除重複或不要的資料、增加資料、甚至是一筆全新的資料錄，及修正打字錯誤等。PBS採用各種書目格式的標準供二十多種資料形態的書目編輯工作，例如：專書、期刊論文、技術報告、碩博士論文、報紙論文、音樂、地圖及電腦程式等。這些標準包括American National Standard Institute－ANSI，American Psychological Association、Science Magazine及Modern Language Association等單位制定的書目註錄標準。除此之外，讀者亦可要求依自己設計的格式給予編輯❼。

除了上面介紹的三種代表性的檢索軟體外，學者專家刻正致力於另一種資料庫檢索介面的研究，該項研究之目的在結合線上檢索結果與館藏資料的出處，以便讀者可自資料查尋至原始文獻的獲取能一氣呵成，一次完成❽。

有關各種微電腦適用的檢索軟體，可查閱微電腦軟體名錄工具書，但這類工具書僅提供事實資訊而未做任何評估性的建議。對使用單位而言，選擇檢索軟體的評估工作仍是不可或缺的一項重任。

2.套裝軟體評估

任何一單位在制定評估微電腦套裝軟體的準則之前，必須先了解下列問題：(1)轉錄線上檢索結果是否必要？(2)是否有編輯各種資料的必要？(3)是否透過多個線上系統轉換資料庫檢索較有利？(4)統計資料與圖形在印出結果時，是否扮演重要角色？(5)線上會計及編制預算對於線上作業績效的提高程度為何❾？

了解上述各問題之後，則可依下列各準則進行微電腦檢索的套裝軟體評估。評估準則為：(1)使用者與軟體之間交互作用的難易度如何？(2)是否提供完整且正確的使用手冊或其他訓練？(3)所提供程式是否需要修訂，是否提供程式設計師？(4)是否定期提供新的程式？(5)軟體系統是否具延展能力❿？至於使用手冊則應注意：是否有詳細的舉例說明？敘述是否簡潔？長短適中否？是否具連續性、一致性？是否有索引？是否有詞彙表⓫？除了評估軟體本身，對於經銷軟體產品的代理商亦應加以評估，評估依據的準則如下：(1)代理商信譽如何？行銷業績如何？於軟體市場活躍程度如何？(2)是否組織使用者團體（user group），該團體的活動及成效如何？(3)是否能無私的推薦其他可能的代理商以供選擇參考？(4)代理商是否進行各項研究與發展計劃，以期加強既有軟體系統的功能？(5)是否提供技術上的支援？(6)是否提供其他互用的套裝軟體？(7)軟體購買是否有保證期⓬？

總之，在認識各項評估準則之後，使用單位在決定採用某套裝軟體以輔助線上檢索時，仍應注意下列事項，方保萬全無失。例如：(1)根據使用者需求比較軟體程式的功能、限制與彈性；(2)配合硬體設備選擇適用的軟體；(3)軟體系統的裝置維護及操作的難易度為何？(4)系統的輸出、輸入的過程與能力如何？(5)是否有操作指示？查尋語言為何?安全性如何？(6)是否提供各種輔助說明書及訓練？(7)價格是否合理等⓭。

四、轉錄資料

在所有利用微電腦進行線上檢索的好處中，「轉錄資料庫的資料，以建立自己內部的資料庫」，無疑是最引人注目而廣為議論的一項。轉錄代表的主要意義為：自線上系統的電腦主機處，經由連線的途徑，抓取資料庫裏的資料，存放至使用者檢索用的微電腦的磁碟機或磁碟片中；配合適當的軟體，這些轉錄來的資料可以進一步加以編輯、重組、淘汰或合併而成一內部的資料庫。轉錄可改進檢索結果，提高檢索結果的使用價值，但卻嚴重的違反版權法及合約的規定。轉錄資料之所以大為盛行，實歸之於下列四大原因：(1)電信傳輸的速度極為快速，使得在合理的價格下可以轉錄大量資料；(2)微電腦的儲存量越來越大，使得大量轉錄變得簡易可行；(3)套裝軟體市場活絡，許多軟體系統售價極為便宜，有些甚至免費；(4)軟體功能強大，使得檢索與轉錄可同時於二個以上的線上系統作業，並可將轉錄資料與檢索程式相連結⑭。事實上轉錄資料並不是百益而無一害，它仍有缺點，最大的限制是：任何檢索上的錯誤無法於線上當場給予修正，必須等到整個檢索檔被處理完後，才能和電腦主機再連繫⑮。

1.轉錄方式

檢索者轉錄線上檢索結果的主要原因之一是：可於不同的時間隨時印出檢索結果；再且，若印表機的速度較數據轉換機的速度慢，則較經濟的作法是：將檢索過程與結果轉錄至磁片上，檢索完畢後立即關機，再利用微電腦將結果印出。轉錄至磁片上的檔可保留或清除。轉錄下來的資料檔，亦可進一步利用軟體功能加以編輯處理，例如：改正錯字，刪除重複或混淆不清的資料，合併相同或類似的資料，將自不同資料庫檢索而得的資料加以排序，或可加入索書號、欄位代碼等其他資料，亦可依讀者指定的各種標準書目格式，編輯印出檢索結果⑯。

以上轉錄的作法，固然可以改善許多檢索結果，然而若只是單純的轉錄，事情尚屬簡單，但轉錄的目的在使用，故持續的使用轉錄的資料則變成複雜的「轉用」（downusing）問題⑰。轉用的結果則嚴重的剝奪資料庫製作者的收益。由於微電腦儲存量大增，再配合檢索軟體強有力的功能，許多服務主題較為狹窄，服務對象較為特定的專門圖書館，紛紛起而效尤投入這股轉錄風潮中，針對某一學科主題轉錄各大資料庫內相關的資料，建立一個更為特定且完整的內部資料庫⑱，如此則可一而再、再而三的依據讀者需求連續不斷的檢索，而不需支付額外的線上檢索費用，這麼一來資料庫製作者的收益，遭到空前的侵佔與剝奪。除了金錢的損失外，資料庫製作者更感憂心忡忡的是：資料本質內涵的被改造。檢索者為各種不同讀者，以各種不同的方式，編輯重組轉錄而來的資料，以進行再次銷售資訊的作法，將使原資料的本質內涵受破壞或流失，而嚴重影響原資料的品質。

2. **演變過程**

轉錄線上檢索的資料既然擁有上述的許多好處，且在約束力尚未產生強大的制裁效果的情況下，自然廣為檢索者喜愛採用，致使1982年起，即於美國圖書館界及資訊界蔚然成風，形成一股無法遏止的趨勢。然而，如何將其納入正軌管理仍為迫切之需。要妥為管理必先了解轉錄風氣的演變過程。自1982年起可分為七個階段：⑴1982年初期，轉錄觀念產生，繼而加以誇大，同時混淆亦隨之而生；⑵1983年，觀念的可行性分析，繼而研究並推行；⑶1984年，第一批由資料庫製作者及線上檢索服務處，提出控制線上轉錄的價錢政策出現；⑷1985年，轉錄政策教育產生；⑸1985-1986年，使用者對轉錄政策及價錢的反應；⑹1987年，根據使用者的反應調整轉錄政策並訂定價格模式⑲；⑺1988年至今，合理的政策陸續在改良而被接受。

3. **版權法**

在轉錄風潮中，反應最激烈者，首推資料庫製作者與線上檢索服務處，是以，他們為求彌補與挽救，紛紛提出各種改革措施，例如：制定轉錄政策、訂定新的收費方式、再次檢視版權法及推出新產品，如CD-ROM等方法以保護自己。一來或可遏止轉錄之風，二來或可由其中謀利。有關CD-ROM部份，於第十七章有詳細的介紹。此處特別強調版權法與合約的探討。

轉錄資料實冒了二大違法的危險，一為違反版權法，一為觸犯了與資料庫製作者或線上檢索服務處的合約規定。資料庫一如印刷出版品同受版權法保護⑳。顯而易見的，若轉錄整個資料庫是違反版權法，至於選擇性的轉錄部份資料庫內容是否違法則未見清楚記載。職是之故，有關出版品的版權法規定均可適用於資料庫㉑。茲就版權法的規定，如：「公共產物與編輯收集」及「衍生作品與原始作品」等二項加以敘述。

⑴公共產物與收集編輯。由政府創造或收集，屬於公共產物性質的資訊不具版權；不具創造特性的資訊亦不具版權，如常見可得的編目資料。至於將以上資料加以收集編輯而成一著作則具有版權，因為它們是經過一番收集、組織與整理的功夫而成㉒。⑵衍生作品與原始作品。一具有編輯、修訂、註解與補充等苦心精營的著作，亦具有版權，因其具有原作的精神，可視為原作的衍生作品㉓。

由此可見公共產物本身未具版權，但將之加以組織處理後的結果，則具有版權。如此一來，讀者很難判斷何種資料是來自公共產物，何種又是來自具有原始貢獻的資料。例如；資料庫的資料來源是政府所提供，但經過製作者加上摘要、分類號、敘述語或欄位代號等處理，則變成具有版權的產物。大多數資料庫，如：數字、名錄及書目資料庫均屬此類，亦即原始資料的衍生物或編輯產物。至於全文資料庫，無疑是具有版權的原始作品，因此在轉錄此類型資料時更須加備小心，以免動則觸犯版權法。

4. 合約

由於許多資料庫是由非具有版權的資料組成，再加上版權法本身的解釋欠嚴格，許多資料庫製作者寧可選擇合約法來規範轉錄行為，亦即要求使用者履行遵守合約上對轉錄的各項規定㉔。合約規定的最基本規則是：「除非獲得製作者的同意，否則不得擅自轉錄，違者依法究辦」。故檢索者一定要寫信取得資料庫製作者正式的同意，方可進行資料轉錄㉕。

總之，轉錄行為對使用者與供應者雙方既然會引起各種衝突，一般認為，大多數的檢索者均願意付出合理的代價，而光明正大的取得資訊的再使用權，故一套制定完善的政策或法規，必能使彼此雙方獲益匪淺㉖。

五、結　語

在電腦科技文明的帶動下，微電腦的功能日益彰顯，利用微電腦進行線上檢索已是目前普遍的趨勢，其中固然存在著許多優點，但這些優點對全部的圖書館而言並不是「絶對」的優點，例如：轉錄資料庫內的資料以建立自己內部的資料庫，對小型的公共圖書館而言未必百分之百適當，完全依使用單位衡量實際需要而定。因此「適合才是最好的」這句話無異是線上檢索者之最佳格言。

附　註

❶ Bell, A.J. and Smith, N.R., "Using a General Purpose Microcomputer to Aid the Searching of Bibliographic Databases", Program: Automated Library and Information Systems, 16(4):200-201, October 1982.

❷ Tenopir, Carol, "Online Searching With a Microcomputer", Library Journal 110:42-43, March 15, 1985.

❸ Miastkowski, Stan, "Modems: Hooking Your Computer to the World", Popular Computing, November 1982, pp.88-104.

❹ Glossbrenner, Alfred, How to Get Free Software, St. Martin's, 1984.

❺ Directory of Microcomputer Software for Libraries, edited by Robert A. Walton and Nancy Tayler, Phoenix, AZ: The Oryx Press, 1986, pp.430-431.

❻ 同❺ pp.364-365.

❼ Encyclopedia of Information Systems and Services, vol.1: United States Listings, 8th ed., edited by Amy Lucas and Annette Novallo, Detroit, MI: Gale Research, 1988, pp.599-600.

❽ Tenopir, Carol, "Software for Online Searching", Library Journal 110:52-53, October 15, 1985.

❾ Blair, John C. Jr., "Software Applications Packages and the Role of the Computer Applications Specialist", Online 5:65, March 1982.

❿ Garoogian, Rhoda, " Pre-Written Software: Identification, Evaluation and Selection", Software Review 1:12, February 1982.

⓫ Emard "Software Hang-Ups and Glitches", p.20.

⓬ 同⓫ p.13.

⓭ Tenopir, Carol, "Software for In-House Databases: Part II, Evaluation and Choice", Library Journal 108:88, May 1, 1983.

⓮ Spigai, Fran, "Downloading: Tempest in a Teapot?" in Online'83 Conference Proceedings, Weston, CT: Online, Inc., 1983.

⓯ "Downloading: Windfall or Pitfall?", Information Today 1:1&4, February 1984.

⓰ Casbon, Susan, "Online Searching with a Microcomputer Getting Started", Online 7:42-46, November 1983.

⓱ 同⓮

⓲ Grotophorst, Clyde W., "Another Method for Editing Downloaded Files", Online 8:85-93, September 1984.

⓳ Spigai, Fran, "Downloading Revisited, 1984: Practices and Policies" in Online'84 Conference Proceedings, Weston, CT: Online Inc., 1984.

⓴ Warrick, Thomas S., "Large Databases, Small Computers and Fast Modems-An Attorney Looks at the Legal Ramifications of Downloading", Online 8:58-70, July 1984.

㉑ Miller, Jerome K., "Copyright Protection for Bibliographic, Numeric, Factual, and Textual Databases", Library Trends 32:199-207, Fall 1983.

㉒ Osborne, Larry N., "Downloading Overview", Journal of Library Administration, 6(2):13-21, Summer 1985.

㉓ United States Code, Supplement V, Title 17(1981), General Revision of Copyright Law, Cong. 2d. Sess., 19. Oct. 1976, Washingtion D.C.,

USGPO.

㉔ Jansen, Arnold A. J., "Problems and Challenges of Downloading for Database Producers", The Electronic Library 2:41-51, January 1984.

㉕ BIOSIS "Downloading Agreement for Reuse of Its Data", Database 6:7, August 1983.

㉖ Hawkins, Donald T., "To Download or Not to Download Online Searches" in Online'82 Conference Proceedings, Weston, CT: Online Inc., 1982.

第十七章　CD-ROM資料庫

一、導　言

1986年代CD-ROM資料庫以黑馬的姿態異軍突起，對資料庫世界產生莫大衝擊，推出之後震撼整個圖書館與資訊界，並成為往後幾年各形線上會議或圖書館與資訊會議討論的重點，其來勢洶洶可見一般。究竟什麼是CD-ROM？其特性為何？有那些主要產品？與線上資料庫相比優劣之處為何？對圖書館界與資訊界的衝擊為何？圖書館資訊服務人員對CD-ROM的影響為何？如何評估與選擇？市場現況及未來趨勢如何？以上各項均為主章討論的重點。

二、CD-ROM 定義

CD-ROM（Compact Disc Read Only Memory），中文譯為唯讀光碟記憶體，屬光碟產品的一種。光碟產品主要分為二大類，一為可寫型光碟，一為唯讀型光碟，CD-ROM則屬後者❶。CD-ROM有一乾淨的塑膠套保護光碟片的表面。該表面包含約三英哩長單軌螺旋狀的結構，資料乃以極細微的雷射光點記錄於此。使用時，光碟即以各種不同的轉動速度，利用光束掃瞄尋找軌道的位置，以讀取資料。因為讀寫頭未與光碟表面眞正接觸，故可保護光碟片與閱讀機不會受損。

光碟片類似唱片，基本上CD-ROM是由雷射唱片演變而來，其直徑為12公分，厚度為1.2毫米而軌道間距離為1.6×10^{-6}米❷。每一片光碟片單面大約可儲存十億個位元，相當於五萬四千頁文件❸。因CD-ROM的資料只能被讀取，無法更改；又CD-ROM碟片的製造像CD唱片一樣，均使用塑膠射出成型機製成，因此非常適合大量生產❹。對於較具永久性資料，如字典、百科全書或歷史文獻等而言，因資料多，製作費雖然較高，但適合大眾使用，故可大量生產，以降低平均售價，因此，最適合採用CD-ROM作為儲存媒體，而形成另一種超大型的資料庫。由於此產品頗具親和力，是以短短幾年，即成為圖書館界及資訊界的新寵。

三、系統配備

利用CD-ROM進行資訊檢索應具有軟硬體設備。硬體設備包括個人電腦，如:PC-XT/AT或相容之個人電腦、光碟機（CD-ROM drive）、光碟介面（physical interface）與印表機❺。硬體之外尚須配備軟體。購買光碟片時往往附贈兩片軟式磁碟片，一片是啟動片，另一片是資料片，光碟片必須與這二片系統程式同時使用才能讀取資料❻。

所有的配備均由使用單位自行控制，不受其他外力的干涉或限制。CD-ROM檢索原理，主要是利用微電腦、光碟機及光碟介面三項配備，藉助雷射光學閱讀原理以數位化資訊傳輸、轉換及解碼，利用程式控制雷射讀寫頭動作，讓使用者能迅速選擇並取得光碟片上的文字、圖像及聲音等資料❼。

四、CD-ROM 特性

CD-ROM乃資料庫製作者為了解決日益嚴重的「利用微電腦轉錄資料庫內資料」的問題，所推出的一種解決方法。CD-ROM乃一種高密度之儲存媒體。圖書館訂購CD-ROM 資料庫的方法一如印刷式出版品，乃以訂購為基準而不同於線上檢索以連線為計費基準。CD-ROM一經訂購則定期寄給訂購者，如此圖書館則可擁有資料庫而自由進行檢索，不受連線時間的壓力。因不受使用費用及安全等限制，再加上其他特性，使得CD-ROM 不失為一種提供讀者自行檢索的理想工具，究其特性有下列數項❽。

1. 高密度儲存量

一片4. 75英吋的光碟片，可以容納600個MB（mega byte）。根據Digital Equipment 公司估計，約為1600片磁碟片，幾乎為全套大英百科全書的容量。由此可見，CD-ROM可大大的節省資料存放的空間。

2. 易保存、使用壽命長

光碟片屬光學媒體，不易對磁性、指印或灰塵感應，且每片光碟片有一層薄膜保護，故毋須特殊空調或防塵環境的設施。再加上它是利用雷射光束掃瞄碟片，而不以磁頭直接與表面接觸，故碟片較不易刮傷受損，約可保用十年。

3. 資料只可儲存不能消除

資料一旦讀入CD-ROM磁片加以記錄後就不能改寫或消除，這就製作者的立場來看，實在是一大好處，因為資料的本質內涵可以獲得充分保護而不被修改。

4. 配備簡單價格合理

所有光碟片的開發成本均非常昂貴，然而一旦開發成功，大量製作時，則可回收成本而降低售價，故CD-ROM的價格有越來越低的走向。CD-ROM的硬體設備，只要微電腦與光碟機即可運作，多數廠商看準了光碟機獨具的特點，均儘可能製造合乎各種標準規格的光碟機，以適用各種光碟片。故除了光碟片本身價格合理外，其他配屬的設備亦簡單、容易取得且價格公道❾。

5. 使用容易

CD-ROM的檢索軟體通常為選項式（menu driven），只要略具檢索知識者，極易學習。

6. 使用時輕鬆自由

使用CD-ROM不受時間計費的壓力，較之線上檢索輕鬆自由❿。

7. 與其他機器的相容性高

CD-ROM可與各種PC及Hi-Fi音響相容，使畫面、聲音、及資料同步呈現⑪。

五、CD-ROM產品

由於CD-ROM與各種PC間相容性高，並附加雷射音響的功能，致使可運用的範圍相當廣泛。儲存量大且無法更改的特性，最適合資料與程式不希望重複更改，而要永久保存的情況下使用，例如：各種參考工具書。CD-ROM集畫面、大量資料與聲訊等功能於一身，非常適用於電腦教學。利用電腦雙方溝通的學習方式，無論在學習與訓練上都能達到活潑生動、事半功倍的效果⑫。就圖書館界而言則特別重視有關資料儲存與應用的CD-ROM資料庫。根據1988年版的Optical Publishing Directory 一書統計分析⑬，全球大約有二百多種CD-ROM 產品問世，這些產品可就下列情況加以分析：(1)就學科類別分析，17％為一般性參考工具，商業、自然科學、教育與社會科學四類各佔12％，電腦與工程佔10％，醫學佔9％、名錄、政府、法律及圖書館自動化各佔6％，其他佔4％。(2)就資料庫類型分析，含摘要的書目資料庫佔41％，簡易參考型資料庫佔28％，全文資料庫佔18％，數字資料庫佔9％，影像及聲音資料庫佔5％。(3)就更新資料的頻率分析，每週更新佔8％，每月或雙月更新佔18％，每季更新佔48％，超過每季更新佔26％。(4)就附屬產品分析，CD-ROM 產品同時附隨印刷式出版品及線上資料庫者佔50％；CD-ROM 產品只附隨線上資料庫者佔35％；許多CD-ROM 只附隨印刷式出版品而不製作線上資料庫。(5)就CD-ROM製作者分析，CD-ROM製作者有：(a)研究光碟技術的改良，提供光碟產品予圖書館市場，例如：Silver Platter。(b)傳統商業出版商，例如：McGraw-Hill與John Wiley。(c)政府機構，例如：ERIC與NTIS。(d)線上檢索服務處，例如：DIALOG與BRS。(e)圖書館服務與供應商，例如：Gaylord與UTLAS。(6)就圖書館用途分析：(a)輔助編目，第一個為圖書館作業使用的CD-ROM產品，為美國國會圖書館所開發的Bibliofile，除圖書館本身，其他從事圖書館服務事業的機構，如EBSCO，Faxon，及OCLC等亦廣為採用，以作為編目工作的輔助工具。(b)線上公用目錄（Online Public Access Catalog-OPAC），不少公司，如：WLN的Laser Cat系統，即將CD-ROM技術應用到線上公用目錄的設計與製作。(c)館藏發展，利用CD-ROM產品作為資料的選擇與徵集的工具，例如：Bowker公司生產的Books in Print Plus及Ulrich's Plus。(d)參考服務，約80％的CD-ROM產品均作為提供參考服務之用，舉凡無數的書目、名錄及數字等資料庫均屬之，例如：Microsoft公司出產的Bookshelf⓮。

綜觀上面統計分析可知，CD-ROM產品以一般性參考工具居多，含摘要的書目資料庫是主要的製作類型，且大多數的CD-ROM資料庫每季更新一次資料內容。大部份CD-ROM均有附屬產品，或為印刷資料，或為線上資料庫，凡與資訊服務有關者，均可能為CD-ROM資料庫製作者⓯。

前面介紹的各種CD-ROM產品大都屬單一資料庫，且許多均為線上資料庫的副產品。為了順應資訊潮流，出版界或線上檢索服務處紛紛依據讀者需求，利用CD-ROM發行革新式的大部頭工具書。在此特舉Microsoft公司所推出的Bookshself為例⓰。

Bookshelf 主要是將著名且使用率高的十種參考工具書彙集在一片 CD-ROM 中。其內容包括：The American Heritage Dictionary、Bartlett's Familiar Quotation、Roget's Thesaurus, The Chicago Manual of Style、Houghton Mifflin Spelling Verifier and Corrector、World Almanac and Book of Facts、The U. S. Zip Code Directory、Business Information Sources 及 Houghton Mifflin Usage Alert等。除提供檢索資料之用外，尚可供讀者依自己的需要，編輯檢索出來的資料。因此，此產品甫一推出即廣受大衆喜愛。Bookshelf的隨機檢索及高密度儲存的雙重特性，使得各種文獻中的資料關係可以建立在主題的連合上，換言之，讀者可依自己主題需求，同時抓取十種工具書內與主題相關的資料，除了文字資料之外，亦可檢索圖形、影像或聲音等其他各種視訊。如此一來，資訊界的老前輩Vannevar Bush於1945年所發表的經典之作"As We May Think"及Ted Nelson 於1960年代提倡的知識讀寫網路（hypertext）的理想均可於此產品上獲得實現⓱、⓲。

六、CD-ROM與線上檢索之比較

在資訊檢索領域裡，光碟資料庫的檢索似乎漸有凌駕線上資料庫檢索的趨勢。當研究二者之間的可行性時，應明瞭各存在著那些優、缺點，進而加以評估。而不是一味的推崇新產品排擠舊產品，最好做到兩者相輔相成，截甲之長補乙之短，以達到完美境界。以下茲就二者作一比較。

1・線上檢索

優點：

(1)只要與一個線上系統連線即可檢索上百個資料庫。對需要檢索涵蓋許多不同主題範圍的人而言，較使用CD-ROM來得實際。相對地，CD-ROM一次只能檢索一個資料庫。雖然有許多CD-ROM資料庫可利用，但彼此之間並未使用相同的光碟機及軟體，而必須個別去購買，其費用頗大⓳。

(2)分時系統可多人同時檢索同一資料庫。但CD-ROM一次只能供一人使用，其他使用者必須等候，浪費館員或讀者的寶貴時間。

(3)可隨時利用線上直接更新資料，有每日每週或每月更新一次。對製作者而言，資料更新作業方便易行；對檢索者而言，則可獲得最新資料。反之，CD-ROM因為受到儲存媒體本身只能讀入不能增刪資料的限制，必須製作新的光碟片才能更新資料，故較不具時效性，其更新的期限，一般是以季或年為單位⓴。

(4)檢索點多，檢索方式較具彈性。線上檢索擁有許多強有力的查尋功能，例如：相近運算元、截字法、布林邏輯運算等，尤其在印出結果時更具有各種暫存指令、排序（sort）與編印報表等功能。相對地，CD-ROM檢索特性未及線上資料庫來得豐富且具彈性，例如：有些CD-ROM並無截字功能，再且其軟體的基本索引並未包含主題用語的控制詞彙，如此檢索一個主題用語可能要輸入數十個可能相關的詞彙。

(5)線上資料庫收錄資料的時間範圍較為完整。CD-ROM因開發較晚，大都收錄最近幾年的資料而已。

(6)使用時才須付費。一旦系統建立，線上通訊設備安裝妥當，檢索單位只需依連線使用及印出結果付費即可。反之，CD-ROM光碟片是採訂購方式，費用是一次付清而不管使用的次數。更新資料時，CD-ROM製作者會寄發新片，但舊片須收回，故使用單位不能擁有該項資料。

除此之外，線上系統可與微電腦連結，並將檢索結果轉錄至微電腦中㉑。

缺點：

(1)使用單位必須裝設終端設備以及電信通訊網路，方可與線上系統的電腦主機連線，以檢索資料庫內的資料，導致線上檢索較無法大量普及。反觀，CD-ROM的配備則較簡單，只需微電腦、光碟機及光碟機與微電腦的介面卡即可檢索。

(2)線上資料庫之檢索指令複雜繁瑣，必須仰賴訓練有素的檢索專家代勞，才可獲至有效的檢索結果。反之，CD-ROM操作容易，不必具備任何電腦操作技術，亦可在電腦選項式的指引下順利進行。故讀者可隨時獨自操作，不需檢索專家代為檢索。

(3)依連線時間的長短為計費的標準，致使檢索過程充滿付費的壓力；然而，使用CD-ROM不受主機限制和時間計費的壓力，可以輕鬆的心情任意使用。

2·CD-ROM

優點：

CD-ROM的優點除了前述線上檢索三大缺點之相對說明外，尚有⑴體積小，儲存量大，容易搬動和寄遞，可節省大量存放空間及整理和維護的費用。⑵訂購價格固定，方便預估使用成本，可直接編列年度預算。⑶沒有被清除資料之虞，不需拷貝備份。⑷軟硬體設備容易取得且價格逐年下降。⑸CD-ROM乃利用雷射光來讀取資料，不直接與光碟表面接觸，故不易磨損；再加上每片光碟片有護套保護，故保養容易，使用壽命極長。⑹CD-ROM可儲存各類型資訊，例如：文字、畫面、影像與聲音等，係一多媒體的儲存體。⑺可隨時印出檢索結果或將查得的資料轉存在使用者的磁片上，並利用文書處理軟體，隨時修改而成為個人資料檔㉒。

缺點：

同樣地，CD-ROM的缺點，除了前述線上檢索各項優點之相對說明外，尚有：⑴檢索速度較慢。僅管使用CD-ROM時不需有通訊及連線的時間，但在檢索所花的時間卻是線上的十五倍之多㉓。⑵內容較線上檢索所得缺乏，CD-ROM雖號稱儲存容量大，然而仍無法做到滿足每位讀者需求的地步。CD-ROM只能檢索一個資料庫，線上檢索則可自由進出各個資料庫。⑶光碟乃新興工業，一切規劃未上軌道，各種廠家產品用途，情況複雜多變，致使使用者認識困難。⑷產品規格缺乏標準，許多機器無法相容，造成使用者一片混亂，無所適從。⑸製作者為求於短時間內回收成本，故售價一般偏高[24]。

七、CD-ROM對圖書館界與資訊界的衝擊

除了CD-ROM與線上資料庫，這二種在現代資訊工業催生下，產生的儲存資料的新寵兒外，傳統式的印刷資料仍維持它不輟的地位，且與二種媒體並立共存，同時一直是出版者最主要的收益來源。印刷資料在面對兩種強勢的競爭壓迫之下，之所以還未遭淘汰且與之分庭抗禮，自有它過人之處。首先，印刷資料可多數人同時使用一套不同卷期或冊數的資料[25]；其次，印刷資料可自由攜帶，隨處閱讀，不需藉助任何機器，故較具普遍性；再者，其製作成本低且方便大量印製，故售價較低，能廣為大衆接受。

圖書館在面對此三種各具特色，亦各有限制之出版媒體，如何下抉擇而加以取捨，實有審愼評估之需要。除了考量三者之優缺點外，更應顧及圖書館本身的主客觀因素，包括圖書館的經營政策與讀者的需求。若能三者交互使用互補長短，自可提供一有價值的資訊模組[26]。例如：許多圖書館會同時購置紙本式的BIP與CD-ROM 的BIP Plus ，因為CD-ROM使用較不方便，且一次只能一人使用[27]。由此可見，欲將CD-ROM完全取代印刷資料仍屬不可能。這麼說，圖書館員都不歡迎CD-ROM嗎？當然未必，任何新技術一旦引進，總會引起接受與排斥二種反應的心態，設若眞抗拒CD-ROM 這種有效的檢索工具，那將是圖書館界的一大損失[28]。究竟CD-ROM會產生那些衝擊呢？

1. 廣爲讀者接受

除了館員外，CD-ROM亦吸引了許多讀者使用，讀者們會互相指導使用方法，因為對檢索用語、檢索策略及各種邏輯運算不夠純熟，讀者可能無法做到最有效的檢索，但均了解檢索結果。在讀者樂意接受之餘，CD-ROM工業實應加強制定各種標準，讓硬體設備與軟體程式的統一化有一依循的根據，如此才能造就一穩定而不紊亂的檢索環境，以維持這個好不容易才建立好的讀者關係。

2. 印刷資料遭受挑戰

許多CD-ROM資料庫的內容與印刷式出版品相同，但檢索方法卻不同。印刷資料大都利用主題、作者或題名索引查尋或直接流瀏正文，自其中擷取有用資料。CD-ROM則提供主題、作者、題名、摘要、刊名、年代與語言等較多的檢索點；但直接流瀏螢光幕自屬困難且費眼力。除此之外，CD-ROM具有各種吸引人的特色，故有逐漸取代印刷資料的可能。圖書館員對此二種出版媒體亦各有看法，有些以為應先使用印刷資料再使用CD-ROM，有些則不作如是觀㉙。

3. 對參考服務的衝擊

CD-ROM 對圖書館的參考服務將造成下列四種衝擊：

⑴CD-ROM系統如何與以印刷資料為主的參考服務部門加以整合乃一大課題。若使用大量線上查尋為讀者提供回溯性資料檢索服務者，則適合採用CD-ROM 。若使用CD-ROM的讀者較

多，則可考慮取消印刷式出版品。若檢索主題較固定，經常使用同一資料庫檢索者，亦較宜採用CD-ROM。⑵CD-ROM系統將帶給參考服務人員更多的工作，例如：CD-ROM 的維護、使用說明、檢索失敗的解釋及其他相關的各種問題等。⑶微電腦放置位置應加以注意，例如：CD-ROM若放在索引桌附近，易使讀者認為兩者提供的是相同的資訊。⑷圖書館開始開放各種不同的公共檢索終端機或微電腦時，即應提供清楚的指標與簡潔的使用說明，以幫助讀者認識檢索系統的目的所在㉚。

八、館員對CD-ROM的影響

CD-ROM在進入圖書館，這個已知且潛在的大市場之前，必先獲得館員的肯定與支持，而其未來的推廣更有賴館員直接或間接的影響。究竟館員具有那些影響呢？

1. 擬定並舉辦CD-ROM產品的展示與說明，在讀者與製作者或經銷者之問搭起溝通的橋樑，將讀者對CD-ROM的反應意見與需求傳遞給製作者，作為改進的參考。

2. 根據本身使用經驗與心得，協助製作或改良CD-ROM產品，以開發更完善的檢索技巧。

3. 藉由價格與空間等因素的考量，幫助圖書館作最佳的選擇及規劃。

4. 擔當起資訊傳播與教育的新角色。

因此，圖書館員應面對此全新的挑戰，多加創造革新，使新的CD-ROM產品的加值（ add value ），超越今日的索引摘要功能，而達到為不同讀者製作多種特殊的索引，使不同資料類型的資料內容之間有完整的參照款目，例如：電話號碼簿與地圖集，進而具有知識讀寫網路強有力的功能。不論是CD-ROM的實質內容或軟體均可不斷增加其利用價值㉛。

再且，館員應認識CD-ROM，就硬體、軟體需求、空間、安全、價格、相容性等各要點，為不同的使用者，不同的使用方法，不同的經費預算等方面加以研究。是故館員應勇敢的擔負起CD-ROM工業的領導地位，以本身的專業學養配合各種檢索經驗，對於CD-ROM所面臨的種種問題加以研究，以便向製作者提出改進的建議，或協助開發本館館藏的CD-ROM檢索服務。

九、評估與選擇

購買CD-ROM資料庫雖然不若線上系統那般複雜，然而亦不是一件小事，必須謹慎從事。較穩當的作法是採用一些正式的評估途徑，根據評估準則逐項查核。通常可從館藏發展、行政管理、檢索功能、使用難易及代理商評估等五項準則進行評估㉜～㉟。

1·館藏發展

CD-ROM產品內容是否適合讀者的資訊需求。讀者的主題興趣不易明確訂定，故可參考與該CD-ROM相關的線上資料庫過去被檢索的情況來加以評估。除主題外，尚需考慮收錄資料的類型、時間範圍及資料更新的時效等事項。

2·行政管理

經費是另一重要考慮因素。訂購單位應就全面的財務狀況，作一詳細的研究之後，就CD- ROM價格加以衡量。價錢的估算除了開始的裝置費，還要加上日後的維護費。再相對的比較各CD-ROM的售價是否合理，尤其應針對採用CD-ROM之後其成本效率（cost-effectiveness）如何？又整體考評的成本效益（cost-benefit）如何？包括人員時間、設備、傢俱與聯絡費等工作。除經費外，尚需考慮是否有人力可以支援此項服務？該項服務對館員及讀者造成的衝擊如何？

3. 檢索功能

許多CD-ROM資料庫有附屬的印刷式出版品，尤其是索引摘要工具，故要吸引人購置，必須擁有強大的檢索功能。評估CD-ROM是否具布林邏輯運算、相近運算、截字運算、固定欄位查尋及語言、日期與資料類型等限制之諸多檢索功能？在印出檢索結果方面，是否容易執行且具彈性？例如：是否可以各種不同形式印出結果？是否可任意選擇欲印出結果的部份？再者，系統是否具有設定「檢查錯誤執行」的功能？是否可將檢索結果轉錄至磁片上等。

4. 使用難易

CD-ROM的訴求對象部份是讀者，故評估者最好站在讀者立場來考評。所謂一個眞正好用的系統應該是：只要最少的指導或學習就能有效的使用者。換言之，當使用者一開機就能在系統逐步引領下得知操作的方法與步驟；當有任何錯誤發生時，系統會主動給予有效的幫助，例如：顯示各種簡短且引人注意的訊息，這些訊息或可輔以圖形或顏色來加強效果。同時，功能鍵亦不失為一良好的指引工具。任何一個系統越具親和力(user-friendliness),通常代表越容易使用。事實上親和力的界定具有高度的主觀意識。如何評斷,有層次上的差異,應妥當處理。

作為一個檢索者,往往要求一個完美的系統,既要功能強大又要容易使用,如此一來就苦了程式設計師,這也是努力研究並自我期許的一個理想。

5. **代理商評估**

CD-ROM的市場是一個瞬息萬變的競爭地盤。代理商更迭起落,產品推陳出新,故只認定一代理商購買CD-ROM產品乃不智之舉。每一代理商提供服務不盡相同,例如:是否提供完整、正確且易讀的使用手冊?是否有電話服務又其品質如何?當買賣雙方合約終止之後,買方能獲得的財產權為何?以上各種問題若能獲得滿意解決,對館員與讀者而言,使用一家代理商的產品,當然較使用多個系統要來得方便且容易。

除了,依準則針對特定的CD-ROM產品逐項考核評估之外,亦可參考一些名錄型工具或期刊論文的介紹。

6. **名錄工具**

有關CD-ROM 名錄型工具較常見的有:

(1) Optical Pubishing Directory, edited by Richard A. Bower, Learned Information, N. J., Annual.

(2) CD-ROM in Print:1988-89, edited by Jean-Paul Emard, Westport, CT :Meckler, 1989.

(3) The CD-ROM Directory, edited by Joanne Mitchel and Julie Harrison , London: TFPL Publishing. 1990.

7·**期刊**

有關CD-ROM之各項研究與報導論文，可參考：(1)CD-ROM Review ，季刊；(2)CD-ROM Librarian，一年出版10次；(3)Optical Information System ，雙月刊；(4)Optical Information System Update，一年出版18次；(5)The Laserdisk Professional，雙月刊等。

十、結　語

目前，CD-ROM檢索與線上檢索在美國圖書館界已經非常普及，大型圖書館往往二者兼備。原為線上檢索市場的顧客仍將是CD-ROM的第一批使用者，CD-ROM製作者面對的是一個長期銷售而不是快速成交的景象，因為更多的展示與觀摩教習必須為潛在的顧客提供；CD-ROM資料庫的檢索一如線上資料庫，必須不斷自我學習與訓練才能達到有效的檢索結果；CD-ROM不應是線上檢索的替代品，最好二者相輔相成，讓讀者享有最大的選擇空間，具時效性的資料可以利用線上檢索，至於回溯性資料檢索則利用CD-ROM [36]。

未來，CD-ROM欲廣為接受，應大幅降價，或縮短出版的時間，提高資料的時效性。資料濃縮技術的精進，亦將使得規模龐大的資料庫可為少數幾片的CD-ROM取代，且在資料庫收錄的內容或時間範圍更加完整。越來越多線上系統有提供CD-ROM檢索的傾向，例如H. W. Wilson公司開發的Wilsonline資料庫檢索，就可利用切換方式提供線上檢索或CD-ROM檢索。各種光碟系統為因應使用者需求，認眞致力於各種問題的研究改進，例如：軟、硬體設備的相容性、如CD 網路（CDNET）的開發、檢索功能的加強、法律問題的探討等，以開闢CD-ROM更廣大的使用空間。最後，更多仰賴知識讀寫網路或多媒體（hypermedia）的革新產品正以旭日東昇的姿態，躍躍待發，一幅另一場出版媒體之戰又將啟開序幕。

附　　註

❶ 張明杰，「CD-ROM應用實例：CARIM ™電腦輔助資訊檢索與導向系統」，機械工業，期46，民國76年1月，頁62。

❷ 劉榮隆，「雷射唯讀音碟（CD-ROM）」，機械工業，期50，民國76年5月, 頁117-120。

❸ 薛理桂，「光碟—圖書資料維護與使用的新媒體」，國立中央圖書館館刊，卷19, 期1,民國75年6月，頁61。

❹ 同❷, 頁119。

❺ Hendley, Tony, CD-ROM and Optical Publishing Systems, Westport, CT:Meckler Publishing Corporation, 1987, P. 9.

❻ 莊健國，「光碟資料庫ERIC、LISA、A-V Onlin、Sociofile之評介」，國立中央圖書館館刊，卷21, 期1, 民國77年6月，頁144。

❼ 同❺, p. 61.

❽ Tenopir, Carol, " Databaese on CD-ROM ", Library Journal 111:68, March 1 , 1986.

❾ Herther, Nancy K., " CD-ROM Technology:A New Era for Information Storage and Retrieval ", Online , November 1985, pp. 17-28.

❿ Murphy, Brower, " CD-ROM and Libraries ", Library Hi Tech Consecutive Issue 10:21-28, 1985.

⓫ Miller, David C., " Running with CD-ROM ", American Libraries 17:754- 756, November 1986.

⓬ 許素鳳，「CD-ROM肚量驚人，教學娛樂兩相宜」，中央日報，80年1

月23日，版面18。

⓭ Optical Publishing Directory, edited by Richard A. Bower, Learned Information, NJ, Annually.

⓮ Tenopir, Carol, " Publications on CD-ROM:Librarians Can Make A Difference " Library Journal 112:62-63, September 15, 1987.

⓯ Nicholls, Paul Travis, " Statistical Profile of Currently Available CD- ROM Datebase Products ", Laserdisk Professional, November 1988, pp. 38-45.

⓰ " Information Tools for Executives ", High Technology Business 8:64, March 1988.

⓱ Byers, T. J., " Built by Association ", PC World, April 1987, pp. 244-251.

⓲ 同⓯.

⓳ Reinke, P., " CD-ROM vs Online:An Online Searcher's Perspective ", Bulletin of the American Society for Information Science, Oct. ／Nov. 1987, p. 21.

⓴ Hilditch, Bonny M. and Schroeder, Eillen E., " Pertinent Comparisons Between CD-ROM and Online ", Bulletin of the American Society for Information Science, Oct. ／Nov. 1987, pp. 15-16.

㉑ Pooley, Christopher, " The CD-ROM Marketplace:A Producer's Perspective ", Wilson Library Bulletin, December 1987, p. 25.

㉒ 陳秀盡，「高密度唯讀光碟片（CD-ROM）的認識」，書香季刊，第4期，民國79年3月，頁25。

㉓ 同⓳・

㉔ Quint, Barbara, " How is CD-ROM Disappointing ? Let Me Count the Ways " Wilson Library Bulletin, December 1987, p. 32.

㉕ Herther, Nancy K., " CD-ROM and Information Dissemination An Update ", Online 11:56-64, March 1987.

㉖ Cohen, Elaine and Young, Margo, " Cost Comparisons of Abstracts and Indexes on Paper, CD-ROM and Online ", Optical Information Systems 6:485-490, Nov. ∕ Dec., 1986.

㉗ Demas, Samuel, " Comparing BIG Bibliographies on CD-ROM ", American Libraries 18:332-335, May 1987.

㉘ Kusack, James M., " Librarians and the Information Age:An Affair on the Rocks ? ", Bulletin of the American Society for Information Science 14:26-27, Dec. ∕ Jan., 1988.

㉙ Shera, Jesse H., " Librarians Against Machines ", Science 156:746-750, May 12, 1987.

㉚ Salomon, Kristine, " The Impact of CD-ROM on Reference Department ", RQ 28(2): 203-215, Winter 1988.

㉛ 李德竹，「加值與圖書館作業」，書府，79年6月，頁4·

㉜ Stewart, Linda, " Picking CD-ROMS for Public Use ", American Libraries 18(9): 738-740, October 1987.

㉝ Miller, David C., " Evaluating CD-ROMS : To Buy or What to Buy ? ", Database 10(3): 36-42, June 1987.

㉞ Herther, Nancy K., " How to Evaluate Reference Materials on CD-ROM ", Online March 1988, pp. 106-108.

㉟ " Optical Product Review Guidelines ", CDROM Librarian , July ∕

August 1987, PP . 24-25.

㊱ Jewell , Timothy D., " CD-ROM Opportunities and Issues " in Online Searching : The Basics, Settings and Management, 2nd ed., edited by Hoann H. Lee, Eng lewood, CO: Libraries Unlimited, 1989, pp. 66-74.

第十八章　線上檢索未來發展趨勢

線上檢索已堂堂邁入1990年代，它未來又將朝何方向發展呢？本章即將針對此問題加以闡述。在探討其未來發展趨勢前，先介紹人工智慧、專家系統，知識讀寫網路（hypertext）、超媒體（hypermedia）等與線上檢索的關係。

人工智慧（Artificial Intelligence—AI）是現代許多先進國家競相研究的計畫。人工智慧是研究一些能使電腦重複或模擬人類智慧的某些功能的方法❶。在人工智慧中最有前途的領域之一是專家系統。何謂專家系統？其與線上檢索關係為何？

一、專家系統（Expert System）

1.定　義

所謂專家系統是一個強化知識的電腦程式，將某一特定範圍的知識儲存在知識庫中，模仿人類專家解決問題的技巧及方法，以知識庫裡所儲存的專門知識來解決問識，它不僅可以提供意見，並可解釋推論的過程❷。專家系統可以執行某一學科領域裡專家或顧問的工作，並可提供決策者意見。它有二個要件：一個是知識，另一個是推理用的規則❸、❹。這些用來解決問題的一連串規則，包括了狀況和反應行動或前因與後果等，換言之，即是一連串的if-then的程式組成。

2. **專家系統與線上檢索**

目前許多線上檢索系統僅提供資料本身或資料來源，卻不能自動設定檢索策略、選擇適當的檢索用語與評估檢索結果，這些屬於目前線上檢索的難題均由檢索者負責。專家系統因具有「資訊專家」的智慧，便被廣為應用於線上檢索的領域❺。專家系統具有下列功能：

⑴根據讀者給予的主題用語，自動找出相關資料庫，並依相關資料的多寡，排序資料庫的重要性；換言之，可以幫助讀者選擇資料庫。

⑵專家系統可以進而幫助讀者找到合適的檢索用語，並依序建議詞彙的重要性。

⑶選定的檢索用語，將進一步以各種檢索策略給予組合運算。

⑷讀者根據檢索結果的相關程度，再使用專家系統提供的決策模式，選擇修改檢索策略或印出全部結果。

⑸依據檢索結果，專家系統可以利用增加或刪減檢索用語，變更邏輯運算等方式，決定擴大或縮小檢索範圍❻、❼。

專家系統在線上檢索過程中，扮演的是「檢索專家」的角色，循著上述的步驟，把全部相關的資料都找出來，可說是線上檢索的一種新嚐試，例如：CANSEARCH就是一典型的例子。CANSEARCH 只與 MEDLINE 一個資料庫相連，乃讀者與MEDLINE的中間者，能有效的引導讀者檢索有關癌症治療主題的相關資料。除此之外，專家系統的知識庫亦可儲存有關簡易參考問題的資訊，協助館員回答一些事實性的參考問題，例如Answerman即為一例❽。

專家系統應用在線上檢索的成效，毀譽參半❾。雖然，利用專家系統可以協助讀者進行線上檢索，大大減少館員的負擔且可獲得讀者自行檢索的許多好處，但無可諱言，仍有許多困難待克服❿，若能針對這些問題加以改進以減少負面的影響，則其未來自然無限美好。故未來有待努力的方向計有：

⑴廣泛搜集檢索專家與讀者的檢索行為。

⑵設計一個合理的使用者模式。

⑶繼續加強實際分析，以了解某特定問題用那個資料庫比較合適⓫。

⑷設計更簡單的規則程式，節省儲存空間⓬。

⑸發展一更具親和力（user-friendly）的人機界面⓭。

二、知識讀寫網路（Hypertext）與超媒體（Hypermedia）

1945年資訊學界的前輩大師Vannevar Bush在其經典之作"As We May Think"一文中，曾提及一種Memex機器,該機器為龐大的縮影資料提供快速的檢索途徑，同時也為系統中任選的二段資訊，提供建立連接鍵，這是知識讀寫網路理念：「運用機器連接各個片段資訊」，建立的源起⑭。1960年，Nelson首先創造此一新名詞並加以定義。

1. **知識讀寫網路／超媒體定義**

所謂知識讀寫網路乃非線性的閱讀與寫作，它能讓使用者將資訊連結起來，其方法為：在聯想到的資料間建立許多連接鍵，這些連接鍵可將一篇電子文件中的某些字詞或語句與其他電子文件中相關的資訊相連在一起⑮。總之，其中心主旨在發展一套不連續性的閱讀方法。自1987年開始，知識讀寫網路已於資訊界嶄露頭角，有關的會議亦開始舉行，例如在北卡羅萊納大學舉辦的Hypertext '87即為一例。

知識讀寫網路只連接文字資訊而已。超媒體與知識讀寫網路十分相似，唯連接的資訊內容不只限於文字，而擴增到具二度至三度空間的圖形、影像、畫面及聲音等多種媒體資訊，將各類形的電子資訊加以儲存、傳遞、修定及組合，同時為成千上萬的使用者「再」使用，例如：利用超媒體系統的電子出版建立一個化學實驗模式，或利用一部電子兒童百科全書可以教導飛機如何飛行⑯。

2. **知識讀寫網路／超媒體與線上檢索**

線上資料庫的檢索可以利用hyper系統的連接鍵功能。使用此連接鍵時，系統會自動執行各種詢問，並透過連接鍵指引到相關的資訊。例如：當閱讀某電子文件中有關基因工程的主題時，即可看到一些連接鍵的標記，指示那些線上資料庫可檢索，及應用何種檢索策略，如此即可輕易取得與該主題相關的最新書目資料。Hyper系統還可將線上檢索結果轉錄至hyper系統上，再建立連接鍵，作為個人日後使用的資料檔。另外，有關線上檢索之各種線上求助亦可利用hyper系統獲得。總之，知識讀寫網路將成為資訊工作者的日常工具，藉此工具可將線上資料庫的檢索與個人的連接鍵網路資料結合起來⑰。

三、線上檢索的未來

綜觀本書所論線上檢索在面臨各種新媒體的衝擊之下，其未來走向如何呢？經過詳細分析之後，可歸納如下：

1. 重視品質控制問題

人們總樂於做錦上添花的事。線上檢索自推出至今，總是褒多於貶，同樣的景況又再次應驗於CD-ROM檢索上，尤其對具有功能的神化，更是有過之而無不及。這種現象本屬自然而無可厚非。然而，當一切時機成熟之際，是否應回頭審慎思考線上檢索的品質問題？未來線上資訊檢索應積極主動重視下列事項：資料庫收集選擇資料的品質；索引的品質，包括其詳盡性，精確性及一致性；自然語言及控制詞彙的品質；輸入資料的品質；電信通訊的品質；線上服務者的品質及檢索者的品質等⑱。

2. 資料庫種類增加、數量亦持續成長，但成長速度漸趨緩和

線上系統多以『利』為出發點，只願推出市場需求高的資料庫⑲。資料庫的類型，不再只限於以文字敘述為主的內容，其他

如影像、聲音等資料庫亦加入此市場。檢索單位欲檢索這類資料庫，必須配合更完備的軟硬體設施[20]。

3. 資料庫重組、資料庫內容的嚴重重複問題

資料庫內容的嚴重重複，對使用者而言是一種檢索浪費。線上系統試圖將一些主題相近的資料庫重新組合，以便檢索者可以利用相同的檢索用語與檢索策略，進行較有效率的線上查尋[21]。

4. 資料庫製作者自行提供檢索服務的現象逐漸普及

許多公司或組織基於線上工業之市場利益，不但製作資料庫且利用自己開發的硬體設備與軟體系統，提供線上檢索服務，例如：Pergamon Chemical Abstract 、H. W. Wilson及 Institute for Scientific Information－ISI等公司。

5. 內部資料庫數量增加

利用微電腦轉錄線上資料庫的資料至磁碟片上，而建立使用單位的內部資料庫已蔚然成風，其中尤以全文資料庫更廣為使用者喜愛。雖然眼前仍有許多技術上與法律上的限制未克服，例如：只能一人使用、更新或增刪資料不易及轉錄資料的版權與合約問題等，這些困難均將成為內部資料庫未來應努力研究以謀突破的課題[22]。

6. 線上資料庫與館藏資料庫結合

為了促使原始文獻的迅速取得，許多大型圖書館均加速謀求線上資料庫與館藏資料庫的連合檢索，並可預見不久的將來可獲成果，如此無異在書目資料與原始文獻之間搭起連接的橋樑，縮短原始文獻獲取的時間。這種結合將再度引起另一波圖書館衝擊，面臨挑戰的業務計有：編目工作、線上公用目錄的設計、館藏發展、資料的流通、館際合作及讀者教育等㉓。

7. 電信通訊與軟體系統仍將繼續改良

電信通訊將更普及且速度更快，檢索軟體功能更強大且容易檢索，這些改良均促使利用微電腦進行線上檢索，以及讀者或資訊需求者（end user）自行檢索之風更為熾烈可行。

8. 讀者自行檢索將更普遍

由於各種軟體系統的開發與改進，讀者自行檢索已漸為大多數人接受和喜愛，讀者可以利用手邊的個人電腦進行檢索，方便且省時。雖然如此，資訊檢索專家之地位仍可維持不輟，且有越來越重要的趨勢。因為，讀者一旦親臨檢索身入其境，方知檢索專家的確具有專業知識與能力而心生敬意㉔。

9. 線上收費政策的調整

CD-ROM對線上檢索而言不啻是一種催化劑。它提供讀者自行檢索且可無限制次數的使用；再加上微電腦廣為應用到線上檢索，可以整批傳送檢索指令及大量轉錄檢索結果，迫使資料庫製作者與線上系統將重擬檢索收費政策㉕。

10. 技術將再創新局

CD-ROM將謀求各種改良現況的途徑，例如：大幅降價、開發CD網路（CDNET）、提高資料的時效性、加強檢索功能與謀求軟、硬體設備的相容性等方式，開創另一新局面㉖。

11. 無紙世界（paperless society）的到來

Lancaster 曾於1980年代初期預言，未來的人類將面臨一個無紙世界的到來，電腦將成為人類生活中不可或缺的一部份。屆時，資訊大都由電子媒體存取，媒體的類型亦由單純的文字擴增到複雜的影像、圖形及聲音的多媒體，傳統式的印刷資料將為電子媒體取代㉗。人們只需利用手邊簡單的電腦設備就可隨心所欲的檢索各式各樣的資訊，資訊取得不因各種的「差異」而有所限制，致使世界大同無遠弗屆（libraries without wall）的圖書館的理想指日可待。

附 註

❶ Lee, Geoffrey J., "AI: Applications and Implications for the Library", Library Software Review, Nov.-Dec., 1985, p.370.

❷ 孫家麟，人工智慧概論，台北：第三波，民國75年，頁298。

❸ Shoval, Peretz, "Principles, Procedures and Rules in An Expert System for Information Retrieval", Information Processing and Management 21(6):475, 1985.

❹ 陳雅文，「專家系統在資訊服務的應用」，美國資訊科學學會台北學生分會會訊，第2期，民國78年6月，頁17。

❺ Clarke, Ann and Cronin, Blaise, "Expert Systems and Library/Information Work", Journal of Librarianship 15(4):284, October 1983.

❻ Hawkins, Donald T., "Applications of Artificial Intelligence (AI) and Expert Systems for Online Searching", Online 12(1):34, January 1988.

❼ Walker, Geraldene and Jones, Joseph W., "Expert Systems As Search Intermediaries", Proceedings of the ASIS Annual Meeting 21:104-105, 1984.

❽ 同❻。

❾ Richardson, John, "Expert Systems for Reference Service", Bulletin of the American Society for Information Science 14(6):19-20, August/September 1988.

❿ Brooks, H.M., "Expert System and Intelligent Information Retrieval", Information Processing and Management 23(4):375-376, 1987.

⓫ Kehoe, Cynthia A., "Interface and Expert Systems for Online Retrieval", Online Review 9(6):500, 1985.

⓬ 同❾ 。

⓭ Williams, Martha E., "Transparent Information Systems throught Gateways, Front Ends, Intermediaries, and Interface", Journal of the American Society for Information Science 37:204-214, July 1986.

⓮ Smith, Karen E., "Hypertext-Linking to the Future", Online, March 1988, p.33.

⓯ Conklin, Jeff, "Hypertext: An Introduction and Survey", Computer 20:17-41, September 1987.

⓰ 同⓮ 。

⓱ Rada, Roy, "Writing and Reading Hypertext: An Overview", Journal of the American Society for Information Science 40:164-171, May 1989.

⓲ Dellenbach, Marcia, "Quality Control and Effective In-House Procedures for Online Managers" in Online'86 Conference Proceedings, Online Inc., 1986, pp.52-56.

⓳ Harris, Richard, "The Database Industry: Looking into the Future", Database 11:42-43, October 1988.

⓴ Tenopir, Carol, "Crisis or Change in the Database Industry?", Library Journal 111:46-47, April 1986.

㉑ 同⓳ 。

㉒ Tenopir, Carol, "The Database Industry Today: Some Vendors' Perspectives", Library Journal 109:156-157, February 1, 1984.

㉓ Tenopir, Carol, "Five Years Into the Past...Five Years Into the Future",

Library Jounal 113:62-63, April 1, 1988.

㉔ Tenopir, Carol, "The Online Future at ASIS", Library Journal 108:1322-1333, July 1988.

㉕ Tenopir, Carol, "Pricing Policies", Library Journal 109:1300-1301, July 1984.

㉖ Thorin, Suzanne and Boyer, Larry, "CD-ROM Technology: An Issue at ALA in Automation and Reference", Library of Congress Information Bulletin, 47:372, September 12, 1988.

㉗ Lancaster, F.W., "The Paperless Society Revisited", American Libraries 16:554, September 1985.

中文索引

〈一　劃〉

〈二　劃〉

〈三　劃〉

〈四　劃〉

〈五　劃〉

〈六 劃〉

〈七　劃〉

〈八　劃〉

〈九　劃〉

〈十 劃〉

〈十一劃〉

〈十二劃〉

〈十三劃〉

〈十四劃〉

〈十五劃〉

〈十六劃〉

〈十七劃〉

〈十八劃〉

〈十九劃〉

〈二十劃〉

〈二十二劃〉

英文索引

<A>

<C>

< P >

國立中央圖書館出版品預行編目資料

線上資訊檢索：理論與應用／蔡明月著. --初版. --臺北市：臺灣學生,民80

12,415 面；21公分.--(圖書館與資訊科學叢書22)

含索引: 中文p.357-381, 英文p.383-415

ISBN 957-15-0237-5 (精裝).--ISBN 957-15-0238-3 (平裝)

1.資訊儲存與檢索系統

028 80001798

線上資訊檢索——理論與應用

著作者：蔡 明 月

出版者：臺 灣 學 生 書 局

本書局登記證字號：行政院新聞局局版臺業字第一一〇〇號

發行人：丁 文 治

發行所：臺 灣 學 生 書 局
臺北市和平東路一段一九八號
郵政劃撥帳號00024668
電 話：3634156
FAX：(02) 3636334

印刷所：淵 明 印 刷 公 司
地 址：永和市成功路一段43巷五號
電 話：9287145

香港總經銷：藝 文 圖 書 公 司
地址：九龍偉業街九十九號連順大厦五字樓及七字樓 電話：7959595

定價 精裝新台幣三八〇元
平裝新台幣三二〇元

中華民國八十年六月初版
中華民國八十二年十月修訂版二刷

02302

ISBN 957-15-0237-5 (精裝)
ISBN 957-15-0238-3 (平裝)

臺灣學生書局出版

圖書館學與資訊科學叢書

①中國圖書館事業論集 張錦郎著
②圖書・圖書館・圖書館學 沈寶環著
③圖書館學論叢 王振鵠著
④西文參考資料 沈寶環著
⑤圖書館學與圖書館事業 沈寶環編著
⑥國際重要圖書館的歷史和現況 黃端儀著
⑦西洋圖書館史 Elmer D. Johnson著 尹定國譯
⑧圖書館採訪學 顧敏著
⑨國民中小學圖書館之經營 蘇國榮著
⑩醫學參考資料選粹 范豪英著
⑪大學圖書館之經營理念 楊美華著
⑫中文圖書分類編目學 黃淵泉著
⑬參考資訊服務 胡歐蘭著
⑭中文參考資料 鄭恆雄著
⑮期刊管理及利用 戴國瑜著
⑯兒童圖書館理論／實務 鄭雪玫著
⑰現代圖書館系統綜論 黃世雄著
⑱資訊時代的兒童圖書館 鄭雪玫著
⑲現代圖書館學探討 顧敏著
⑳專門圖書館管理理論與實際 莊芳榮著
㉑圖書館推廣業務概論 許壁珍著

㉒線上資訊檢索——理論與應用	蔡明月著
㉓現代資訊科技與圖書館	薛理桂著
㉔知識之鑰—圖書館利用教育	蘇國榮著
㉕圖書館管理定律之研究	廖又生著
㉖外文醫學參考工具書舉要	顏澤湛編著 沈寶環校正
㉗圖書館讀者服務	沈寶環主編
㉘臺灣鄉鎮圖書館空間配置	林金枝著
㉙圖書館事業何去何從	沈寶環著
㉚參考工作與參考資料—英文一般性參考工具書指南	沈寶環編著

圖書館學類圖書

①圖書館學	中國圖書館學會出版委員會編
②Librarianship in World Perspective （圖書館學的世界觀）	李 華 偉 著
③圖書館規劃之研究	盧 秀 菊 著
④圖書館的專業與非專業職責	莊 芳 榮 譯
⑤圖書選擇法	王振鵠編著
⑥參考服務與參考資料	薛 文 郎 著
⑦自動化書目的資訊服務	徐 小 鳳 著
⑧圖書館資訊系統之探討	劉 春 銀 著
⑨資訊科學導論	Charles H. Davis James E. Rush 合著 張鼎鍾編譯
⑩縮影媒體與圖書館——在圖書館應用的可行性研究	黃 維 綱 著
⑪圖書館自動化導論	張鼎鍾編著
⑫專門圖書館管理指南	Edward G. Strable 編 藍 乾 章 譯
⑬公共圖書館標準	劉 淑 蓉 譯
⑭（增訂版）歷屆高普考圖書館學試題詳解	本局編輯部編